No.	Kanji	Page refs
430	向	p.80 p.111
431	局	p.80 p.112
432	営	p.80 p.112
433	点	p.80 p.112
434	呼	p.81 p.112
435	降	p.81 p.113
436	速	p.81 p.113
437	遅	p.81 p.1—
438	—	—
第24回		
441	商	p.84 p.117
442	部	p.84 p.117
443	経	p.84 p.117
444	済	p.84 p.118
445	払	p.85 p.118
446	治	p.85 p.118
447	消	p.85 p.119
451	府	p.86 p.119
452	数	p.86 p.120
453	故	p.86 p.120
454	政	p.86 p.120
455	驚	p.87 p.120
456	良	p.87 p.121
☆73	厂	p.87
457	歴	p.87 p.121
458	農	p.87 p.121
459	原	p.88 p.121
460	願	p.88 p.122
461	史	p.88 p.122
第25回		
462	深	p.90 p.125
☆74	戈	p.90
463	残	p.90 p.125
464	念	p.90 p.125
465	泳	p.91 p.126
466	非	p.91 p.126
467	悲	p.91 p.126
468	常	p.91 p.126
469	困	p.91 p.127
470	笑	p.92 p.127
471	喜	p.92 p.127
472	苦	p.92 p.127
473	活	p.92 p.128
474	続	p.92 p.128
475	組	p.93 p.128
476	専	p.93 p.128
477	再	p.93 p.129
478	共	p.93 p.129
479	講	p.93 p.129
480	法	p.94 p.129
481	議	p.94 p.130
第26回		
482	調	p.96 p.133
483	協	p.96 p.133
★75	黄	p.96
484	横	p.96 p.133
485	焼	p.97 p.134
486	備	p.97 p.134
487	準	p.97 p.134
488	難	p.97 p.134
489	離	p.97 p.135
490	結	p.98 p.135
491	婚	p.98 p.135
492	果	p.98 p.135
493	課	p.98 p.136
494	論	p.98 p.136
495	効	p.99 p.136
496	受	p.99 p.136
497	設	p.99 p.137
498	取	p.99 p.137
499	最	p.99 p.137
500	寝	p.100 p.137

Copyright © 2010 by BEUCKMANN Fusako, WATANABE Yoko

All rights reserved. No part of this book may be reproduced, stored in a retrieval system, or transmitted in any form or by any means, electronic, mechanical, photocopying, recording, or otherwise, without the prior written permission of the publisher.

First editon : MAY 2010

Cover design : Akihiro Suzuki
Illustrations : Hiroko Sakaki

Published by KUROSIO PUBLISHERS
3-21-10, Hongo, Bunkyo-ku, Tokyo 113-0033, Japan
Phone: 03-5684-3389 FAX: 03-5684-4762
http://www.9640.jp/

ISBN978-4-87424-481-4
Printed in Japan

ストーリーで覚える漢字 II 301-500

Story
English, Korean, Portuguese, Spanish
Kanji

Learning Kanji through Stories II 301-500
스토리로 배우는 한자 II 301-500
Aprenda Kanjis através de Estórias II 301-500
Aprenda Kanjis a través de Historias II 301-500

ボイクマン総子・渡辺陽子 [著]
高橋秀雄 [監修]

まえがき

　この本はコーチングから生まれました。あるインドの企業が「5ヶ月で、日本側と対等に交渉ができ、日本語の新聞が読めるバイリンガルコンサルタントを育てて欲しい」と言ってきました。この企業は、大学の4年間に匹敵するIT教育を4ヶ月の研修で修了してしまうというノウハウを持つ、インドを代表するIT企業です。

　通常の教授法では不可能だと判断し、コーチングを応用して、学習者の推測と判断を大胆に取り入れる参加型の授業の試みが始まりました。その授業参観をして「是非この方法を本にして、日本語学習者に短期間に楽しく学べる経験をしてもらいたい」と提案をしたのがボイクマン総子さんでした。

　この方法では、漢字の意味の認識と読みを分けることによって、ひらがなや片仮名を知らなくても漢字の自学習ができます。そして、進んでいくうちに、既に音で入っていることばと漢字とのマッチングが起こり、学習者はその発見に心を躍らせます。

　「語学学習は誰のプロジェクトか」という基本的なことを考えながらこの本の編纂は進められてきました。これは一つの現場での試みです。教師も学習者も、この本が、工夫の旅を楽しむきっかけになれば幸いです。

TAC日本語学舎代表　髙橋秀雄

Preface

　An Indian company one day asked me if I could train up, with a five-month program, bilingual consultants competent in reading Japanese newspapers and handling business negotiations. The company was an Indian IT firm, well-known worldwide for its unique four-month professional training program, equivalent to a four-year college course.

　This request challenged me to create the most effective approach possible to make such a time-constrained project happen. So it was that I came up with the coaching approach, which, by allowing students to make their guess through trial and error, invite their active involvement in class. It was Dr. Fusako Beuckmann who, observing the class, suggested that we should make a book out of this idea so that more learners could enjoy their Kanji studies in a shorter period of time.

　The unique point of this method is that Kanji recognition is separated from Kanji reading. This enables you to start learning Kanji on your own, even if you are not familiar with Hiragana or Katakana. And as the reading section comes after you have learned certain vocabulary, the readings and the words you already know by sound start to match, which can give you a thrilling sense of excitement.

　When we were designing this book, we faced a very basic but challenging issue; the question of whose project it is for a person to learn a language. This book is our attempt. I sincerely hope that this book will enable you to mobilize all of your creativity allowing you to find your Kanji studies enjoyable and rewarding.

Hideo Takahashi
Director of TAC Language Institute

CONTENTS

まえがき　ii

このテキストの使い方　iv
How to use this textbook　viii
이 교과서의 사용법　xii

Como utilizar este material　xvi
Cómo utilizar este libro de texto　xx

PART I (kanji 301-400)

ストーリーで意味を覚えよう

Let's memorize kanji with its story
스토리로 의미를 배우기
Vamos aprender os significados dos kanjis através das estórias
Aprendamos los significados a través de historias

第17回	2	第20回	20
第18回	8	第21回	26
第19回	14		

読み方と書き方を覚えよう

Let's learn reading and writing
읽는 법과 쓰는 법 배우기
Vamos aprender a ler e a escrever
Aprendamos la lectura y la escritura de los kanjis

第17回	32	第20回	55
第18回	40	第21回	62
第19回	48		

PART II (kanji 401-500)

ストーリーで意味を覚えよう

Let's memorize kanji with its story
스토리로 의미를 배우기
Vamos aprender os significados dos kanjis através das estórias
Aprendamos los significados a través de historias

第22回	72	第25回	90
第23回	78	第26回	96
第24回	84		

読み方と書き方を覚えよう

Let's learn reading and writing
읽는 법과 쓰는 법 배우기
Vamos aprender a ler e a escrever
Aprendamos la lectura y la escritura de los kanjis

第22回	102	第25回	125
第23回	109	第26回	133
第24回	117		

1-500漢字音訓リスト　140

Kanji 1-500 On-Kun List・1-500 한자 음훈 리스트
Lista das leituras Kun-yomi e On-yomi dos kanjis de 1 a 500・
Lista de la lectura On-yomi y Kun-yomi de los kanjis del 1 al 500

『ストーリーで覚える漢字』と他の漢字リストの比較　152

Comparison between the kanji of "Learning Kanji through Stories" and other kanji compilation lists・'스토리로 배우는 한자' 와 다른 한자 리스트와의 비교・Comparação entre "Aprenda Kanjis através de Estórias" e outras listas de kanjis・Comparación de "Aprenda Kanjis a través de Historias" con otras listas de kanjis

INDEX

読み方索引　156

Reading Index・읽는 법 색인
Índice das leituras・Índice de lecturas

意味索引

Definition Index　172
의미 색인　182
Índice dos significados　191
Índice de significados　201

部品索引　210

Parts Index・부품 색인
Índice das partes・Índice de partes

■단한자 읽는 법 색인(韓国語単漢字読み索引)　212

あとがき　218
著者紹介　219

このテキストの使い方

　本書『ストーリーで覚える漢字Ⅱ 301-500』は、『ストーリーで覚える漢字300』の後編です。前編で基本的な漢字500のうち300字、本書で残り200字が学べます。本書の構成は、前編と変わりません。したがって、「目的」「対象」「特長」などについては、前編(p.iv～p.v)をお読み下さい。

　『ストーリーで覚える漢字』(前編・後編)では、500字の漢字が学習できます。これらの漢字は、漢字をゼロから学ぶ学習者にとって基本的な漢字として筆者らが選んだものです。前編では、日本語能力試験4級(新しい日本語能力試験N5相当)と3級(新しい日本語能力試験N4相当)の漢字284字を含む300字を、後編では参考文献(「あとがき」を参照)を基に、残りの200字を選びました。そのほとんどが日本語能力試験2級(新しい日本語能力試験N3～N2相当)の漢字です。なお、他の漢字教材で取り上げられている漢字と本書で学習できる漢字との比較については、p.152～p.155をご覧ください。

　本書は、前編と同じく、英語・韓国語・ポルトガル語・スペイン語の4言語対応になっています。また、[ストーリーで意味を覚えよう]の部分は、別冊に和訳も載っています。

1. テキストの構成と使い方

構　成

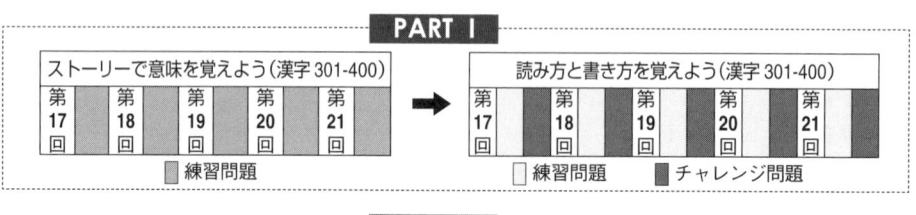

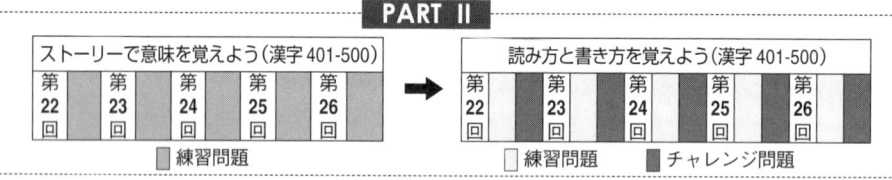

PART I

ストーリーで意味を覚えよう(漢字 301-400)	→	読み方と書き方を覚えよう(漢字 301-400)
第17回 / 第18回 / 第19回 / 第20回 / 第21回		第17回 / 第18回 / 第19回 / 第20回 / 第21回
■ 練習問題		□ 練習問題　■ チャレンジ問題

PART II

ストーリーで意味を覚えよう(漢字 401-500)	→	読み方と書き方を覚えよう(漢字 401-500)
第22回 / 第23回 / 第24回 / 第25回 / 第26回		第22回 / 第23回 / 第24回 / 第25回 / 第26回
■ 練習問題		□ 練習問題　■ チャレンジ問題

使い方

▶漢字の意味だけでなく読み書きも覚えたい学習者

　学習方法として推奨するのは、[ストーリーで意味を覚えよう]を第17回から第21回まで学習した後に[読み方と書き方を覚えよう]の第17回から第21回までを終え、そのあと、第22回から第26回も同様に[ストーリーで意味を覚えよう][読み方と書き方を覚えよう]の順に学習を進める方法です。他の方法としては、[ストーリーで意味を覚えよう]を第17回から第26回まで終わってから、[読み方と書き方を覚えよう]に進んでもいいでしょう。

▶漢字の意味と読み方を覚えたい学習者

　漢字の書き方を覚える必要のない学習者は、漢字を書く練習と[チャレンジ！]の問題を省略すればいいでしょう(■を飛ばします)。

▶短時間に漢字の意味を覚えたい学習者

　手っ取り早く漢字の意味だけ覚えたいという学習者は、PartⅠとPartⅡの[ストーリーで意味を覚えよう](第17回～第26回)だけをやってもいいでしょう。

▶独学で漢字を覚えたい学習者&ひらがなとカタカナが苦手な学習者

　このテキストは、[読み方と書き方を覚えよう]の漢字熟語には全てローマ字読みの欄があります。独りで勉強している学習者や、ひらがなやカタカナがまだ覚えられていないけれど漢字の学習をしたい学習者は、ローマ字で漢字の読み方を確認できます。

2. 各セクションの説明

各セクションの説明です。5つのセクションがあります。勉強を始めるまえに読んでおきましょう。

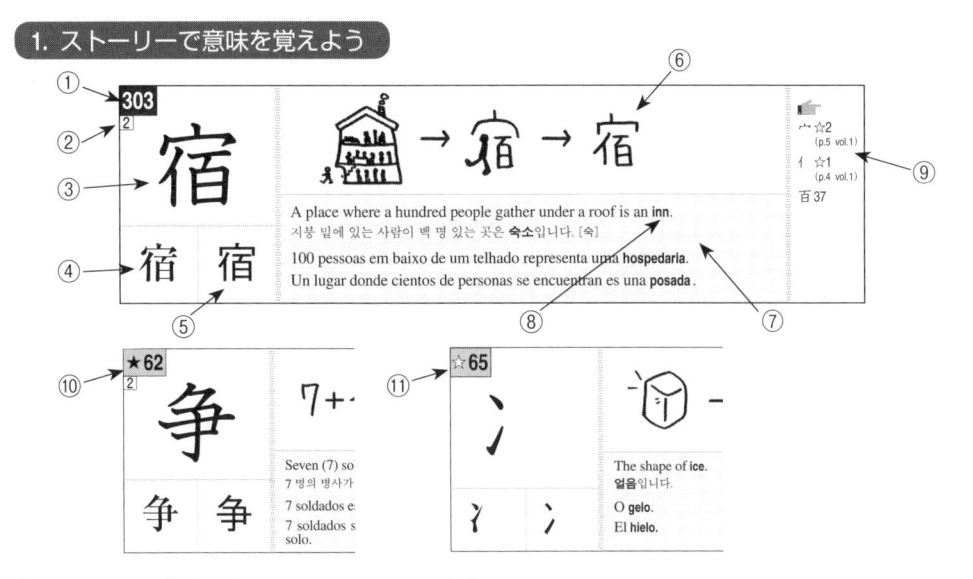

1. ストーリーで意味を覚えよう

① 漢字の通し番号です。301-500まであります。
② 日本語能力試験の級を表します。②は2級(N3 ～ N2相当)、①は1級(N1相当)です。
③ 教科書体です。一番手書きに近いフォントです。
④ 明朝体です。
⑤ ゴシック体です。フォントによって字体が異なることがありますから、いろいろなフォントに慣れておくことが大切です。
⑥ イラストの最後の漢字は手書きで書かれた場合の形になります。
⑦ 漢字の覚え方のストーリーです。英語・韓国語・ポルトガル語・スペイン語の4言語があります。
⑧ 太い字で書かれている部分はその漢字の中心的な意味です。
⑨ 参照する漢字の番号が振ってあります。★☆の場合、頁も書いてあります。また、前編に出てきた漢字や部品の場合、vol.1と示してあります。頁番号だけが書かれてある場合は、本書(後編)の頁を示しています。❗は本書の500字の中で、字形が似ている漢字、もしくは、意味が同じ漢字を示しています。注意してください。
⑩ ★は漢字の部品を表します。★は単独でも漢字として成り立つ漢字です。
⑪ ☆は漢字の部品を表しますが、単独では漢字として成立しない部品です。
　(→★☆のリストと意味は p.210-211)

2. [ストーリーで意味を覚えよう]の練習問題

[ストーリーで意味を覚えよう]の後の練習問題で漢字の意味を問う問題です。p.ivの表の▇の部分です。

[1] 意味を書いてください。
　　その回で出てきた全ての漢字が取り上げられています。答えはありませんので、[ストーリーで意味を覚えよう]を見て、自分で答え合わせしてください。

[2] 意味を推測して、適当なものをa〜eから選んでください。
　　その回、または、すでに学習した回で出てきた漢字の意味がわかれば解けます。推測力を働かせてください。

[3] ことばの意味を推測してください。
　　漢字語の意味を推測する問題です。別冊の解答例にこだわらず、推測する力を養いましょう。

[4] 文の意味を推測してください。
　　漢字語を含んだ文の意味を推測する問題です。読み方を問う問題ではありません。別冊の解答例にこだわらず、推測する力を養いましょう。

3. 読み方と書き方を覚えよう

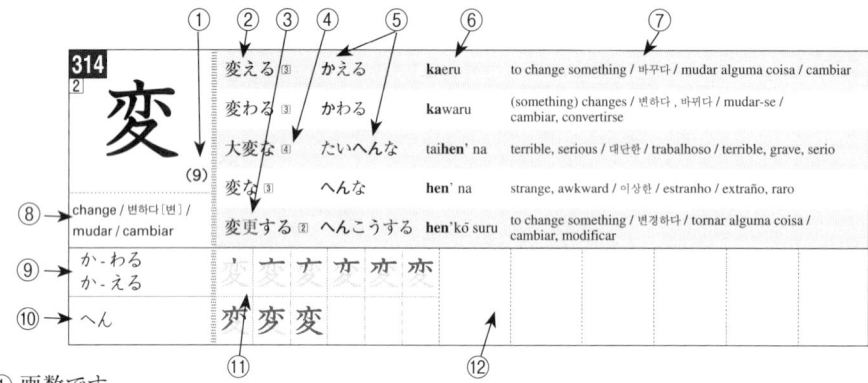

① 画数です。
② 漢字熟語です。原則として訓読み、音読みの順になっています。リストには、その漢字が含まれている日本語能力試験4級(N5相当)、3級(N4相当)、2級(N3〜N2相当)の語彙をほとんど全て挙げてあります。他に、日常よく使用する漢字熟語を取り上げました。
③ 薄い字になっている漢字は、『ストーリーで覚える漢字』で勉強する500字以外の漢字です。
④ ④は日本語能力試験4級語彙(N5相当)、③は3級語彙(N4相当)、②は2級語彙(N3〜N2相当)、①は1級語彙(N1相当)です。何も書かれていないものは、級外の語彙です。
⑤ ひらがなでの読み方です。当該漢字の読み方は太字になっています。特別な読み方には＊がついています。
⑥ ローマ字での読み方です。ローマ字はヘボン式を採用しています。ただし、語中の撥音(ん)は他と区別するため、n'と表しました。また、長音はōのように表記しました。
⑦ 漢字熟語の意味です。英語・韓国語・ポルトガル語・スペイン語の4言語訳です。
⑧ 漢字の意味です。英語・韓国語・ポルトガル語・スペイン語の4言語があります。
⑨ 上段は訓読みです。代表的な訓読みが挙げられています。自他動詞の場合、まず自動詞、その下に対応する他動詞を挙げています。
⑩ 下段は音読みです。代表的な音読みが挙げられています。
⑪ 書き順が示されています。
⑫ このスペースに実際に漢字を書くことができます。

4. [読み方と書き方を覚えよう]の練習問題

[読み方と書き方を覚えよう]の後の練習問題で、読み方を問う問題です。p.ivの表の□の部分です。

[1] 適当な読み方を選んでください。
[2] 下線部の読み方を書いてください。
　　　[1][2]は漢字の読み方の問題です。未習の漢字には振り仮名が振ってあります。ここで提出している漢字は、原則として[読み方と書き方を覚えよう]の漢字熟語リストからの漢字で、使用頻度が高く、日本語能力試験4級(N5相当)、3級(N4相当)、2級(N3～N2相当)にもよく出る語彙が中心です。
[3] 読んで意味を考えてみましょう。
　　　文の中の漢字を推測する力を養う問題です。ここで使われている例文は全て実際の会話でよく使われる表現ですので、まるごと覚えてもいいでしょう。別冊の解答には、会話の訳が各国語であります。
[4] ひらがなを一つ書いてください。必要がない場合は、×を書いてください。
　　　漢字の送り仮名を問う問題です。

5. チャレンジ！

[読み方と書き方を覚えよう]の後の練習問題で、書き方を問う問題です。漢字を手書きで書く必要のない学習者はこのチャレンジ問題を省略してもいいでしょう。p.ivの表の■の部分です。

[1] 適当な漢字を選んでください。
　　　間違えやすい漢字の中から適当な漢字を選ぶ問題です。また、正しい送り仮名を選ぶ問題もあります。
[2] 適当な漢字を書いてください。
　　　漢字を実際に書く問題です。未習の漢字には振り仮名が振ってあります。
[3] ひらがなを漢字やカタカナに変えて、文を書き直してください。または、タイプをしてください。
　　　この問題は、漢字を使わない表記は読みづらいという経験をすることで、学習者に漢字を使用することの重要性に気付いてもらうという意図があります。また、手で書くだけでなく、タイピングする練習としても有効です。漢字を手で書く必要がないと考えている学習者のタイピングの練習としても使えます。

How to use this textbook

"Learning Kanji through Stories II (301-500)" follows "Learning 300 Kanji through Stories" (I) and introduces an additional 200 kanji. The format of this book is the same as "Learning 300 Kanji through Stories" (I) and it should be referred to regarding "Purpose", "This book is for", and "Special features".

500 kanji can be learned using I & II of "Learning Kanji through Stories", which were selected by the authors as basic kanji for those who have no prior knowledge of kanji. While the first book (I) covers 300 kanji, 284 of which are from the Japanese Language Proficiency Test (JLPT) Level 4 (which corresponds to N5 of the new JLPT) and Level 3 (which corresponds to N4 of the new JLPT), the second book (II) covers an additional 200 kanji based on the references listed in the postscript section which are mainly from Level 2 of the JLPT (which corresponds to N3 and N2 of the new JLPT). Those who would like to compare the kanji in these two books with the kanji in the other textbooks please see p. 152 to p.155 of this book.

The text of this second book (II) is, like that of the first book (I), written in four languages: English, Korean, Portuguese and Spanish. Japanese text is also available for **"Let's memorize kanji with its story"** in the attached booklet.

1. The Contents and how to use this book

Contents

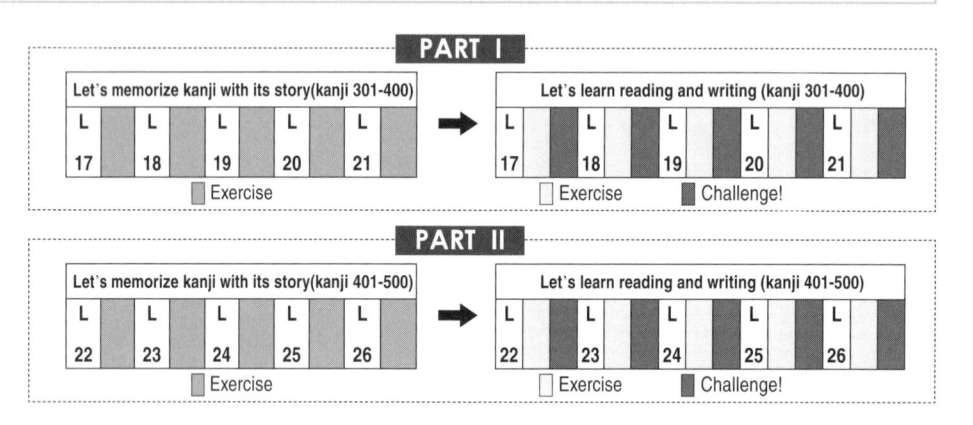

PART I

Let's memorize kanji with its story(kanji 301-400)	➡	Let's learn reading and writing (kanji 301-400)
L 17	L 18	L 19	L 20	L 21		L 17	L 18	L 19	L 20	L 21
■ Exercise		□ Exercise ■ Challenge!

PART II

Let's memorize kanji with its story(kanji 401-500)	➡	Let's learn reading and writing (kanji 401-500)
L 22	L 23	L 24	L 25	L 26		L 22	L 23	L 24	L 25	L 26
■ Exercise		□ Exercise ■ Challenge!

How to use this book

▶ For those who not only want to learn the meaning of kanji but also want to learn both the reading and the writing of kanji.

You are advised to work on the first five lessons of **"Let's memorize kanji with its story (Lesson 17 to Lesson 21)"** followed by **"Let's learn reading and writing (Lesson 17 to Lesson 21)"** before you move on to Lesson 22. Please learn the remaining five lessons in the same order. If you prefer, it is also possible for you to finish **"Let's memorize kanji with its story"** of all ten lessons followed by their **"Let's learn reading and writing"**.

▶ For those who want to learn the meaning and the reading of kanji

If you do not have to learn how to write kanji, you can disregard the drills of writing kanji and the **"Challenge!"** section. (i.e. Disregard the portion ▮ in the diagram above.)

▶ For those who want to memorize the meaning of kanji in a short period of time

If you simply want to focus on learning the meaning of kanji, it is sufficient to study **"Let's memorize kanji through its story"** (Lesson 17 to Lesson 26) of Part I and Part II only.

▶ **For those who want to study on their own, and/or for those who cannot read either hiragana or katakana**

All the kanji compounds in **"Let's learn reading and writing"** in this textbook are accompanied with their reading in Roman characters below. Those who study on their own, and/or those who cannot read either hiragana or katakana can check the reading of kanji reading them.

2. Getting started

There are five sections in this book. Please read the explanation of each section before you start using the book.

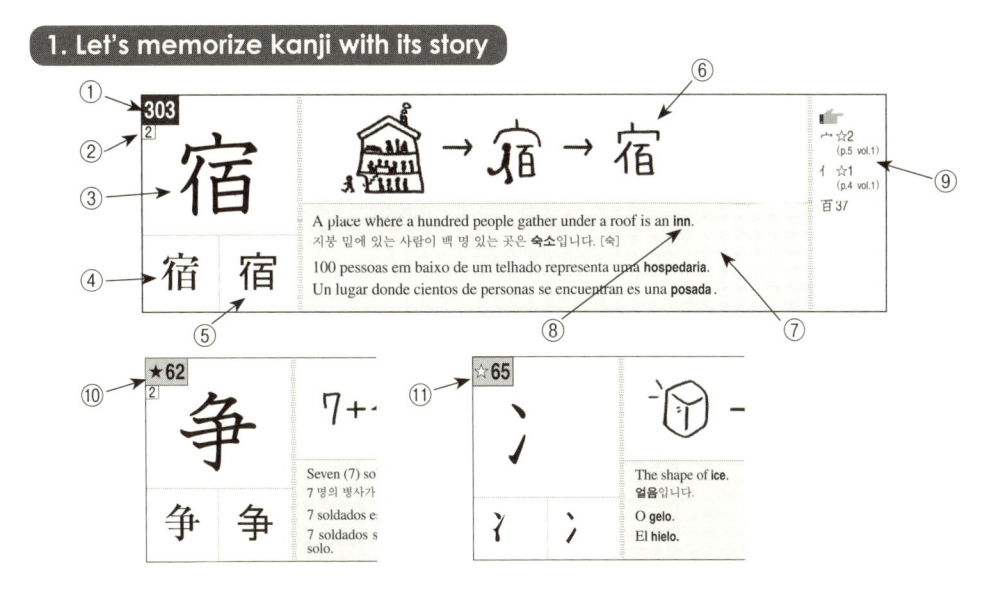

1. Let's memorize kanji with its story

① This is the kanji serial number from 301 to 500.
② This number shows the level of the kanji in the JLPT. The ② and ① means that this kanji is found in the list of Level 2 (N3 to N2) and Level 1 (N1) respectively.
③ The font used here is 'Kyōkasho-tai', which is the most similar one to hand-written character.
④ The font here is 'Minchō-tai'.
⑤ The font is 'Gothic-tai'. You need to be familiar with various fonts since they sometimes look different.
⑥ The character written to the far right is the hand-written version.
⑦ Here is the story which will help you remember the kanji, which is written in four languages: English, Korean, Portuguese and Spanish.
⑧ The word in bold in the story is the core meaning of the kanji (key word).
⑨ You see kanji and/or kanji parts that you can refer to. The kanji has its serial number and the kanji part (marked with ★ or ☆) has the page number listed as well. While the kanji/kanji parts introduced in the first book (I) are accompanied with "vol.1", those simply listed with the page number are referred to specifically in this second book (II). Please also pay attention to kanji with an exclamation mark ❗ as there may be another kanji similar in shape or meaning.
⑩ A kanji part with a ★ can be used as an independent kanji.
⑪ A kanji part with a ☆ is used only as a component and cannot be an independent kanji.
 (See page 210-211 for the list and the meaning of kanji/kanji parts with ★ and ☆.)

2. Exercise of "Let's memorize kanji with its story"

The exercise here is to see if you have learned the meaning of all the kanji of the lesson after you study **"Let's memorize kanji with its story"**. This corresponds to the portion ▌ in the diagram on page viii.

[1] Write the meaning of the following kanji.

The questions are based on the kanji introduced in the lesson. Please refer to **"Let's memorize kanji with its story"** and check the correct answer on your own as no answer keys are available.

[2] Guess and choose the appropriate meaning from the box.

As long as you remember the meaning of the kanji of the lesson or of the previous lessons, you will be able to figure out the answers here.

[3] Guess the meaning of the following words.

You conjecture and figure out the meaning of kanji words here. You are advised to improve such skills. It is unnecessary to pay too much attention to the answer keys in the attached booklet.

[4] Guess the meaning of the following sentences.

You conjecture and figure out the meaning of sentences. They are not to test your kanji reading ability. It is unnecessary to pay too much attention to the answer keys in the attached booklet.

3. Let's learn reading and writing

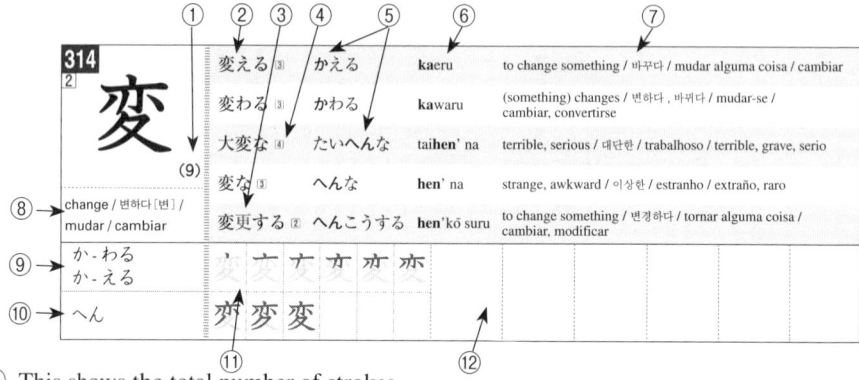

①	②	③	④	⑤	⑥	⑦
314 [2] 変 (9)	変える ③			かえる	kaeru	to change something / 바꾸다 / mudar alguma coisa / cambiar
	変わる ③			かわる	kawaru	(something) changes / 변하다, 바뀌다 / mudar-se / cambiar, convertirse
	大変な ④			たいへんな	taihen' na	terrible, serious / 대단한 / trabalhoso / terrible, grave, serio
	変な ⑤			へんな	hen' na	strange, awkward / 이상한 / estranho / extraño, raro
⑧ → change / 변하다 [변] / mudar / cambiar	変更する ②			へんこうする	hen'kō suru	to change something / 변경하다 / tornar alguma coisa / cambiar, modificar
⑨ → か・わる / か・える						
⑩ → へん						

(stroke order practice grid with ⑪ and ⑫ markers)

① This shows the total number of strokes.

② Here are words which have the given kanji used: those with the kanji read in Kun-yomi (Japanese reading) followed by those with the kanji read in On-yomi (Chinese reading). The list covers almost all of the JLPT Level 4 (N5), Level 3 (N4) and Level 2 (N3/N2) vocabulary besides others that are commonly used.

③ The kanji in grey is not on the list of **"Learning Kanji through Stories"**.

④ The ④, ③, ② and ① demonstrate that these are words from the JLPT Level 4 (N5), 3 (N4), 2 (N3/N2) and 1 (N1) vocabulary lists respectively. Words with no number are not on any of the lists.

⑤ Reading in hiragana. The portion in bold is the reading of the kanji you are learning. The reading is marked with an asterisk (＊) in cases of unique readings.

⑥ Reading in Roman letters. Hebon Style is applied here. Note that ん (n/nn) in words is written as n' and that long vowels are written as ō.

⑦ The meaning of the words is written in four languages: English, Korean, Portuguese and Spanish.

⑧ The meaning of the kanji. The core meaning of the kanji (key word) is written in four languages: English, Korean, Portuguese and Spanish.

⑨ The upper part is Kun-yomi (Japanese reading). Common readings are listed only. The intransitive verb is followed by the transitive verb.
⑩ The lower part is On-yomi (Chinese reading). Common readings are listed only.
⑪ This shows the stroke order.
⑫ You can practice writing the kanji in the blank boxes.

4. Exercise of "Let's learn reading and writing"

The exercise here is to see if you have learned the reading of all the kanji of the lesson after you study **"Let's memorize reading and writing"**. This corresponds to the portion ☐ in the diagram on page viii.

[1] Choose the appropriate reading.

[2] Write the reading of the underlined portion.

Question [1] and [2] are for kanji readings. You see the reading in hiragana below the kanji you have not yet learned. The kanji words in these exercises are commonly used and are mainly in the JLPT Level 4 (N5), Level 3 (N4) and Level 2 (N3/N2) vocabulary list.

[3] Read and figure out the meaning of the sentences.

You need to figure out the meaning of the kanji in the dialogues. The phrases and expressions in the dialogues are basic ones and you can use them in daily conversation. The translation of the dialogues is available in four languages in the attached booklet.

[4] Write one hiragana in the brackets if necessary. If not, draw an X.

This exercise ensures that you can add the appropriate hiragana to accompany the kanji.

5. Challenge!

This exercise is for writing after each lesson of **"Let's learn reading and writing"**. You may want to skip this exercise if you do not need to write kanji by hand. This corresponds to the portion ☐ in the diagram on page viii.

[1] Choose the appropriate kanji.

You are expected to choose the appropriate kanji among the choices which might be similar and tricky. Some questions are for determining the hiragana portion following the kanji (i.e. okurigana).

[2] Write the kanji of the underlined portion.

You need to write kanji in this exercise. You find the reading in hiragana below the kanji which you have not yet learned.

[3] Re-write or type the sentences using kanji and katakana.

The purpose of this exercise is to have learners realize the importance of using kanji by understanding that reading sentences with no kanji is not easy. This exercise is also useful for computer typing for those who do not need to write kanji by hand.

이 교과서의 사용법

본서 "스토리로 배우는 한자 Ⅱ 301-500"는 "스토리로 배우는 한자 300"의 후편입니다. 전편에서 기본적인 한자 500자 중 300자를, 본서에서 나머지 200자를 배울 수 있습니다. 본서의 구성은 전편과 같습니다. 따라서 '목적', '대상', '특징' 등에 대해서는 전편(xvi~xvii)을 읽어 주십시오.

"스토리로 배우는 한자"(전편·후편)에서는 500자의 한자를 학습할 수 있습니다. 이들 한자는 한자를 처음부터 배우는 학습자에게 있어서 기본적인 한자로서 필자들이 선택한 것입니다. 전편에서는 일본어능력시험 4급(새로운 일본어능력시험 N5 수준)과 3급(새로운 일본어능력시험 N4 수준)의 한자 284자를 포함한 300자를, 후편에서는 참고문헌(「あとがき(후기)」를 참조)을 기본으로 나머지 200자를 선택했습니다. 그 대부분이 일본어능력시험 2급(새로운 일본어능력시험 N3-N2 수준)의 한자입니다. 또한 다른 한자교재에서 다루고 있는 한자와 본서에서 학습할 수 있는 한자와의 비교에 대해서는 p.152 ~ p.155를 보십시오.

본서는 전편과 같이 영어·한국어·포르투갈어·스페인어의 4개국어 대응으로 짜여져 있습니다. 또한 [**스토리로 의미를 배우기**] 부분은 일본어도 별책에 실려 있습니다.

1. 텍스트의 구성과 사용방법

구성

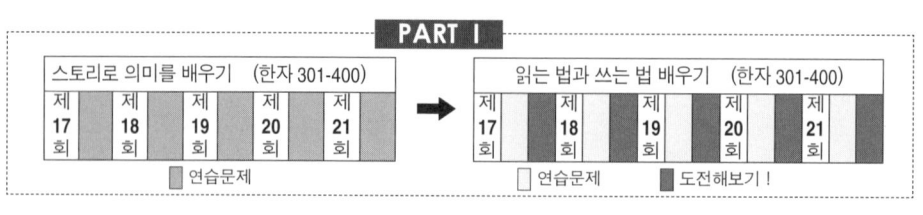

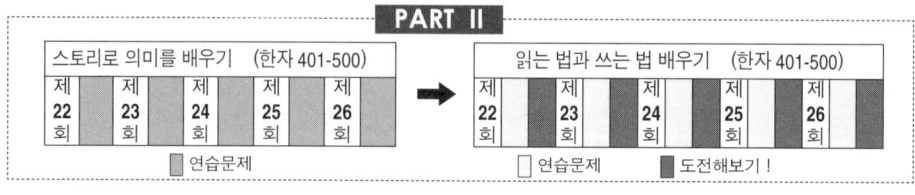

PART I

스토리로 의미를 배우기 (한자 301-400)	→	읽는 법과 쓰는 법 배우기 (한자 301-400)
제17회 / 제18회 / 제19회 / 제20회 / 제21회		제17회 / 제18회 / 제19회 / 제20회 / 제21회
■ 연습문제		□ 연습문제 ■ 도전해보기!

PART II

스토리로 의미를 배우기 (한자 401-500)	→	읽는 법과 쓰는 법 배우기 (한자 401-500)
제22회 / 제23회 / 제24회 / 제25회 / 제26회		제22회 / 제23회 / 제24회 / 제25회 / 제26회
■ 연습문제		□ 연습문제 ■ 도전해보기!

사용방법

▶ **한자의 의미뿐만 아니라 읽는 법과 쓰는 법도 배우고 싶은 학습자**

학습방법으로서 추천하는 것은 [**스토리로 의미를 배우기**]를 제17회부터 제21회까지 학습한 후에 [**읽는 법과 쓰는 법 배우기**]를 제17회부터 제21회까지 마치고, 그 후에 제22회부터 제26회도 마찬가지로 [**스토리로 의미를 배우기**] [**읽는 법과 쓰는 법 배우기**]의 순서로 학습을 진행하는 방법입니다. 다른 방법으로는 [**스토리로 의미를 배우기**]를 제17회부터 제26회까지 끝낸 후에 [**읽는 법과 쓰는 법 배우기**]에 나아가도 좋을 것입니다.

▶ **한자의 의미와 읽는 법을 외우고 싶은 학습자**

한자 쓰는 방법을 외울 필요가 없는 학습자는 한자를 쓰는 연습과 [**도전해보기!**]의 문제를 생략하면 될 것입니다. (■를 건너뜁니다.)

▶ **단시간에 한자의 의미를 외우고 싶은 학습자**

손쉽게 한자의 의미만 외우고 싶은 학습자는 Part I과 Part II의 [**스토리로 의미를 배우기**] (제17회 - 제26회) 만을 해도 괜찮습니다.

▶ 독학으로 한자를 배우고 싶은 학습자 & 히라가나와 가타카나가 서투른 학습자

이 교재는 [읽는 법과 쓰는 법 배우기] 의 한자 숙어에는 전부 로마자 읽기 부분이 있습니다. 혼자서 공부하는 학습자나 히라가나와 가타카나를 아직 외우지 못했지만 한자를 학습하고 싶은 학습자는 로마자로 한자 읽는 법을 확인할 수 있습니다.

2. 각 섹션의 설명

각 섹션의 설명입니다. 5 개의 섹션이 있습니다. 공부를 시작하기 전에 읽어 둡시다.

1. 스토리로 의미를 배우기

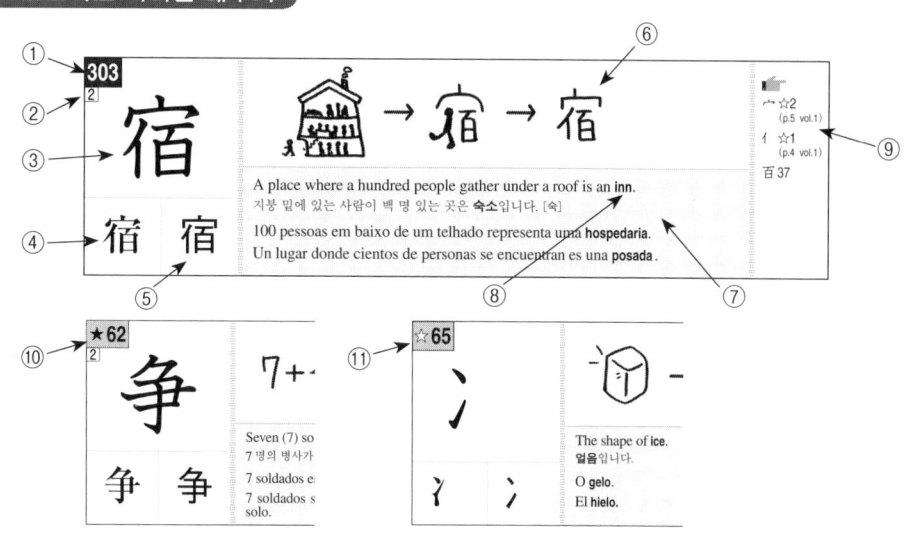

① 한자의 일련 번호입니다. 301-500 까지 있습니다.

② 일본어능력시험의 급을 나타냅니다. 2는 2급 (N3-N2 수준), 1은 1급 (N1 수준) 입니다.

③ 교과서체입니다. 가장 손으로 쓴 것에 가까운 폰트입니다.

④ 명조체입니다.

⑤ 고딕체입니다. 폰트에 따라서 글자체가 다른 것이 있기 때문에 여러 폰트에 익숙해져 두는 것이 중요합니다.

⑥ 일러스트의 마지막 한자는 손으로 쓴 경우의 형태입니다.

⑦ 한자를 외우기 위한 스토리입니다. 영어 · 한국어 · 포르투갈어 · 스페인어의 4 개국어가 있습니다.

⑧ 두꺼운 글씨로 쓰여져 있는 부분은 그 한자의 중심적인 의미입니다.

⑨ 참조할 한자의 번호가 달려 있습니다. ★☆의 경우 페이지도 쓰여져 있습니다. 또한 전편에 나온 한자나 부품의 경우는 vol. 1 이라고 나타냈습니다. 페이지 번호만 쓰여진 경우는 본서 (후편) 의 페이지를 나타냅니다. !는 본서의 500 자 중에서 자형이 비슷한 한자, 또는 의미가 같은 한자를 나타냅니다. 주의하십시오.

⑩ ★는 한자의 부품을 나타냅니다. ★는 단독으로도 한자로서 성립하는 한자입니다.

⑪ ☆는 한자의 부품을 나타내지만, 단독으로는 한자로서 성립하지 않는 부품입니다.

(→★☆의 리스트와 의미는 p. 210-211)

2. [스토리로 의미를 배우기] 의 연습 문제

[스토리로 의미를 배우기] 다음의 연습문제로 한자의 뜻을 묻는 문제입니다. p. xii 의 ■ 부분입니다.

[1] 의미를 쓰십시오.

그 회에 나온 모든 한자가 다루어져 있습니다. 해답은 없으므로 [스토리로 의미를 배우기] 를 보고 스스로 답을 맞추어 보십시오.

[2] 의미를 추측하여 적당한 것을a~e 에서 선택하십시오.

그 회, 또는 이미 학습한 회에 나온 한자의 의미를 알면 풀 수 있습니다. 추측력을 동원하십시오.

[3] 단어의 의미를 추측하십시오.

한자어의 의미를 추측하는 문제입니다. 별책의 해답례에 구애받지 말고 추측하는 힘을 기릅시다.

[4] 문장의 의미를 추측하십시오.

한자어를 포함한 문장의 의미를 추측하는 문제입니다. 읽는 법을 묻는 문제가 아닙니다. 별책의 해답례에 구애받지 말고 추측하는 힘을 기릅시다.

3. 읽는 법과 쓰는 법 배우기

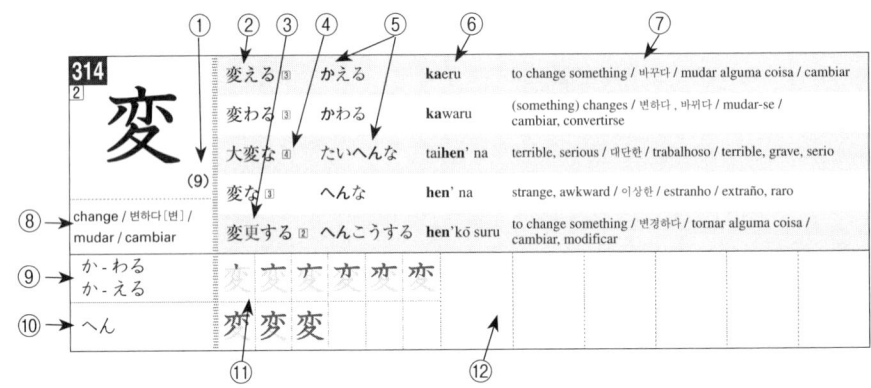

	変える ③	かえる	kaeru	to change something / 바꾸다 / mudar alguma coisa / cambiar
314 ②	変わる ③	かわる	kawaru	(something) changes / 변하다, 바뀌다 / mudar-se / cambiar, convertirse
変 (9)	大変な ④	たいへんな	taihen' na	terrible, serious / 대단한 / trabalhoso / terrible, grave, serio
	変な	へんな	hen' na	strange, awkward / 이상한 / estranho / extraño, raro
change / 변하다 [변] / mudar / cambiar	変更する ②	へんこうする	hen'kō suru	to change something / 변경하다 / tornar alguma coisa / cambiar, modificar
か-わる か-える				
へん				

① 획수입니다.

② 한자 숙어입니다. 원칙적으로 훈독, 음독의 순으로 되어 있습니다. 리스트에는 그 한자가 포함되어 있는 일본어능력시험 4급(N5 수준), 3급(N4 수준), 2급(N3-N2 수준)의 어휘가 거의 전부 실려 있습니다. 그 외에도 일상적으로 자주 사용되는 한자 숙어도 리스트에 담았습니다.

③ 얇은 글자로 되어 있는 한자는 '스토리로 배우는 한자' 에서 공부하는 500자 이외의 한자입니다.

④ ④는 일본어능력시험 4급(N5 수준) 어휘, ③은 일본어능력시험 3급(N4 수준) 어휘, ②는 일본어능력시험 2급(N3-N2 수준) 어휘, ①은 일본어능력시험 1급(N1 수준) 어휘입니다. 아무것도 쓰여져 있지 않은 것은 그 이외의 어휘입니다.

⑤ 히라가나의 읽는 법입니다. 해당 한자의 읽는 법은 두꺼운 글자로 되어 있습니다. 특별한 읽는 법에는 * 가 붙어 있습니다.

⑥ 로마자의 읽는 법입니다. 로마자는 헵번식을 채용했습니다. 단, 단어 중의 발음 (ん) 은 다른 것과 구별하기 위해서 n' 라고 표기했습니다. 또한 장음은 ō 로 표기했습니다.

⑦ 한자 숙어의 의미입니다. 영어·한국어·포르투갈어·스페인어의 4개국어 번역이 있습니다.

⑧ 한자의 의미입니다. 영어·한국어·포르투갈어·스페인어의 4개국어가 있습니다.

⑨ 상단은 훈독입니다. 대표적인 훈독이 실려 있습니다. 자동사, 타동사의 경우 우선 자동사, 그 밑에 대응하는 타동사를 실었습니다.

⑩ 하단은 음독입니다. 대표적인 음독이 실려 있습니다.
⑪ 쓰는 순서를 나타냅니다.
⑫ 이 공간에 실제로 한자를 쓸 수 있습니다.

4. [읽는 법과 쓰는 법 배우기]의 연습 문제

[읽는 법과 쓰는 법 배우기] 다음의 연습문제로 읽는 법을 묻는 문제입니다. p. xii 의 ▮ 부분입니다.

[1] 읽는 법으로 적당한 것을 고르십시오.
[2] 밑줄 친 부분의 읽는 법을 쓰십시오.

　　　[1] [2] 는 한자 읽는 법의 문제입니다. 아직 배우지 않은 한자에는 후리가나(히라가나로 읽는 법)가 달려 있습니다. 여기에서 나오는 한자는 원칙적으로 **[읽는 법과 쓰는 법을 배우기]** 의 한자 숙어 리스트의 한자로 사용빈도가 높고 일본어능력시험 4 급 (N5 수준), 3 급 (N4 수준), 2 급 (N3-N2 수준)에도 자주 나오는 어휘가 중심입니다.

[3] 읽고 의미를 생각해 봅시다.

　　　문장 속의 한자를 추측하는 힘을 기르는 문제입니다. 여기에서 사용되고 있는 예문은 모두 실제의 회화에서 자주 사용되는 표현이므로 통째로 외워도 좋습니다. 별책의 해답에는 회화의 번역이 각 언어별로 있습니다.

[4] 히라가나를 한 자 쓰십시오. 필요가 없는 경우에는 ×를 쓰십시오.

　　　한자의 오쿠리가나를 묻는 문제입니다.

5. 도전해보기!

[읽는 법과 쓰는 법 배우기] 다음의 연습문제로 쓰는 법을 묻는 문제입니다. 한자를 손으로 쓸 필요가 없는 학습자는 이 도전문제를 생략해도 됩니다. p. xii 의 ▮ 부분입니다. 부분입니다.

[1] 적당한 한자를 선택하십시오.

　　　틀리기 쉬운 한자 중에서 적당한 한자를 선택하는 문제입니다. 또한 올바른 오쿠리가나를 선택하는 문제도 있습니다.

[2] 적당한 한자를 쓰십시오.

　　　한자를 실제로 쓰는 문제입니다. 아직 배우지 않은 한자에는 후리가나가 달려 있습니다.

[3] 히라가나를 한자나 가타카나로 바꿔서 문장을 다시 쓰십시오. 또는 타자로 치십시오.

　　　이 문제는 한자를 사용하지 않는 표기는 읽기 어렵다는 경험을 통해서 학습자에게 한자 사용의 중요성을 깨닫게 하려는 의도가 있습니다. 또한 손으로 한자를 쓰는 것뿐만 아니라 타이핑을 하는 연습으로서도 효과가 있습니다. 한자를 손으로 쓸 필요가 없다고 생각하는 학습자의 타이핑 연습으로서도 사용할 수 있습니다.

Como utilizar este material

Este material "Aprenda Kanjis através de Estórias II 301-500" é segundo volume do texto "Aprenda 300 Kanjis através de Estórias". Com o primeiro volume, você poderá aprender 300 kanjis e com o segundo, poderá aprender mais 200 (kanjis), sendo ao todo, 500 kanjis. A estrutura deste material é igual a do primeiro volume. Portanto, sobre "Objetivo", "Objeto (Este material é indicado para)", "Características especiais" e outros, leia (p.xxii ~ p.xxiii) do primeiro volume.

Você poderá aprender 500 kanjis com o material "Aprenda Kanjis através de Estórias" (volume 1 e 2). Estes kanjis foram escolhidos pelo autor como kanjis básicos para aqueles que nunca estudaram kanjis. Os 300 Kanjis do primeiro volume são baseados nos 284 kanjis do nível 3 (corresponde a N4 do Novo Teste de Proficiência em Língua Japonesa) e 4 (corresponde a N5 do Novo Teste de Proficiência em Língua Japonesa) do Teste de Proficiência em Língua Japonesa, e os 200 kanjis do segundo volume são baseados na referência (veja "Epílogo"). A maioria destes kanjis são do nível 2 (correspondem a N2-3 do Novo Teste de Proficiência em Língua Japonesa) do Teste de Proficiência em Língua Japonesa. Em todo caso, para comparar os kanjis citados nos outros materiais com os deste, veja p.152~p.155.

Este material, assim como o volume 1, está traduzido em quatro idiomas: inglês, coreano, português e espanhol. E existe também a versão japonesa das partes referentes à lição "**Vamos aprender os significados dos kanjis através das estórias**" que se encontra no livreto, em anexo.

1. Estrutura do material e como utilizá-lo

Estrutura

Parte I

Vamos aprender os significados dos kanjis através das estórias (kanji 301-400)					→	Vamos aprender a ler e a escrever (kanji 301-400)				
L 17	L 18	L 19	L 20	L 21		L 17	L 18	L 19	L 20	L 21
▨ Exercícios						☐ Exercícios		■ Desafio!		

Parte II

Vamos aprender os significados dos kanjis através das estórias (kanji 401-500)					→	Vamos aprender a ler e a escrever (kanji 401-500)				
L 22	L 23	L 24	L 25	L 26		L 22	L 23	L 24	L 25	L 26
▨ Exercícios						☐ Exercícios		■ Desafio!		

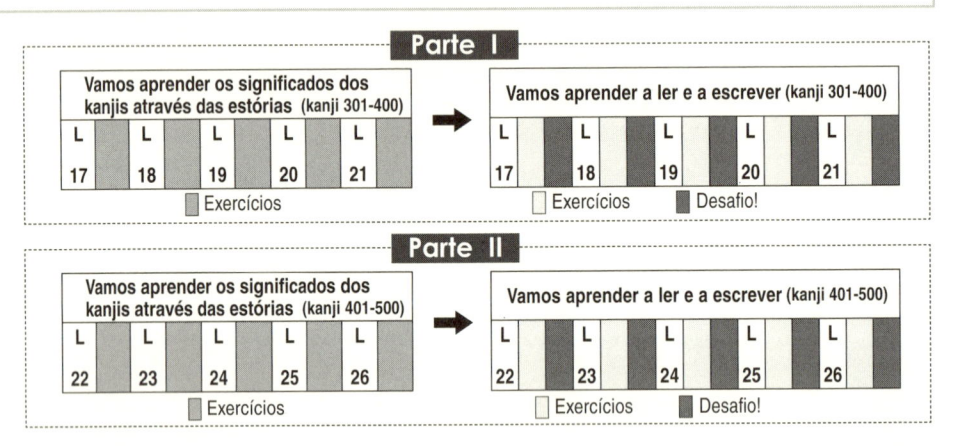

Como utilizar o material

▶ **Para aqueles que querem aprender não somente os significados dos kanjis, mas também sua leitura e a escrita**

A maneira de estudo que recomendamos é a seguinte: estudar a lição "**Vamos aprender os significados dos kanjis através das estórias**", da lição 17 à lição 21 e depois, estudar a lição "**Vamos aprender a ler e a escrever**" da lição 17 à lição 21. Continue estudando nesta mesma ordem da Lição 22 à Lição 22 à Lição 26. Uma outra maneira seria estudar primeiro todas as lições de "**Vamos aprender os significados dos kanjis através das estórias**"(da Lição 17 à Lição 26) e depois estudar todas as lições de "**Vamos aprender a ler e a escrever**"(da Lição 17 à Lição 26).

▶ **Para aqueles que querem aprender os significados e a leitura de kanjis**

Aqueles que não tem necessidade de aprender a escrever os kanjis, podem deixar de fazer os exercícios de escrita e o "Desafio!" da lição. (→ pular os exercícios de cor ■)

▶ **Para aqueles que querem aprender os significados em pouco tempo**

Aqueles que querem aprender somente os significados dos kanjis o mais rápido possível, podem estudar somente a lição "**Vamos aprender os significados dos kanjis através das estórias**" da Parte Ⅰ e da Parte Ⅱ (da Lição 17 à Lição 26)

▶ **Para aqueles que querem aprender kanjis sozinhos & aqueles que ainda não conseguem ler hiragana e/ou katakana**

Todas as palavras compostas que aparecem na lição "**Vamos aprender a ler e escrever**" deste material estão acompanhadas do alfabeto romano. Aqueles que querem estudar kanjis sozinho e os que ainda não sabem ler o hiragana e/ou katakana, mas desejam aprender kanjis, podem conferir a leitura de kanji em alfabeto romano.

2. Explicação sobre cada seção

Este material está dividido em cinco seções. Vamos ler as explicações de cada seção antes de começar o estudo.

1. Vamos aprender os significados dos kanjis através das estórias

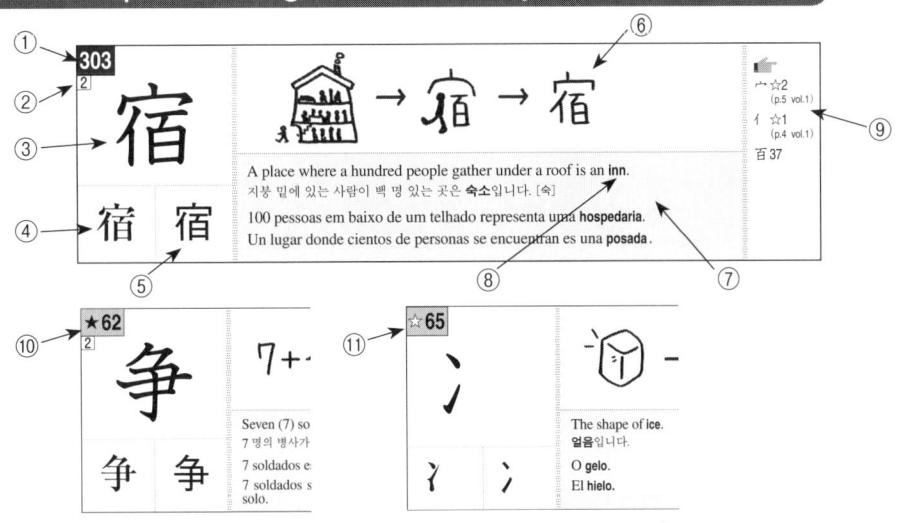

① Este é o número serial do kanji. Há do número 301-500.
② Este número representa o nível do Teste de Proficiência de Língua Japonesa. ② indica o nível 2 (corresponde a N2-N3), ① indica o nível 1 (corresponde a N1).
③ A fonte (tipo de letra) utilizada aqui se chama "Kyōkasho-tai", que é o mais próximo da letra manuscrita.
④ A fonte utilizada aqui se chama "Minchō-tai".
⑤ A fonte utilizada aqui se chama "Gothic-tai(negrito)". Como o kanji se modifica de acordo com fonte utilizada, é preciso se acostumar com os vários tipos de fontes.
⑥ Este é a letra manuscrita.
⑦ É a estória que lhe ajudará no aprendizado dos kanjis. Está traduzido em quatro idiomas: inglês, coreano, português e espanhol.
⑧ A palavra que está em negrito representa o significado principal do kanji.
⑨ É o número do kanji de referência. ★ e ☆ também estão indicados com o número da página. Os kanjis e as partes incluídos no primeiro volume, estão indicados como vol.1. Quando indica só o número da página, quer dizer que está escrito neste material (segundo volume). ■ indica, dentro de 500 kanjis deste texto, os kanjis cuja forma são semelhantes ou cujos significados são iguais. Atenção.

xvii

⑩ ★ representa a parte do kanji. ★ Este parte pode ser utilizada sozinha.
⑪ ☆ representa a parte do kanji, mas não pode ser utilizada sozinha.
(→ Veja a lista e os significados de ★ e ☆ na página 210-211.)

2. Exercícios de "Vamos aprender os significados dos kanjis através das estórias"

Após a lição **"Vamos aprender os significados dos kanjis através das estórias"** temos os exercícios sobre o significado dos kanjis. É seção de cor ▮ da página xvi.

[1] Escreva o siginificado dos kanjis.

O exercício é baseado nos kanjis e partes de kanjis estudados na lição. Para verificar se os exercícios estão corretos, veja a lição **"Vamos aprender os significados dos kanjis através das estórias"**, pois não há a resposta.

[2] Imagine o significado das seguintes palavras e escreva a alternativa correta.

O exercício é baseado em todas as lições estudadas. Utilize o seu senso de dedução.

[3] Deduza o significado das palavras.

É um exercício para deduzir o significado do kanji. Vamos desenvolver a capacidade de raciocínio sem dar muita importancia as respostas do livreto em anexo.

[4] Deduz o significado da frases.

É um exercício para deduzir o significado do frase contendo kanjis. Não é um exercício para avaliar a leitura. Vamos desenvolver a capacidade de raciocínio sem dar muita importancia as respostas do livreto em anexo.

3. Vamos aprender a ler e a escrever

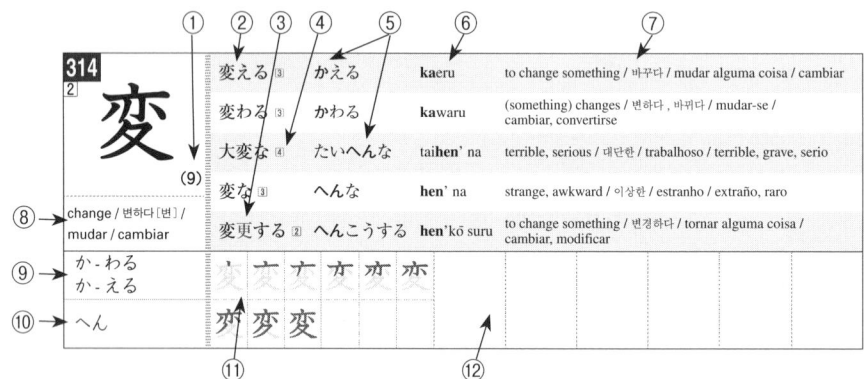

① É o número de traços que a letra possui.
② Palavras compostas. Ordenamos os exemplos de acordo com a forma de leitura. Primeiramente estão as palavras que possuem a forma Kun-yomi (leitura japonesa), em seguida estão as palavras que possuem a forma On-yomi (leitura chinesa). Todas as palavras compostas que utilizam este kanji e aparecem no nível 2, 3 e 4 do Teste de Proficiência de Língua Japonesa estão mesta lista. A lista também contêm palavras compostas que são utilizadas no dia-a-dia.
③ Os kanjis escritos de cor fraca são aqueles que não estão inclusos nos 500 kanjis que estudaremos neste material.
④ O número ④ indica que a palavra aparece no nível 4 (corresponde a N5) do Teste de Proficiência de Língua Japonesa, o número ③ indica que a palavra aparece no nível 3 (corresponde a N4), o número ② indica que a palavra aparece no nível 2 (corresponde a N2-3) e o número ① indica que a palavra aparece no nível 1 (corresponde a N1). As palavras que estão sem número não se incluem nestes níveis.
⑤ É a leitura em hiragana. A leitura do kanji está em negrito. A leitura especial está acompanhada de asterisco ※.

⑥ É a leitura em alfabeto romano. O sistema utilizado é Hepburm. Atenção com ん (n/m) que está escrito como n' e com sons longos, que estão escritos como 'ō'.
⑦ É o significado da palavra composta. Está traduzido em quatro idiomas: inglês, coreano, português e espanhol.
⑧ É o siginificado do kanji. Está traduzido em quatro idiomas: inglês, coreano, português e espanhol.
⑨ É a forma Kun-yomi de leitura (leitura japonesa). Estão escritas as principais formas de leitura. Em caso de verbos intransitivo e transitivo, ordenamos primeiro o verbo instansitivo e em seguida transitivo.
⑩ É a forma On-yomi (leitura chinesa). Estão escritas as principais formas de leitura.
⑪ Indica a ordem da escrita.
⑫ Utilize este espaço para treinar a escrita do kanji.

4. Exercícios de "Vamos aprender a ler e a escrever"

Após a lição **"Vamos aprender a ler e a escrever"** temos os exercícios de leitura. É seção de cor ☐ da página xvi.

[1] Escolha a leitura correta.

[2] Escreva a leitura das palavras sublinhadas.

As qestões [1] e [2] são exercícios de leitura. Os kanjis ainda não estudados estão acompanhados com hiragana. Os kanjis deste exercícios aparecem na lista de palavras compostas da lição **"Vamos aprender a ler e a escrever"** e são muito utilizados. Também aparecem no nível 4 (corresponde a N5), no nível 3 (corresponde a N4), no nível 2 (corresponde a N2-N3) do Teste de Proficiência de Língua Japonesa.

[3] Quais são os significados dos seguintes diálogos?

São exercícios para desenvolver a capacidade de dedução do kanji no contexto. Estes exemplos de diálogos são bastante utilizados no dia-a-dia, portanto memorizá-los será de grande utilidade. A tradução dos diálogos nos idiomas estão no livreto de respostas, em anexo.

[4] Complete com um hiragana. Quando não for preciso, escreva X.

É o exercício de hiragana vem depois de kanji (okurigana).

5. Desafio !

Após a lição **"Vamos aprender a ler e a escrever"** temos os exercícios de escrita. Aqueles que não tem necessidade de aprender a escrever podem deixá-los de fazer. Esta seção é a cor ■ da página xvi.

[1] Escolha o kanji correto.

São exercícios de múltipla escolha. Você deve escolher o kanji correto dentre os kanjis semelhantes. Também temos exercícios para escolher o hiragana que vem depois do kanji (okurigana).

[2] Escreva em kanji as palavras sublinhadas.

São exercícios para escrever os kanjis. Os kanjis ainda não estudados estão acompanhados com hiragana.

[3] Escreva ou tecla os seguintes hiragana em kanji ou katakana.

Este exercício tem como o objetivo o estudante perceber a importância do uso de kanji ao deparar-se com a dificuldade de ler a frase sem kanji. E também é um exercício eficaz para treinar a teclar. Pode ser utilizado para aqueles que não querem aprender a escrever kanjis.

Cómo utilizar este libro de texto

El libro "Aprenda Kanjis a través de Historias II 301-500" es la segunda parte de "Aprenda 300 Kanjis a través de Historias". En el primer volumen estudiamos 300 de los 500 kanjis básicos; en este volumen aprenderemos los 200 kanjis restantes. La composición del presente libro es similar a la del libro anterior. Por ello, para conocer sus objetivos, a quién va dirigido el libro, así como sus características especiales, recomendamos leer el Volumen 1 (p.xxviii $\sim$ p.xxiv).

Con el libro "Aprenda Kanjis a través de Historias" (Vol. 1 y 2) podremos aprender 500 kanjis que han sido seleccionados por las autoras por considerar que son los kanjis básicos que permitirán a los estudiantes aprender desde cero. En el primer volumen seleccionamos 300 kanjis, 284 de los cuales son requeridos para el 4to y 3er Nivel del Examen de Competencia en Lengua Extranjera (equivalentes al N5 y N4 del nuevo Examen de Competencia en Lengua Extranjera respectivamente); en el segundo volumen hemos seleccionado los 200 kanjis restantes, según el material bibliográfico (ver Epílogo), los cuales son incluidos en su mayoría en el 2do Nivel del Examen de Competencia en Lengua Extranjera (equivalente al N3 y N2). Para comparar los kanjis aprendidos en el presente libro con aquellos incluidos en otros materiales para el aprendizaje de los kanjis, remítanse a las páginas 152-155.

El presente libro, al igual que el volumen anterior, está escrito en inglés, coreano, portugués y español. Además, podrán encontrar también una versión en japonés de la sección **"Aprendamos los significados a través de historias"**, incluida como material adjunto.

1. Composición y modo de uso de este libro de texto

Composición

Parte I

Aprendamos los significados a través de historias (kanji 301-400)					➡	Aprendamos la lectura y la escritura de los kanjis (kanji 301-400)				
L 17	L 18	L 19	L 20	L 21		L 17	L 18	L 19	L 20	L 21
■ Ejercicios						□ Ejercicios		■ ¡Desafío!		

Parte II

Aprendamos los significados a través de historias (kanji 401-500)					➡	Aprendamos la lectura y la escritura de los kanjis (kanji 401-500)				
L 22	L 23	L 24	L 25	L 26		L 22	L 23	L 24	L 25	L 26
■ Ejercicios						□ Ejercicios		■ ¡Desafío!		

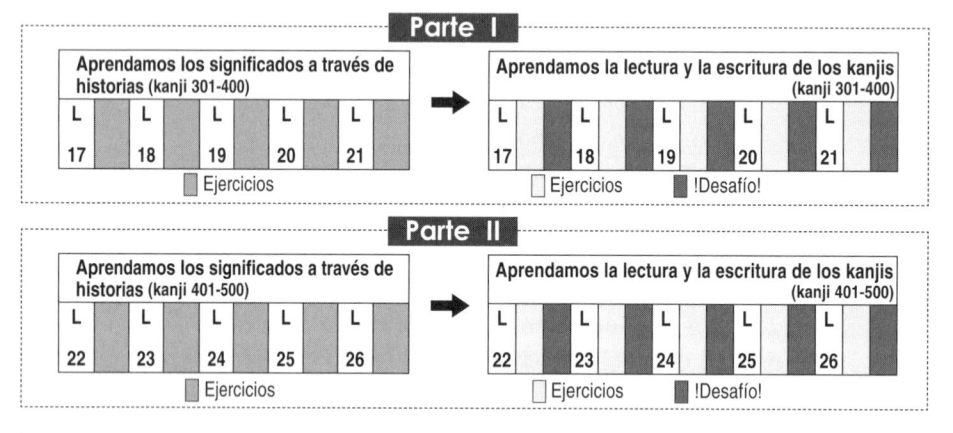

Modo de uso

▶ **Para los estudiantes que desean aprender no sólo el significado de los kanjis, sino también su lectura y escritura**

Como método de estudio, recomendamos empezar con las primeras 5 lecciones de la 17 a la 21, de **"Aprendamos los significados a través de historias"** y proseguir igualmente con las primeras 5 lecciones de **"Aprendamos la lectura y la escritura de los kanjis"**, para luego continuar con las lecciones de la 22 a la 26 de **"Aprendamos los significados a través de historias"** y **"Aprendamos la lectura y la escritura de los kanjis"**. Otro método de estudio podría ser empezar con las lecciones de la 17 a la 26 de **"Aprendamos los significados a través de historias"** y continuar luego con las 10 lecciones de **"Aprendamos la lectura y la escritura de los kanjis"**.

▶ **Para los estudiantes que desean aprender el significado y la lectura de los kanjis**

Aquellos estudiantes que no requieren aprender la escritura de los kanjis, podrán omitir los ejercicios de escritura y **"¡Desafío!"** (Omitir la parte ■ en el diagrama anterior).

▶ **Para los estudiantes que desean aprender el significado de los kanjis en corto tiempo**

Aquellos estudiantes que desean aprender de manera rápida sólo el significado de los kanjis, podrán centrar su aprendizaje en la Parte I y Parte II de "**Aprendamos los significados a través de historias**" (Lección 17-26).

▶ **Para los estudiantes que desean estudiar por su cuenta y/o aquellos que no dominan bien el hiragana y el katakana**

En este libro, todas las palabras con combinaciones en kanji que corresponden a "**Aprendamos la lectura y la escritura de los kanjis**" tienen una columna de lectura en letras romanas. Aquellos estudiantes autodidactas o aquellos que desean aprender kanjis aun cuando no dominen a la perfección el hiragana y el katakana, podrán consultar la lectura de los kanjis a través de su lectura en letras romanas.

2. Explicación de cada una de las secciones

Este libro está compuesto por 5 secciones. Les recomendamos leer la explicación de cada una de las secciones antes de empezar el estudio de los kanjis.

1. Aprendamos los significados a través de historias

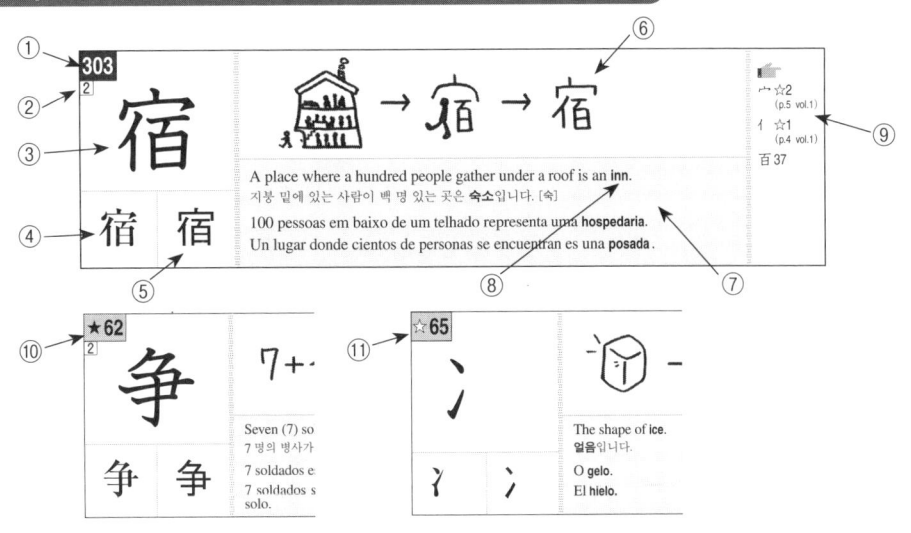

① Es el número que le corresponde a cada kanji; números del 301 al 500.
② Indica el nivel de los kanjis en el Examen de Competencia en Lengua Extranjera. El ② corresponde al 2do Nivel (equivalente al N3 y N2) y el ① al 1er Nivel (equivalente al N1).
③ La fuente es "Kyōkasho-tai", fuente muy parecida a la letra manuscrita.
④ La fuente es "Minchō-tai".
⑤ La fuente es "Gothic-tai". La escritura podría variar según la fuente; por ello es importante familiarizarse con diversas fuentes.
⑥ El último kanji de la ilustración corresponde a la forma manuscrita.
⑦ Es la historia que les permitirá memorizar el kanji, la cual se encuentra en 4 idiomas: inglés, coreano, portugués y español.
⑧ La parte resaltada en negrita indica el significado central del kanji.
⑨ Podrán ver el número de los kanjis que pueden servir de referencia. En el caso de ★ y ☆, se incluye también el N° de página. Asimismo, en el caso de kanjis o radicales de kanjis incluidos en el volumen anterior, se indicará Vol. 1. En el caso de mencionar sólo el N° de página, se hará referencia a la página del presente volumen. Presten atención, el signo ❗ hace referencia a aquellos kanjis que tienen forma parecida o igual significado entre los 500 kanjis del Volumen 1 y 2.
⑩ El signo ★ representa la parte o radical de un kanji que puede constituir un kanji por sí mismo.

xxi

⑪ El signo ☆ representa a la parte o radical de un kanji que no puede constituir un kanji por sí mismo. (La lista y el significado de ★ y ☆ se encuentran en la Pág.210-211.)

2. Ejercicios de "Aprendamos los significados a través de historias"

Los ejercicios verificarán el aprendizaje del significado de los kanjis estudiados en la sección **"Aprendamos los significados a través de historias"**. Corresponde a la parte ▌ en el diagrama de la página xx.

[1] Escribe el significado de los siguientes kanjis.

Los ejercicios incluyen todos los kanjis que aparecen en cada lección. No existe una sección de respuestas; sus respuestas pueden ser verificadas en la sección **"Aprendamos los significados a través de historias"**.

[2] Deduce el significado de las siguientes palabras y elige la respuesta correcta entre las opciones del recuadro.

No tendrán problemas para resolver los ejercicios siempre y cuando recuerden el significado de los kanjis de dicha lección o de las lecciones anteriores. Utilicen su competencia para deducir o adivinar los kanjis.

[3] Deduce el significado de las siguientes palabras.

Este ejercicio consiste en deducir o adivinar el significado de las palabras en kanji. Desarrollen su competencia para deducir o adivinar las respuestas sin ver las respuestas del material adjunto.

[4] Deduce el significado de las siguientes oraciones.

Este ejercicio consiste en deducir o adivinar el significado de las oraciones con palabras en kanjis. No es un ejercicio para practicar su lectura. Desarrollen su competencia para deducir las respuestas sin ver las respuestas del material adjunto.

3. Aprendamos la lectura y la escritura de los kanjis

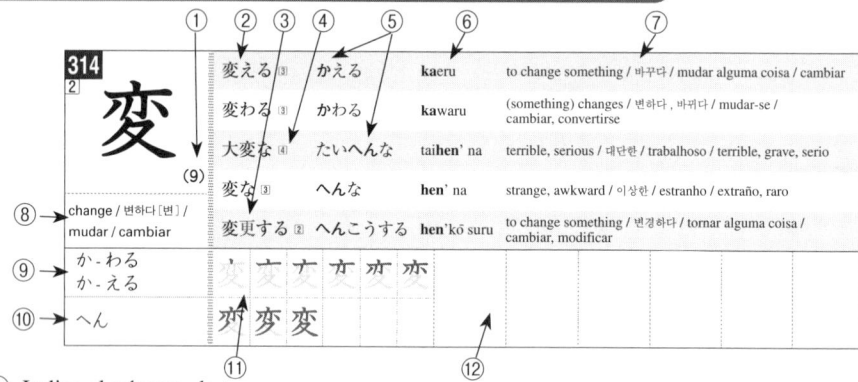

314 ②	変える ③	かえる	kaeru	to change something / 바꾸다 / mudar alguma coisa / cambiar
	変わる ③	かわる	kawaru	(something) changes / 변하다, 바뀌다 / mudar-se / cambiar, convertirse
変 (9)	大変な ④	たいへんな	taihen' na	terrible, serious / 대단한 / trabalhoso / terrible, grave, serio
	変な ③	へんな	hen' na	strange, awkward / 이상한 / estranho / extraño, raro
change / 변하다[변] / mudar / cambiar	変更する ②	へんこうする	hen'kō suru	to change something / 변경하다 / tornar alguma coisa / cambiar, modificar
か・わる か・える	変 変 亦 亦 亦 亦			
へん	恋 麥 変			

① Indica el número de trazos.
② La lista de palabras con las combinaciones del kanji estudiado; por regla general, primero aparece la lectura Kun-yomi (lectura japonesa) y luego la lectura On-yomi (lectura china). La lista incluye casi todo el vocabulario con los kanjis estudiados para el 4to (equivalente al N5), 3er (equivalente al N4) y 2do Nivel (equivalente al N3 y N2) del Examen de Competencia en Lengua Japonesa. Incluye, además, palabras de uso frecuente en la vida cotidiana.
③ Los kanjis que aparecen en color gris no forman parte de los 500 kanjis a estudiar en **"Aprenda Kanjis a través de Historias"**.
④ El ④ indica el vocabulario del 4to Nivel (equivalente al N5), el ③ el del 3er Nivel (equivalente al N4), el ② el del 2do Nivel (equivalente al N3 y N2) y el ① el del 1er Nivel (equivalente al N1) para el Examen de Competencia en Lengua Japonesa. Los kanjis que carecen de indicación no forman parte de dichos vocabularios.
⑤ Es la lectura en hiragana. La lectura del kanji estudiado se encuentra resaltada en negritas. Las lecturas especiales llevan ※.
⑥ Es la lectura en alfabeto romano; se utiliza el estilo Hebon. Sin embargo, para diferenciarlo de los otros sonidos, el ん dentro de una palabra está representado por 'n'' y el sonido largo

está representado por 'ō'.
⑦ Es el significado de las palabras con combinaciones en kanji traducidas a 4 idiomas: inglés, coreano, portugués y español.
⑧ Es el significado del kanji con su respectiva traducción a los idiomas inglés, coreano, portugués y español.
⑨ Es la lectura Kun-yomi. Sólo se incluyen las lecturas Kun-yomi más comunes. En el caso de los verbos transitivos e intransitivos, primero aparecen los verbos intransitivos y luego los transitivos.
⑩ Es la lectura On-yomi. Sólo se incluyen las lecturas On-yomi más comunes.
⑪ Indica el orden de los trazos de cada kanji.
⑫ Este espacio está destinado a la práctica de la escritura de los kanjis.

4. Ejercicios de "Aprendamos la lectura y la escritura de los kanjis"

Los ejercicios verificarán el aprendizaje de la lectura de los kanjis estudiados en la sección **"Aprendamos la lectura y la escritura de los kanjis"**. Corresponde a la parte ☐ en el diagrama de la página xx.

[1] Elige la lectura correcta.
[2] Escribe la lectura de cada una de las palabras subrayadas.

El [1] y [2] son ejercicios para la lectura de los kanjis. Los kanjis que todavía no han sido estudiados tienen su lectura en hiragana. Los kanjis que se incluyen en estos ejercicios son de uso frecuente y provienen de la lista de palabras con combinaciones en kanji estudiadas en la sección **"Aprendamos la lectura y la escritura de los kanjis"**, las mismas que aparecen frecuentemente en los exámenes del 4to (equivalente al N5), 3er (equivalente al N4) y 2do Nivel (equivalente al N3 y N2) del Examen de Competencia en Lengua Japonesa.

[3] Lee y piensa en el significado de las siguientes oraciones.

Este ejercicio les permitirá desarrollar competencias para deducir o adivinar los kanjis que aparezcan en una oración. Las frases y oraciones de este ejercicio son usadas frecuentemente en diálogos de la vida real; memorizarlas puede ser de gran ayuda. En las respuestas que se brindan en el material adjunto podrán encontrar la traducción de los diálogos en cada uno de los idiomas.

[4] Escribe un hiragana en cada espacio. En caso de no ser necesario, marca con una X.

Este ejercicio les permitirá desarrollar la competencia para completar los hiragana que vienen después de los kanjis.

5. ¡Desafío!

Los ejercicios verificarán el aprendizaje de la escritura de los kanjis estudiados en la sección **"Aprendamos la lectura y la escritura de los kanjis"**. Los estudiantes que no tengan necesidad de escribir manualmente los kanjis, pueden omitir estos ejercicios. Corresponde a la parte ☐ en el diagrama de la página xx.

[1] Elige el kanji correcto.

Este ejercicio consiste en elegir el kanji correcto entre aquellos kanjis con los que se confunde fácilmente. También incluyen ejercicios para elegir la parte en hiragana que deben llevar algunos kanjis.

[2] Escribe el kanji de las palabras subrayadas.

Este ejercicio consiste en la práctica escrita de los kanjis. Los kanjis que todavía no han sido estudiados tienen su lectura en hiragana.

[3] Corrige las oraciones sustituyendo el hiragana por kanjis y katakanas. Luego, escríbelos en el teclado.

Este ejercicio busca que los estudiantes se den cuenta de la importancia del uso de los kanjis al experimentar cuán difícil es leer una escritura que prescinde de los kanjis. Asimismo, este ejercicio es eficaz no sólo para escribir los kanjis a mano sino también para practicar la escritura en el teclado. También puede ser utilizado por los estudiantes que consideran innecesario escribir los kanjis manualmente.

PART I

第17回~第21回

ここでは、基本漢字500のうち、301-400までの100字の漢字を学びます。
You will learn the first one hundred kanji #301 to #400 from the list of five hundred basic kanji.
여기에서는 기본한자 500 중에서 301-400 까지의 100 자의 한자를 배웁니다.
Neste parte, você poderá aprender 100 kanjis, de 301 a 400, que fazem parte dos 500 kanjis básicos.
Aquí aprenderás 100 kanjis del 301 al 400 que forman parte de los 500 kanjis básicos.

▶ストーリーで意味を覚えよう
▶▶▶ p. 2

Let's memorize kanji with its story
스토리로 의미를 배우기
Vamos aprender os significados dos kanjis através das estórias
Aprendamos los significados a través de historias

- イラストとストーリーで100字の字形と意味を楽しく覚えます。
- It is so much fun to memorize the shape and meaning of 100 kanji through stories and illustrations.
- 일러스트와 스토리로 100 자의 자형과 의미를 즐겁게 배웁니다 .
- Utilizando desenhos e estórias, você irá aprender o formato e o significado de 100 kanjis de um jeito divertido.
- Aprenderás de manera divertida la forma y el significado de 100 kanjis a través de ilustraciones e historias.

▶読み方と書き方を覚えよう
▶▶▶ p. 32

Let's learn reading and writing
읽는 법과 쓰는 법 배우기
Vamos aprender a ler e a escrever
Aprendamos la lectura y la escritura de los kanjis

- ストーリーで覚えた漢字の読み方と書き方を覚えます。
- You can learn the reading and writing of the kanji you have already memorized through stories.
- 스토리로 익힌 한자의 읽는 방법과 쓰는 방법을 배웁니다 .
- Você irá aprender a leitura e a escrita dos kanjis que aprendeu através das estórias.
- Aprenderás la lectura y escritura de los kanjis aprendidos a través de historias.

第17回 ストーリーで意味を覚えよう

Let's memorize kanji with its story
스토리로 의미를 배우기
Vamos aprender os significados dos kanjis através das estórias
Aprendamos los significados a través de historias

---

301 的

白 103

Your **target** is white. By adding this kanji to a noun, you can change it into an adjective (i.e. -ual, **-tive**).
과녁은 하얗습니다. '명사＋的(적)'으로 '～的(**적**)'이라는 형용사가 됩니다. [적]
O **objetivo** é branco. Juntando este ideograma a um substantivo, teremos um adjetivo (**-ivo**).
El **objetivo** es blanco. Si le agregas este kanji a un sustantivo, puedes convertirlo en un adjetivo (Ej. **-ivo**).

---

302 約

糸 ★46 (p.127 vol.1)

There is a boy with a target on his head in front of a small tree. An arrow hit the target as **promise**d.
약속대로 작은 나무 옆에 있는 남자 아이의 머리 위의 과녁에 화살이 맞았습니다. [약]
Representa um menino na frente de uma árvore pequena com um alvo acima de sua cabeça. E conforme **combinado**, a flecha atinge o alvo.
La flecha dio en el objetivo ubicado en la cabeza del niño que está al lado del árbol pequeño, exactamente igual que una **promesa**.

---

303 宿

宀 ☆2 (p.5 vol.1)
亻 ☆1 (p.4 vol.1)
百 37

A place where a hundred people gather under a roof is an **inn**.
지붕 밑에 있는 사람이 백 명 있는 곳은 **숙소**입니다. [숙]
100 pessoas em baixo de um telhado representa uma **hospedaria**.
Un lugar donde cientos de personas se encuentran es una **posada**.

---

304 泊

氵 ☆15 (p.26 vol.1)
白 103

I want to **stay overnight** at a place where there is clear water and a white sand beach.
물과 하얀 모래 사장이 있는 곳에 **묵고** 싶다. [박]
Eu quero me **hospedar** num lugar onde tenha água limpa e praia de areia branca.
Me gustaría **alojar**me en un lugar donde haya agua y una playa de arena blanca.

305 荷

艹 ☆35 (p.48 vol.1)
何 57

There is some grass behind the fence. At the airport, we are checked if we have any grass in our **baggage**.
울타리 안에 풀이 나 있습니다. 공항에서 **짐** 안에 뭐가 풀이 들어가 있지 않은지 체크받습니다. [하]
Representa o mato crescendo atrás da cerca. No aeroporto, cssomos revistados para saber se há alguma planta em nossa **bagagem**.
Hay hierbas creciendo detrás de la cerca. En el aeropuerto revisan si hay alguna hierba dentro del **equipaje**.

306 個

イ ☆1 (p.4 vol.1)
古 36

How many old apples are there in the box? This kanji also means **individual**s.
상자에 오래된 사과는 몇 **개** 있습니까? 이 한자에는 **개인**이라는 뜻도 있습니다. [개]
Quantas maçãs velhas há na caixa? Este kanji também significa **individual**.
¿**Cuánt**as manzanas viejas hay en la caja? Este kanji también tiene el significado de **individual**.

307 訪

言 ★22 (p.34 vol.1)
方 219

When you **visit** someone, you follow the directions the person has given to you.
사람을 **방문할** 때는 그 사람이 말한 방향으로 갑니다. [방]
Quando você **visita** alguéem, vai a direção que a de pessoa lhe dissetenha dito.
Cuando **visit**as a alguien, vas en la dirección indicada por ella.

308 比

北 88

Do you remember the kanji 北 ? Please **compare** its shape with this one.
'北'의 한자를 기억하고 있습니까? 형태를 **비교해** 보십시오. [비]
Você se lembra a kanji " 北 "? **Compare** a forma deles.
¿Recuerdas el kanji 北 ? Por favor, **compar**a su forma con este.

309 階

比 308
白 103

You go to the whiter and better **floor** after comparing it to others.
비교해 봐서 하얗고 더 좋은 **층**으로 갑니다. [계]
Depois de comparar, você vai ao **andar** melhor ("B"etter) e branco.
Si lo comparas con otros **pisos**, vas al más blanco y mejor.

310 化

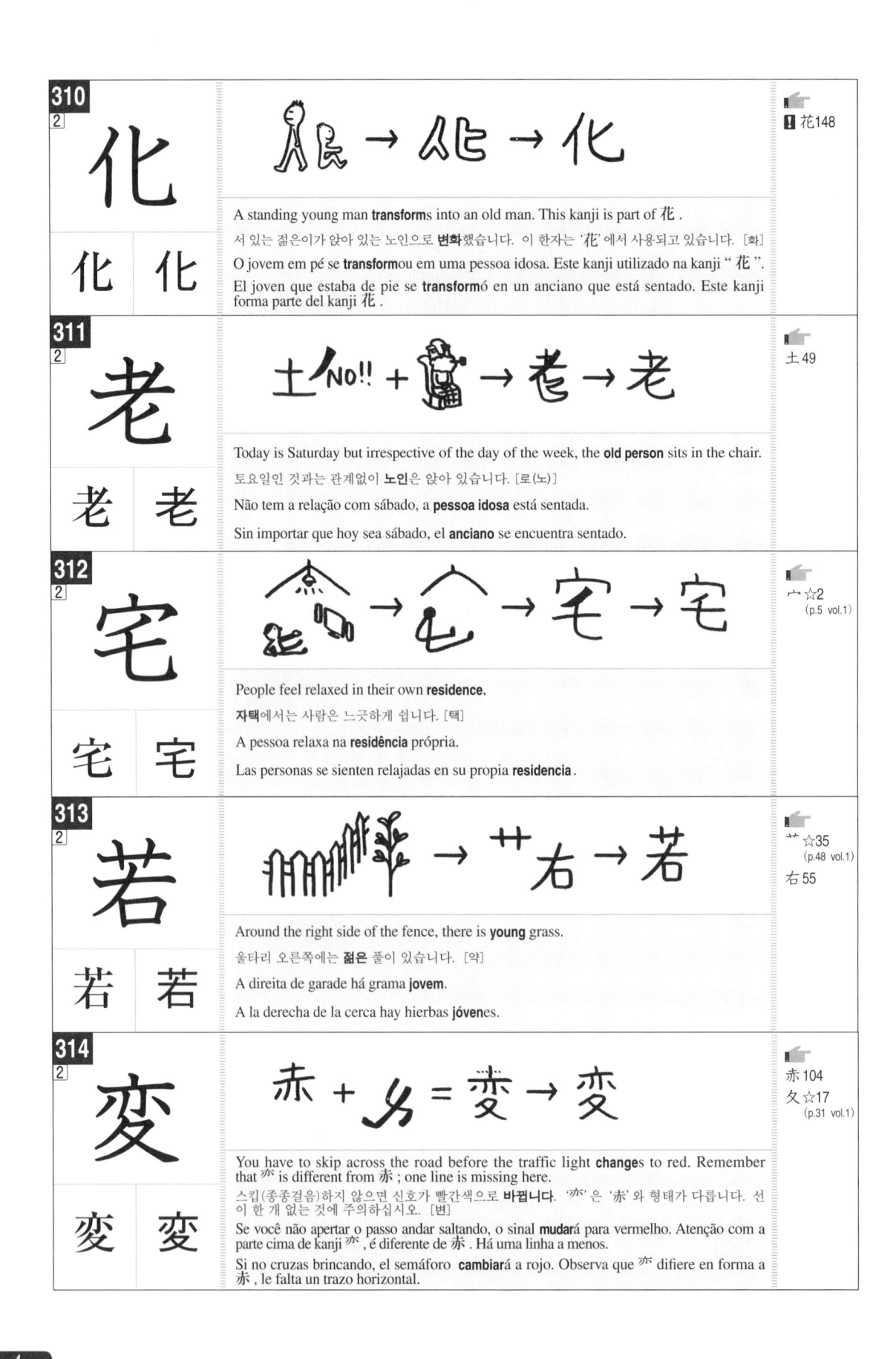

化 化

A standing young man **transform**s into an old man. This kanji is part of 花.

서 있는 젊은이가 앉아 있는 노인으로 **변화**했습니다. 이 한자는 '花'에서 사용되고 있습니다. [화]

O jovem em pé se **transform**ou em uma pessoa idosa. Este kanji utilizado na kanji "花".

El joven que estaba de pie se **transform**ó en un anciano que está sentado. Este kanji forma parte del kanji 花.

花 148

311 老

老 老

Today is Saturday but irrespective of the day of the week, the **old person** sits in the chair.

토요일인 것과는 관계없이 **노인**은 앉아 있습니다. [로(노)]

Não tem a relação com sábado, a **pessoa idosa** está sentada.

Sin importar que hoy sea sábado, el **anciano** se encuentra sentado.

土 49

312 宅

宅 宅

People feel relaxed in their own **residence**.

자택에서는 사람은 느긋하게 쉽니다. [택]

A pessoa relaxa na **residência** própria.

Las personas se sienten relajadas en su propia **residencia**.

宀 ☆2 (p.5 vol.1)

313 若

若 若

Around the right side of the fence, there is **young** grass.

울타리 오른쪽에는 **젊은** 풀이 있습니다. [약]

A direita de garade há grama **jovem**.

A la derecha de la cerca hay hierbas **jóven**es.

艹 ☆35 (p.48 vol.1)
右 55

314 変

変 変

You have to skip across the road before the traffic light **change**s to red. Remember that 亦 is different from 赤 ; one line is missing here.

스킵(종종걸음)하지 않으면 신호가 빨간색으로 **바뀝니다**. '亦' 은 '赤' 와 형태가 다릅니다. 선이 한 개 없는 것에 주의하십시오. [변]

Se você não apertar o passo andar saltando, o sinal **mudar**á para vermelho. Atenção com a parte cima de kanji 亦, é diferente de 赤. Há uma linha a menos.

Si no cruzas brincando, el semáforo **cambiar**á a rojo. Observa que 亦 difiere en forma a 赤, le falta un trazo horizontal.

赤 104
夂 ☆17 (p.31 vol.1)

315 晚

日 + 🧑‍🎓 + 力 = 日 + 免 → 晚

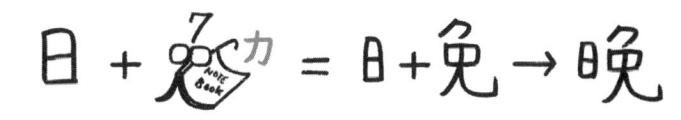

Do you remember the kanji 勉? You study, study and study and it is already 7 at **night**. This kanji means the same as 夜.

'勉'의 글자를 기억하고 있습니까? 하루종일 열심히 공부했더니 **밤** 7 시가 되었습니다. '夜'와 같은 의미입니다. [만]

Você se lembra da kanji 勉? Estudou o dia inteiro com esforço, chegou 7horas da **noite**. Este kanji significa mesmo com kanji 夜.

¿Recuerdas el kanji 勉? Si durante todo el día estudias con mucho esfuerzo, llegará las 7 de la **noche**. Este kanji tiene el mismo significado que 夜.

日 ★4 (p.13 vol.1)
勉 162
夜 73

316 雲

雨 + 二 + ム = 雲

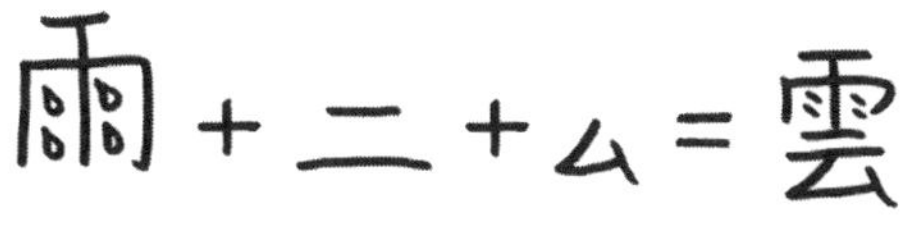

It has been raining but the **cloud**s which were spread across the sky will start to clear around two o'clock.

비가 오고 있지만 하늘에 퍼져있는 **구름**이 2 시에는 걷힙니다. [운]

Estava chovendo, mas as **nuve**ns do céu desaparecerão às 2h.

Ha estado lloviendo, pero a las 2 se despejará el espacio que ha estado cubierto de **nube**s.

雨 ★25 (p.38 vol.1)
二 2
ム ☆40 (p.116 vol.1)

317 育

👶 + 月 = 育 → 育 → 育

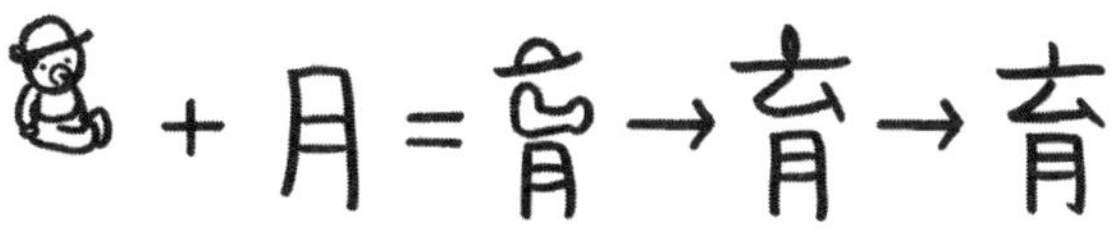

A baby wearing a hat is **grow**ing **up** month after month.

모자를 쓴 아기가 매일 크게 **자라**고 있습니다. [육]

O bebê com chapéu **cresce** todo mês.

El bebé con un sombrero **crec**e cada mes.

亠 ☆11 (p.21 vol.1)
ム ☆40 (p.116 vol.1)
月 42

318 窓

🏠 → 宀 + 心 = 窓 → 窓

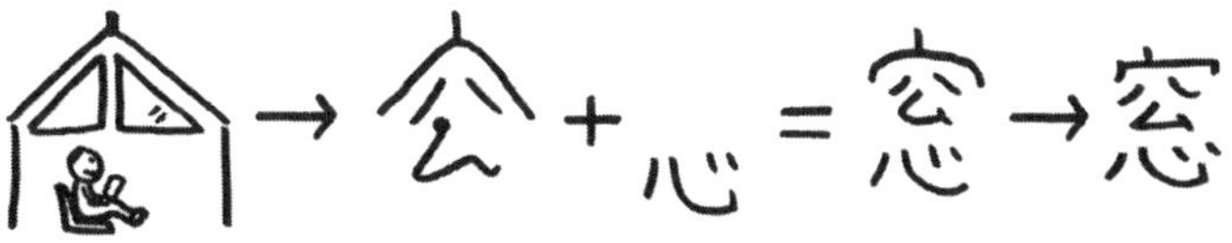

You feel relaxed when you stretch your legs in a room with a **window**.

창문이 있는 집 안에서 발을 뻗으면 마음도 편안해집니다. [창]

Se você alonga as pernas dentro de casa que há **janela**, seu coração sentirá relaxado.

Te sientes relajado cuando estiras tus piernas en una casa con **ventana**s.

宀 ☆2 (p.5 vol.1)
ム ☆40 (p.116 vol.1)
心 ★43 (p.121 vol.1)

319 園

土 + 🚶 + ⭕ → 袁 → 園

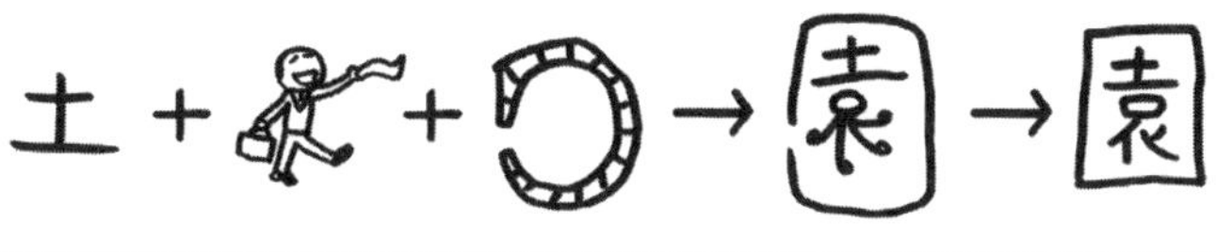

You encircle the people who are going to leave. You say to them, 'Don't go. This is a wonderful **park**'. This kanji is similar to 遠.

다른 토지에 가는 사람을 둘러싸고 '가지 마세요! 여기는 좋은 **공원**이니까요'라고 말합니다. '遠'의 한자와 비슷합니다. [원]

Você cerca a pessoa que vai a outra região e lhe disse "Não vá! Aqui é **parque** bom". Este kanji lembra de kanji 遠.

Cuando alguien va a abandonar el lugar, lo rodeas diciéndole "no te vayas, este es un **parque** maravilloso". Este kanji es parecido a 遠.

土 49
𧘇 ☆49 (p.130 vol.1)
遠 201

320

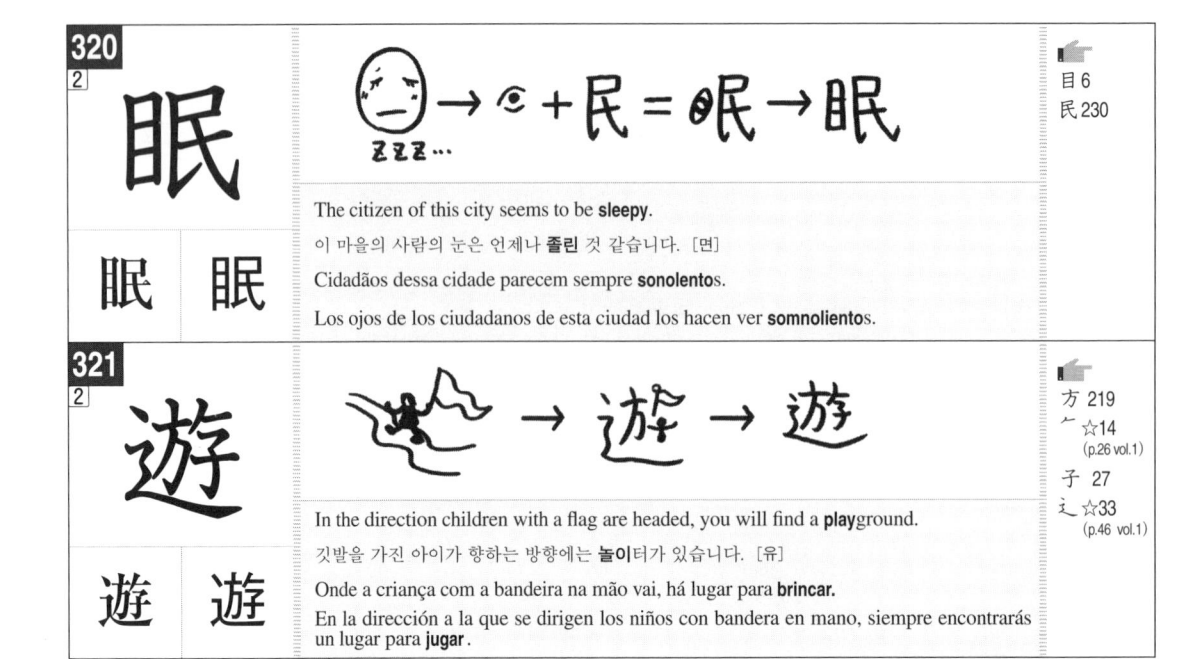

眠

眠 眠

目 6
民 230

The citizen of this city seems to be **sleepy**.

이 마을의 사람의 눈은 언제나 **졸린** 것 같습니다. [면]

Cidadãos dessa cidade parecem sempre **sonolento**s.

Los ojos de los ciudadanos de esta ciudad los hacen ver **somnoliento**s.

321

遊

遊 遊

方 219
宀 ☆14
(p.26 vol.1)
子 27
辶 ☆33
(p.46 vol.1)

In the direction children with a flag are headed, you will find a **playground**.

깃발을 가진 아이가 향하는 방향에는 **놀이**터가 있습니다. [유]

Onde a criança com a bandeira na mão vai, há lugar para **brincar**.

En la dirección a la que se dirigen los niños con bandera en mano, siempre encontrarás un lugar para **jugar**.

第17回

練習問題

Exercise / 연습문제 / Exercícios / Ejercicios

1 意味を書いてください。

遊	変	訪	晩	雲	宿
泊	約	育	窓	個	的
比	化	眠	荷	老	若
階	園	宅			

2 意味を推測して、適当なものをa〜eから選んでください。

① 遊園地（　　）
② 冬眠（　　）
③ 自宅（　　）
④ 荷物（　　）
⑤ 目的（　　）

a. an amusement park / 유원지 / parque de diversões / parque de diversiones
b. one's own home / 자택 / residência própria / mi casa
c. purpose / 목적 / objetivo / objetivo
d. luggage, package / 짐 / bagagem / equipaje
e. hibernation / 동면 / hibernação / hibernación

3 ことばの意味を推測してください。

① 個室（　　　　）　② 宿泊（　　　　）
③ 若者（　　　　）　④ 教育（　　　　）
⑤ 変化（　　　　）　⑥ 訪日（　　　　）

4 文の意味を推測してください。

① 今晩は家に帰らないで外泊をします。
② この本はまだ入荷していません。
③ 前の年と比べると今年は寒い日が多いです。
④ 空に黒い雲が出てきたので、老人は帰宅しました。
⑤ 赤ちゃんは、よく眠り、元気に育っています。

第18回 ストーリーで意味を覚えよう

Let's memorize kanji with its story
스토리로 의미를 배우기
Vamos aprender os significados dos kanjis através das estórias
Aprendamos los significados a través de historias

---

322 才
才 才

Someone with **talent** has skills in their hands. This kanji also means '**year(s) old**'. Remember that 才 and 扌 are different.
재능이 있는 사람은 손에 기술을 가지고 있습니다. 이 한자는 '살(나이)'의 의미도 있습니다. '才'와 '扌'은 형태가 다른 점에 주의하십시오. [재]
Aquele que é **talent**oso tem habilidade com as mãos. Este kanji também significa **anos de idade**. Fique atento com a diferença de formato 才 e 扌.
Alguien con **talento** tiene la habilidad en sus manos. Este kanji también tiene el significado de "**año(s) de edad**". Observa que 才 y 扌 son diferentes.

扌 ☆29 (p.43 vol.1)

---

323 身
身 身

自 + 才 = 身 → 身

You are pointing at your **body** with your finger. The meaning of this kanji is the same as that of 体.
손가락으로 자신의 몸을 가리키고 있습니다. 이 한자의 의미는 '体'와 같습니다. [신]
Está apontando para seu **corpo**. O significado desse kanji é igual ao de 体.
Con tu dedo señalas tu propio **cuerpo**. Este kanji tiene el mismo significado que 体.

自 140
才 322
体 12

---

324 単
単 単

If you make the form of the Cross **simple**, it looks like this.
이것은 십자가에 걸린 그리스도를 단순화한 형태입니다. [단]
Este é o formato **simpl**es de Cristo na cruz.
Esta es una forma **simpl**ificada de la imagen de Cristo en la cruz.

十 35

---

325 礼
礼 礼

It is **etiquette** to express your gratitude to the Shinto priest. This kanji is similar to 社.
신사의 신관에게 인사를 하는 것은 예의입니다. 이 한자는 '社'과 형태가 비슷합니다. [레(예)]
Agradecer ao sacerdote xintoísta é **cortes**ia. Este kanji é parecido com kanji 社.
Hacer una reverencia al sacerdote shintoísta es una muestra de **cortesía**. Este kanji es parecido a 社.

社 123

---

326 初
初 初

ネ + 刀 = 初

The Shinto priest wears a sword for the **first** time. Remember ネ is different from 衤.
This kanji is similar to 社.
신사의 신관이 처음으로 칼을 가졌습니다. 'ネ'은 '衤'와 형태가 다른 것에 주의하십시오.
이 한자는 '社'과 비슷합니다. [초]
O sacerdote possui uma espada pela **primeira vez**. Atenção com a diferença entre ネ e 衤. Este kanji é parecido com kanji 社.
El sacerdote shintoísta lleva por **primera vez** una espada. Observa que ネ es diferente a 衤. Este kanji se parece a 社.

刀 ★10 (p.18 vol.1)
社 123

327

伝

亻 + 二 + ム = 伝

伝 伝

A couple need to have an open mind if they want to **convey** their own feelings to each other.

두 사람이 자신의 마음을 **전하는** 데는 넓은 마음이 필요합니다. [전]

É preciso de coração generoso para **transmitir** cada sentimento entre os dois.

Las parejas requieren una mente amplia para **transmitir** sus sentimientos al otro.

亻 ☆1 (p.4 vol.1)
二 2
ム ☆40 (p.116 vol.1)

328

留

→ 留 → 留

留 留

Someone held a sword over your head, so you decide to **remain** in the field.

논에서 칼을 휘둘렀기 때문에 그 자리에 **멈췄**습니다. [류(유)]

Uma pessoa estava balançando a espada no arrozal, por isso ele **fic**ou no lugar.

Una espada en el campo de arroz te obligo a **permanecer** allí.

刀 ★10 (p.18 vol.1)
田 13

329

番

一 + 米 + 田 = 番 → 番

番 番

This is the **number** one (the best) rice from this field.

이것은 논에서 수확한 가장(1 **번**으로) 좋은 쌀입니다. [번]

Este arroz é **número** um do arrozal.

Este es el mejor arroz, la cosecha **número** uno de los campos de arroz.

一 1
米 116
田 13

330

号

О + 5 = 응 → 웅 → 号

号 号

0 and 5 appear to be **sign**s.

0과 5는 어떤 **기호**입니다. [호]

0 e 5 são **símbolo**s de alguma coisa.

0 y 5 parecen ser **signo**s de algo.

331

信

亻 + 言 = 信

信 信

Let's **believe** what people may say.

사람이 말한 것을 **믿**읍시다. [신]

Vamos **acrditar** no que os outros falam.

Debemos **creer** en lo que la gente dice.

亻 ☆1 (p.4 vol.1)
言 106

332 違

口 7
辶 ☆33
(p.46 vol.1)

Beware the upper part and the lower part of 口 are **different**.

'口'의 위와 아래의 형태는 **다릅**니다. 주의하십시오. [위]

São **diferente**s os formatos de cima e debaixo do kanji 口. Atenção.

Si prestas atención verás que lo que está arriba de 口 es **diferente** a lo que está debajo.

333 他

亻 ☆1 (p.4 vol.1)
世 237
地 240
池 241

It is human nature that people will say something about **other** generations. Remember that 也 and 世 are different. This kanji is similar to 地 and 池.

어느 세대의 사람도 **다른** 세대의 사람에 대해서 뭔가 이야기합니다. '也'는 '世'와 형태가 다른 것에 주의하십시오. 이 한자는 '地' '池'와 형태가 비슷합니다. [타]

As pessoas de uma determinada geração sempre comentam algo em relação às pessoas de **outra**. Fique atento com a diferença de formato 也 e 世. O formato deste kanji é similar a 地 e 池.

Es normal que la gente de una generación diga algo acerca de las **otra**s. Observa que 也 y 世 son diferentes. Este kanji es parecido a 地 y 池.

334 両

一 1
山 4
冂 ☆34
(p.46 vol.1)

A mountain is covered with clouds. The mountain is **both** beautiful with and without clouds.

한 쪽의 산이 구름으로 덮여 있습니다. 구름이 있을 때도 없을 때도 **양쪽** 다 예쁩니다. [량(양)]

Uma montanha está coberta com nuvem. A montanha com ou sem nuvem, **ambos** são bonitas.

La montaña está cubierta de nubes. Tanto cuando está cubierta como cuando no, en **ambos** casos, la montaña es hermosa.

335 利

禾 ☆45 (p.124 vol.1)
刂 ☆16 (p.30 vol.1)

You cut down a tree with a knife for your own **profit**.

잎이 붙은 나무를 자신의 **이익**을 위해서 칼로 자릅니다. [리(이)]

Você corta uma árvore com folhas usando uma faca para seu próprio **benifício**.

Podamos los árboles que tienen hojas para nuestro **provecho**.

336 平

You make it **flat**.

평평하게 하려고 합니다. [평]

Você tenta deixar **liso**.

Intentamos dejarlo **plano**.

337 2

成

成 成

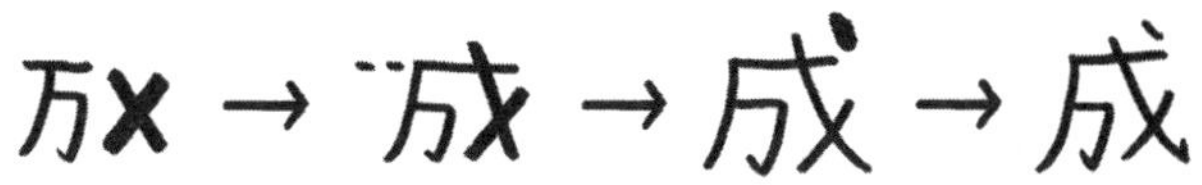

It is a combination of × and 万 (ten thousand). You cannot **become** a billionaire with ten thousand yen.

万과 ×의 조합입니다. 만원으로는 억만장자가 **될** 수 없습니다. [성]

É a combinação de × e 万 (dez mil). Você não **se torna** bilionário com apenas 10.000ienes.

Es la combinación de 万 (diez mil) y × . No podrás **convertir**te en millonario con solo diez mil yenes.

万 39

338 2

完

完 完

Energetic carpenters **complete**d the house.

건강한 목수가 집을 **완성**시켰습니다. [완]

Carpenteiros bem dispostos **finaliza**ram a casa.

Carpinteros vigorosos **complet**aron la construcción de la casa.

宀 ☆2 (p.5 vol.1)
元 76

339 2

打

打 打

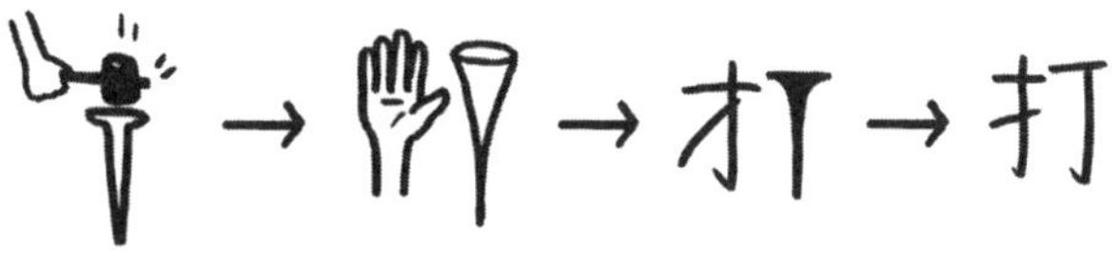

You **strike** a nail with a hammer in your hand.

손을 사용해서 못을 **칩**니다. [타]

Você **bate** no prego usando as mãos.

Martillo en mano, clavamos **dando golpes**.

扌 ☆29 (p.43 vol.1)

340 2

当

当 当

You **hit** the target after your third (3rd) try.

3 번째에는 **맞**습니다. [당]

Você **acerta** o alvo depois da 3ª tentativa.

Acerté al 3er intento.

★62 2

争

争 争

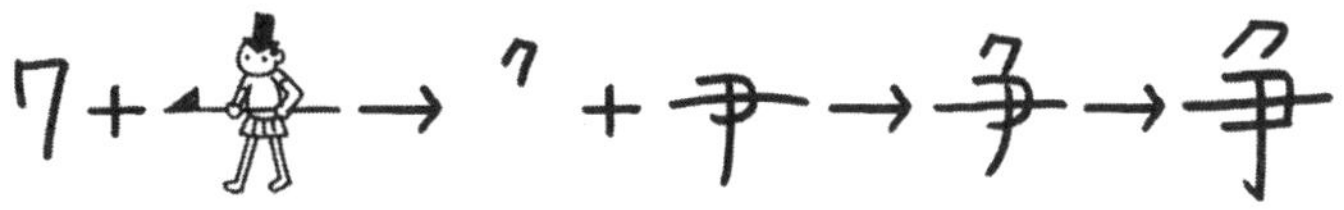

Seven (7) soldiers are headed to **battle**. This kanji can be used alone.

7 명의 병사가 **전쟁**으로 향하고 있습니다. 이 한자는 단독으로도 사용됩니다. [쟁]

7 soldados estão indo à **guerra**. Este kanji pode ser usado sozinho também.

7 soldados se dirigen al campo de **batalla**. Este kanji también puede ser utilizado solo.

341
[2]

静

静　静

青 + 争 = 静

There is no battle here. The sky is blue and it is **quiet**.

싸움이 없고 하늘이 파랗고 **조용합**니다. [정]

Não há querra, o céu está azul e **quieto**.

Sin batallas, el cielo está azul. ¡Qué **tranquilo** se está aquí!

青 105
争 ★62(p.11)

第18回

練習問題 — Exercise / 연습문제 / Exercícios / Ejercicios

1. 意味を書いてください。

当	平	完	信	両
礼	成	打	番	身
他	号	単	初	静
伝	才	利	留	違

2. 意味を推測して、適当なものをa～eから選んでください。

① 静電気（　　）
② 便利（　　）
③ 本当（　　）
④ 天才（　　）
⑤ 自信（　　）

> a. confidence / 자신 / auto-confiança / confianza en sí mismo
> b. convenient / 편리 / conveniencia / práctico
> c. genius / 천재 / gênio / genio
> d. real / 정말 / realidade / real
> e. static electricity / 정전기 / eletricidade estática / electricidad estática

3. ことばの意味を推測してください。

① 両手（　　）　② 完成（　　）
③ 成長（　　）　④ 打ち合わせ（　　）
⑤ 身長（　　）　⑥ 留学生（　　）

4. 文の意味を推測してください。

① この店は、平日は開いていますが、土日休日は休みです。
② 違う番号にかけて、他の人の電話に伝言を入れてしまいました。
③ 両親の家ではなく、初めて一人でアパートに住んでいます。
④ 赤信号に気が付かなかったので、他の車に当たってしまいました。
⑤ このアパートは静かですが、駅から遠くて便利ではありません。

第19回 ストーリーで意味を覚えよう

Let's memorize kanji with its story
스토리로 의미를 배우기
Vamos aprender os significados dos kanjis através das estórias
Aprendamos los significados a través de historias

★63 亡

亡 → 亡 → 亡 → 亡

This is the shape of a **dead** person. This kanji can be used alone.
돌아가신 사람의 모습입니다. 이 한자는 단독으로도 사용됩니다. [망]
Representa uma pessoa já **falec**ida. Este kanji pode ser usado sozinho também.
Es la figura de una persona **muerta**. Este kanji también puede ser utilizado solo.

---

342 忘

亡 + 心 = 忘

亡 ★63 (p.14)
心 ★43 (p.121 vol.1)

When your mind is not there, you easily **forget** everything.
마음이 여기에 없으면(돌아가시면) 뭐든지 금방 **잊어**버립니다. [망]
Se seu coração(mente) não está aqui(se ela falece), você acaba **esquece**ndo todas as coisas.
Cuando tu mente no está aquí, enseguida te **olvid**as de todo.

☆64 忄

心 → 心 → 忄 → 忄

Heart
마음입니다.
Coração
Corazón

---

343 忙

忄 + 亡 = 忙

忄 ☆64 (p.14)
亡 ★63 (p.14)

A dead **busy** person is absent minded.
죽을 것처럼 **바쁜** 사람은 '마음 여기에 없이' 입니다. [망]
Aquele que está quase morrendo de tão **ocupado** que está, é porque seu coração não está mais aqui.
Una persona **ocupad**a a morir tiene la mente en otro lugar.

344 性

忄 + 生 = 性

The heart you have from birth is your **personality**. When this kanji is attached to an adjective, it becomes a noun. (i.e. –ity)

태어났을 때부터 가지고 있는 마음은 그 사람의 **성질**입니다. '형용사 + 성'으로 '~성'이라는 명사가 됩니다. [성]

O coração(mente) que você possui desde que nasceu, é a sua **personalidade**. Este kanji junto com um adjetivo se torna substantivo(**-dade**).

El corazón que llevas desde tu nacimiento define tu **personalidad**. Cuando este kanji va acompañado de un adjetivo, forma el sustantivo "**-idad**"

忄 ☆64 (p.14)
生 74

345 感

→ 咸 → 咸 + 心 = 感

With one eye, your **sense**s become heightened. This kanji is similar to 成.

한쪽 눈이 보이지 않으면 **감각**과 마음이 민감해집니다. 이 한자는 '成'과 형태가 비슷합니다. [감]

Se você só enxerga de um olho, seus **sentido**s e seu coração ficam sensível. A forma deste kanji é semelhante a 成.

Sin un ojo, tus **sentido**s se agudizan. Este kanji es parecido a 成.

心 ★43 (p.121 vol.1)
成 337

346 減

→ 咸 → 減 → 減

With your single eye, you can see how much the water has **decrease**d. This kanji is similar to 感.

어느 정도 물이 **줄었**는지 한쪽 눈으로 봅니다. 이 한자는 '感'과 형태가 비슷합니다. [감]

Com um olho, você vê o quanto a água **diminui**u. A forma deste kanji é semelhante a 感.

Con un solo ojo ves cuánta agua ha **disminui**do. Este kanji es parecido a 感.

氵 ☆15 (p.26 vol.1)
感 345

347 泣

→ 汏 → 泣 → 泣

A person is standing and **cry**ing.

서서 **울고** 있습니다. [읍]

Mostra uma pessoa **chora**ndo em pé.

Una persona parada **llor**ando.

氵 ☆15 (p.26 vol.1)
立 44

348 夫

一 + 大 = 夫

The biggest person is my **husband**.

가장 큰 사람은 **남편**입니다. [부]

O maior é o meu **marido**.

La persona más grande es mi **esposo**.

一 1
大 21

349

実

実 実

宀 + 一 + 夫 = 実

In **real**ity you have another husband in the house.

실제는 집 안에 한 명 더 남편이 있습니다. [실]

Na **verdade**, há outra pessoa em casa. - É o meu marido. O significado desse kanji é igual ao de 真290.

En **real**idad, en casa tenemos un esposo más.

宀 ☆2 (p.5 vol.1)
一 1
夫 348

350

失

失 失

丿 + 夫 = 失 → 失

My husband is 1 I do not want to **lose**.

남편은 **잃고** 싶지 않은 사람 중의 1 명입니다. [실]

Meu marido é uma (1) das pessoas que não quero **perder**.

1 de las personas que de ninguna manera querría **perder** es mi esposo.

夫 348

351

鉄

鉄 鉄

金 + 失 = 金 + 失 = 鉄

One of the minerals you shouldn't lose sight of is **iron**.

잃어서는 안 되는 미네랄은 **철**분입니다. [철]

O mineral que você não pode perder. - É o **ferro**.

Uno de los minerales que tu cuerpo no debería perder es el **hierro**.

金 ★19 (p.32 vol.1)
失 350

352

表

表 表

主 + 👤 = 表 → 表 → 表

Your husband is gone. You don't know how to **express** your feelings. Remember that 㐬 is different from 主.

주인이 가 버렸습니다. 이 기분을 어떻게 **나타내**면 좋을지 모르겠습니다. '㐬' 은 '主' 와 형태가 다른 것에 주의하십시오. [표]

Seu marido se foi. Você não sabe como **expressar** este sentimento. Atenção, pois 㐬 é diferente de 主.

Tu esposo te abandonó y no sabes cómo **expresar** tus sentimientos. Observa que 㐬 es diferente a 主.

主 178
衣 ☆49 (p.130 vol.1)

353

現

現 現

王 + 見 = 王 + 見 = 現

The king is watching what the **actual** state is.

왕은 **현실**을 보고 있습니다. [현]

O rei está vendo a **realidade**.

El rey está viendo cuál es la situación **actual**.

王 ★5 (p.14 vol.1)
見 75

354 覚

覚 覚

⺍→覚→覚

Under the school roof, you see and **memorize** many things.

학교 지붕 아래에서 여러가지 물건을 보고 **기억합니다**. [각]

Embaixo do telhado da escola, você vê e **memoriza** várias coisas.

Bajo el techo de la escuela, vemos y **memoriz**amos muchas cosas.

⺍ ☆3 (p.9 vol.1)
見 75

355 石

石 石

→ → 石 → 石

The tip of the landmark is broken because a **stone** hit it.

마을의 표시 위(윗부분)가 부서져 있는 것은 **돌**이 부딪혔기 때문입니다. [석]

A parte de cima do ponto de referência da cidade está quebrada, porque acertaram uma **pedra** nela.

La parte superior del punto de referencia de la ciudad se quebró por el golpe de una **piedra**.

石 ★58 (p.152 vol.1)

356 確

確 確

→ 石隹 → 確 → 確

Do you remember 隹? At home you will make **certain** what stones you have collected. Remember that 宀 and 宀 are different.

'隹'를 기억하고 있습니까? 모은 돌이 어떤 돌인가를 집 안에서 **확인합니다**. '宀'과 '宀'는 형태가 다른 것에 주의하십시오. [확]

Lembra-se 隹? Você **confirma** em casa, como são as pedras que juntou. Lembra-se que 宀 e 宀 são diferentes.

¿Recuerdas el kanji 隹? En casa podrás **verificar** qué tipo de piedras son aquellas que has recolectado. Observa que 宀 y 宀 son diferentes.

石 ★58 (p.152 vol.1)
宀 ☆2 (p.5 vol.1)
隹 ☆61 (p.159 vol.1)

357 認

認 認

言 + 刀 + No!! + 心 = 認 → 認

Let us simply listen to others and **acknowledge** the feelings of their minds without using a sword.

칼을 사용하지 않고 상대의 이야기를 듣고, 그 사람의 기분(마음)을 **인정합**시다. [인]

Ouvir o que outro tem a dizer, sem usar a espada e aceitar (**admitir**) seus sentimentos (coração).

Escuchemos a los otros y **reconoz**camos sus sentimientos sin utilizar la espada.

言 ★22 (p.34 vol.1)
刀 ★10 (p.18 vol.1)
心 170

358 増

増 増

増 → 増 → 増

If you cultivate the ground in the rice field every day, your crops will **increase**.

논의 흙을 매일 일구면 수확이 **늘어납니다**. [증]

Cultivando bem o arrozal todos os dias, a colheita **aumenta**.

Si cultivas el campo de arroz día tras día, la cosecha **aumentará**.

土 49
田 13
日 41

359

加

加 加

力 14
口 7

The more you eat, the more power is **add**ed to you.
많은 것을 먹으면 힘이 **가해집니다**. [가]
Quanto mais você comer, mais força será **acrescenta**da.
Te alimentas por la boca y le **agreg**as fuerza a tu cuerpo.

360

婦

婦 婦

女 16
帰 294

The **lady** leaves home at 3 p.m. This kanji is similar to 帰.
부인은 3시에 집을 나갑니다. 이 한자는 '帰'와 형태가 비슷합니다. [부]
A **senhora** sai de casa às 3h de tarde. A forma deste kanji é semelhante a 帰.
La **dama** sale de su casa a las 3 p.m. Este kanji es parecido a 帰.

第19回

練習問題 Exercise / 연습문제 / Exercícios / Ejercicios

1. 意味を書いてください。

   加　現　忘　性　増
   夫　覚　実　忙　鉄
   認　減　婦　感　確
   石　失　泣　表

2. 意味を推測して、適当なものをa～eから選んでください。

   ① 確認　（　　）
   ② 発表　（　　）
   ③ 現金　（　　）
   ④ 失礼　（　　）
   ⑤ 男性　（　　）

   a. cash / 현금 / dinheiro / dinero en efectivo
   b. announcement, presentation / 발표 / apresentação / anuncio
   c. confirmation / 확인 / verificação / confirmación
   d. male / 남성 / sexo masculino / sexo masculino
   e. rude / 실례 / falta de educação / descortesía

3. ことばの意味を推測してください。

   ① 婦人服　（　　　　）　② 多忙　（　　　　　）
   ③ 表現　（　　　　）　④ 事実　（　　　　　）
   ⑤ 鉄道　（　　　　）　⑥ 目覚まし時計　（　　　　）

4. 文の意味を推測してください。

   ①「失業する」は、仕事を失うという意味です。
   ② A国では、人口が増加していますが、B国では、減少しています。
   ③ とても忙しくて、夫婦の会話があまりありません。
   ④ 雨の日は、地下鉄にかさの忘れ物が多いです。
   ⑤ その映画を見て泣きました。そして、とても感動しました。

第20回 ストーリーで意味を覚えよう

Let's memorize kanji with its story
스토리로 의미를 배우기
Vamos aprender os significados dos kanjis através das estórias
Aprendamos los significados a través de historias

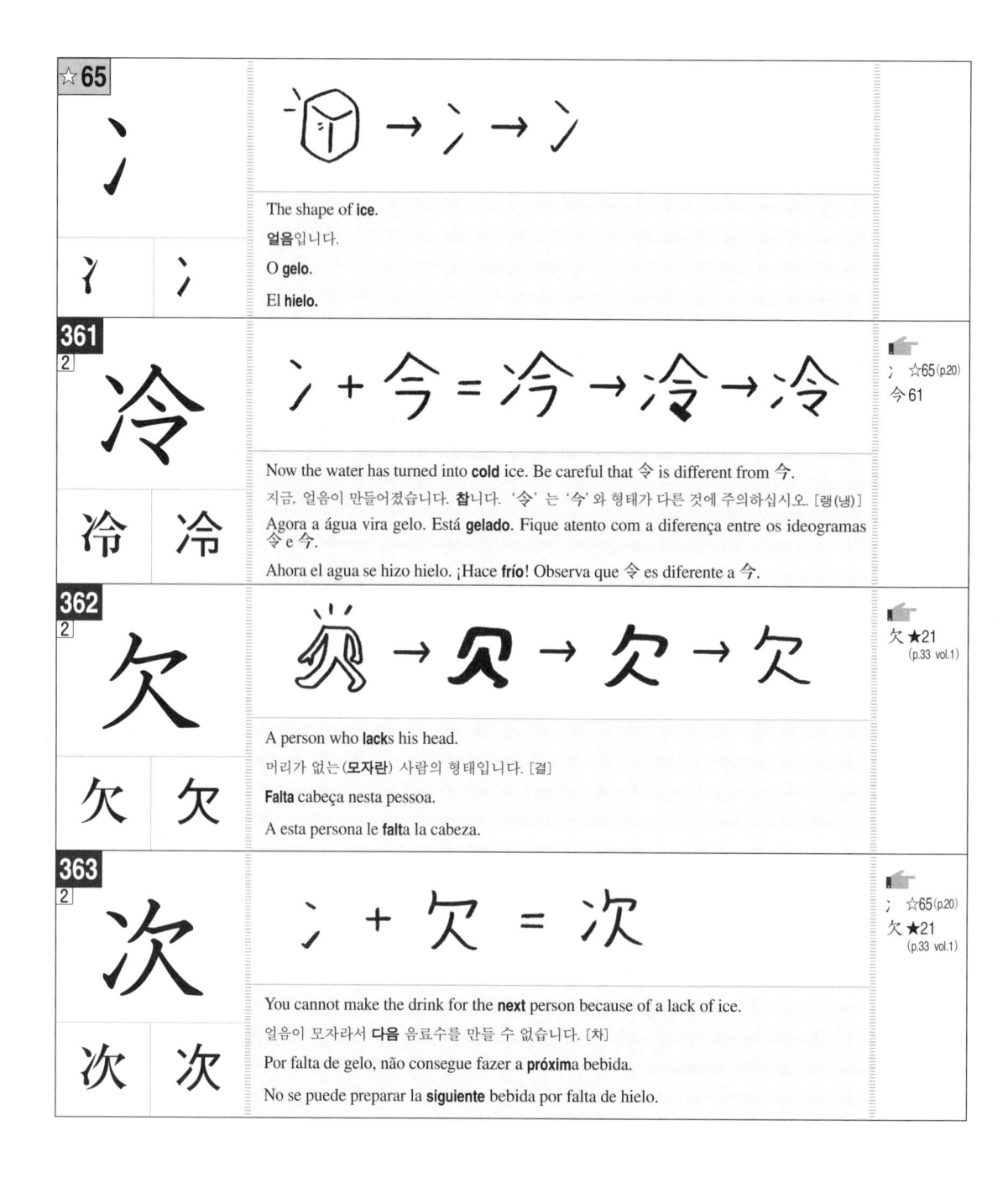

☆65 冫

The shape of **ice**.
얼음입니다.
O **gelo**.
El **hielo**.

361 冷

冫 + 令 = 冷 → 冷 → 冷

Now the water has turned into **cold** ice. Be careful that 令 is different from 今.
지금, 얼음이 만들어졌습니다. **참**니다. '令' 는 '今' 와 형태가 다른 것에 주의하십시오. [랭(냉)]
Agora a água vira gelo. Está **gelado**. Fique atento com a diferença entre os ideogramas 令 e 今.
Ahora el agua se hizo hielo. ¡Hace **frío**! Observa que 令 es diferente a 今.

冫 ☆65 (p.20)
今 61

362 欠

A person who **lack**s his head.
머리가 없는 (**모자란**) 사람의 형태입니다. [결]
Falta cabeça nesta pessoa.
A esta persona le **falt**a la cabeza.

欠 ★21 (p.33 vol.1)

363 次

冫 + 欠 = 次

You cannot make the drink for the **next** person because of a lack of ice.
얼음이 모자라서 **다음** 음료수를 만들 수 없습니다. [차]
Por falta de gelo, não consegue fazer a **próxim**a bebida.
No se puede preparar la **siguiente** bebida por falta de hielo.

冫 ☆65 (p.20)
欠 ★21 (p.33 vol.1)

364 資

次 + 貝 = 資

次 363
貝 ☆31 (p.44 vol.1)

Any valuables are **asset**s to the next generation.
가치가 있는 것은 다음 세대로의 **자산**입니다. [자]
Aquilo que possui valor é um **recurso** para a próxima geração.
Cualquier cosa de valor constituye un **bien** para las siguientes generaciones.

★66 各

口 → 台 → 各 → 各

夂 ☆17 (p.31 vol.1)
口 7

You have to skip over **each** obstacle. This kanji can be used alone.
(**각각의**) 물건이 있을 때마다 스킵합니다. 이 한자는 단독으로도 사용됩니다. [각]
Você pula **cada** obstáculo. Este kanji pode ser usado sozinho também.
Tienes que brincar **cada** vez que hayan obstáculos. Este kanji también puede ser utilizado solo.

365 客

→ 宀 + 各 = 客

宀 ☆2 (p.5 vol.1)
各 ★66 (p.21)

In each house there is a **guest**.
각각의 집에 **손님**이 있습니다. [객]
Em cada casa há uma **visita**.
En cada casa hay un **invitado**.

366 絡

+ 各 = + 各 = 絡 → 絡

糸 ★46 (p.127 vol.1)
各 ★66 (p.21)

Each one of us is **connect**ed through a string telephone.
각각의 사람이 실전화를 사용해서 **연락합니다**. [락(낙)]
Cada pessoa se **comunica** com a outra através da linha telefônica.
Cada persona se **comunica** por el hilo telefónico.

367 格

木 + 各 = 格

木 ★26 (p.40 vol.1)
各 ★66 (p.21)

Each tree has a different **qualification**.
나무에는 저마다 **자격**이 있다. [격]
Cada árvore tem sua **qualificação**.
Cada árbol tiene diferente **calificación**.

368 連

車 121
辶 ☆33
(p.46 vol.1)

Roads are **link**ed so that cars can pass through.
차가 지나갈 수 있도록 길이 **이어져** 있습니다. [련(연)]
As ruas estão **liga**das para que os carros possam passar.
Los caminos están **conect**ados para que los automóviles puedan circular.

369 席

广 ☆32
(p.45 vol.1)
堂 297

A person wearing a coat came to a shop and asked, 'Where is my **seat**?'. This kanji is similar to 堂.
코트를 입은 사람이 가게 안에서 '제 **자리**는 어디입니까?' 라고 말하고 있습니다. '堂' 과 형태가 비슷합니다. [석]
Uma pessoa de casaco está dentro de uma loja perguntando: "Onde é o meu **assento**?" É parecido com o formato de 堂.
La persona de abrigo pregunta en la tienda "¿cuál es mi **asiento**?". Este kanji es parecido a 堂.

370 指

扌 ☆29
(p.43 vol.1)

You are sitting on a chair waiting for a gift to wear on your **finger**.
앉아서 **손가락**에 낄 선물을 기다리고 있습니다. [지]
Você está sentado esperando um presente para pôr no seu **dedo**.
Sentada en una silla esperas por el regalo que llevarás en tu **dedo**.

371 座

广 ☆32
(p.45 vol.1)
人 8
土 49

In the olden days people took off their shoes and **sat** on the floor inside the store.
옛날 일본에서는 가게 안에서 사람은 구두를 벗고 마루에 **앉았습니다**. [좌]
Antigamente, no Japão, as pessoas tiravam seus sapatos e **senta**vam no chão dentro das lojas.
Antiguamente los japoneses se quitaban los zapatos para entrar en la tienda y **sentarse** en el suelo.

372 卒

亠 ☆11
(p.21 vol.1)
人 8
十 35

It took us ten years to **graduate**.
우리들은 **졸업하**는데 10년 걸렸습니다. [졸]
Levou dez anos para a gente se **formar**.
Nos tomo diez años **graduar**nos.

★67 示

二 + 小 = 示

Since two-year old children cannot properly say what they want, they **show** it with their body language. This kanji can be used alone.

2살짜리의 어린 아이는 분명하게 말을 할 수 없기 때문에 몸으로 자기 의지를 **보입니다**. 이 한 자는 단독으로도 사용됩니다. [시]

Uma criança de dois anos não sabe falar ainda, por isso, **mostra** suas vontades através do corpo. Este kanji pode ser usado sozinho.

Los niños de dos años son tan pequeños para expresarse que **muestran** su deseo a través del cuerpo. Este kanji también puede ser utilizado solo.

二 2
小 23

373 禁

→ 林 + 示 = 禁

In old times, **prohibit**ions were put on a wooden board.

옛날에 **금지** 사항은 나무에 써서 나타냈습니다(보였습니다). [금]

Antigamente, tudo o que era **proibido** era escrito numa placa de madeira e mostrado.

Antiguamente, las **prohib**iciones se mostraban en tablas de madera.

木 9
示 ★67 (p.23)

374 予

マ + マ = 孑 → 予 → 予

Mama(ママ) always tells you to "Do this!" and to "Do that!" **beforehand**.

엄마(ママ)는 **미리** 뭐든지 '저것을 해라, 이것을 해라' 라고 합니다. [예]

Mamãe(ママ) sempre diz de **antemão**: "faça isto, faça aquilo".

Mamá(ママ) siempre dice "haz esto, haz lo otro" **con anticipación**.

375 決

氵+ 夬 = 決 → 決 → 決

In water you cannot **decide** where the centre is without a pole.

물 속에서는 폴(장대)이 없으면 어디가 중앙인지 **결정할** 수 없습니다. [결]

Dentro d' água, se não tiver um poste, não se consegue **decidir** onde é o centro.

Dentro del agua no se puede **decidir** dónde está el centro sin una pértiga.

氵 ☆15 (p.26 vol.1)
夬 ★56 (p.145 vol.1)

376 定

企 → 企 → 定 → 定

A house with a good foundation is **fix**ed to the ground. Note that 疋 and 正 are different.

바르게 지어진 집은 튼튼하게 **고정**되어 있습니다. '疋' 는 '正' 과 다른 것에 주의하십시오. [정]

Uma casa bem construida fica **fixa**da a solo. Repare que 疋 é diferente de 正.

Una casa correctamente construida tiene su base bien **fija** al suelo. Observa que 疋 y 正 son diferentes.

宀 ☆2 (p.5 vol.1)
正 64

★68

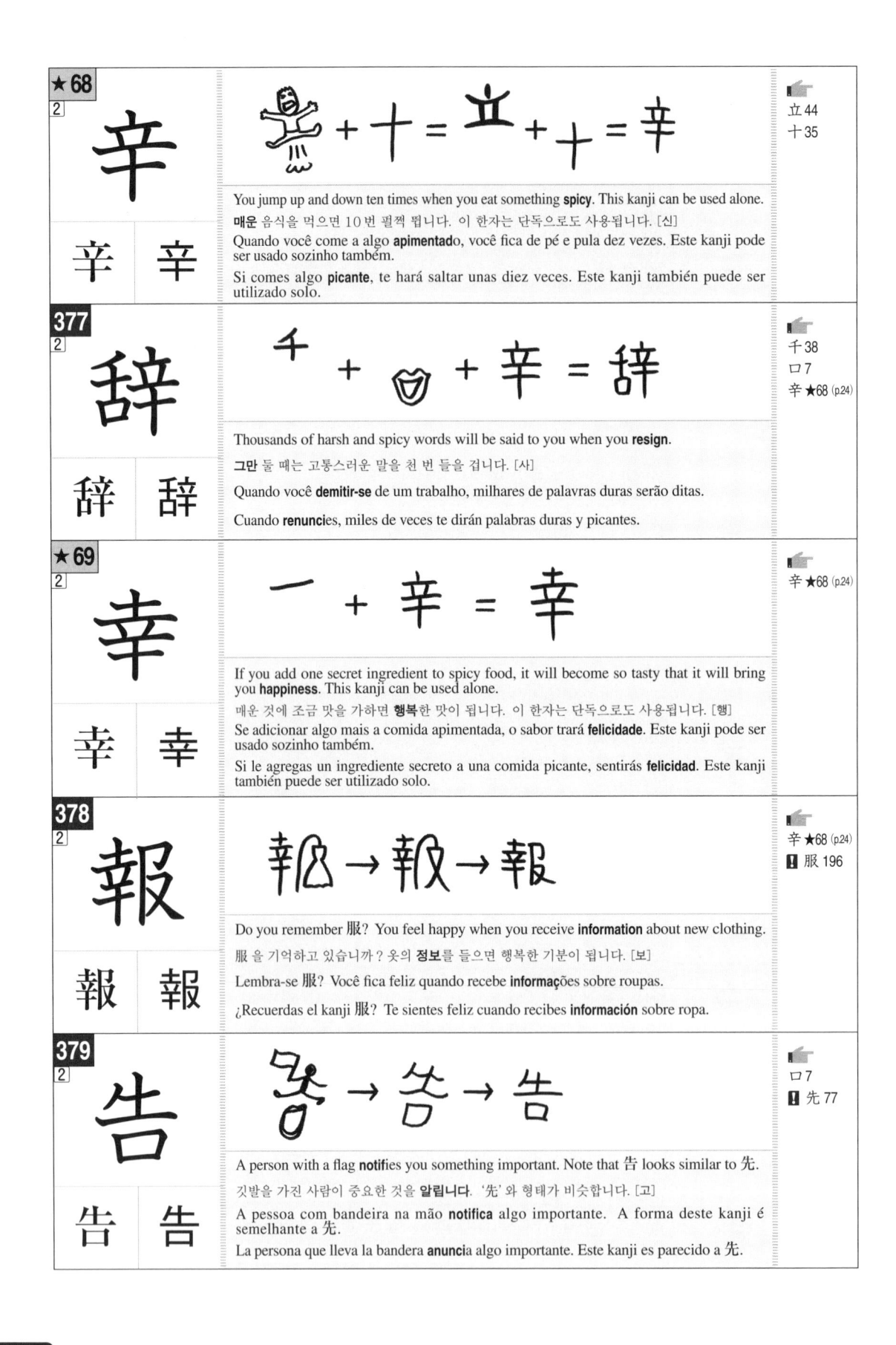

辛

辛 辛

🧍 + 十 = 立 + 十 = 辛

You jump up and down ten times when you eat something **spicy**. This kanji can be used alone.
매운 음식을 먹으면 10번 펄쩍 뜁니다. 이 한자는 단독으로도 사용됩니다. [신]
Quando você come a algo **apimentado**, você fica de pé e pula dez vezes. Este kanji pode ser usado sozinho também.
Si comes algo **picante**, te hará saltar unas diez veces. Este kanji también puede ser utilizado solo.

立 44
十 35

377

辞

辞 辞

千 + 👄 + 辛 = 辞

Thousands of harsh and spicy words will be said to you when you **resign**.
그만 둘 때는 고통스러운 말을 천 번 들을 겁니다. [사]
Quando você **demitir-se** de um trabalho, milhares de palavras duras serão ditas.
Cuando **renunci**es, miles de veces te dirán palabras duras y picantes.

千 38
口 7
辛 ★68 (p.24)

★69

幸

幸 幸

一 + 辛 = 幸

If you add one secret ingredient to spicy food, it will become so tasty that it will bring you **happiness**. This kanji can be used alone.
매운 것에 조금 맛을 가하면 **행복**한 맛이 됩니다. 이 한자는 단독으로도 사용됩니다. [행]
Se adicionar algo mais a comida apimentada, o sabor trará **felicidade**. Este kanji pode ser usado sozinho também.
Si le agregas un ingrediente secreto a una comida picante, sentirás **felicidad**. Este kanji también puede ser utilizado solo.

辛 ★68 (p.24)

378

報

報 報

報 → 報 → 報

Do you remember 服? You feel happy when you receive **information** about new clothing.
服 을 기억하고 있습니까? 옷의 **정보**를 들으면 행복한 기분이 됩니다. [보]
Lembra-se 服? Você fica feliz quando recebe **informações** sobre roupas.
¿Recuerdas el kanji 服? Te sientes feliz cuando recibes **información** sobre ropa.

辛 ★68 (p.24)
⚠ 服 196

379

告

告 告

告 → 告 → 告

A person with a flag **notifies** you something important. Note that 告 looks similar to 先.
깃발을 가진 사람이 중요한 것을 **알립니다**. '先'와 형태가 비슷합니다. [고]
A pessoa com bandeira na mão **notifica** algo importante. A forma deste kanji é semelhante a 先.
La persona que lleva la bandera **anuncia** algo importante. Este kanji es parecido a 先.

口 7
⚠ 先 77

第20回

練習問題

Exercise / 연습문제 / Exercícios / Ejercicios

① 意味を書いてください。

席	欠	辞	禁	冷
絡	次	座	卒	定
決	予	指	資	格
報	客	連	告	

② 意味を推測して、適当なものをa～eから選んでください。

① 禁止　（　　）
② 座席　（　　）
③ 決心　（　　）
④ 広告　（　　）
⑤ 合格　（　　）

a. prohibition / 금지 / proibição / prohibición
b. a seat / 좌석 / assento / asiento
c. passing (an examination) / 합격 / aprovação / aprobación
d. advertisement / 광고 / anúncio / anuncio publicitario
e. one's decision / 결심 / decisão / decisión

③ ことばの意味を推測してください。

① 卒業式（　　　　　）　② 親指（　　　　　）
③ 連休　（　　　　　）　④ 連絡（　　　　　）
⑤ 定休日（　　　　　）　⑥ 資格（　　　　　）

④ 文の意味を推測してください。

① 予約をしようと思いましたが、席は空いていませんでした。
② いろいろ考えて、会社を辞めることに決めました。
③ 予習をしなかったので、先生の話がぜんぜん分かりませんでした。
④ 今回は欠席しましたが、次回は出席したいと思います。
⑤ 天気予報では、明日は、冷たい北風がふくと言っていました。

第21回 ストーリーで意味を覚えよう

Let's memorize kanji with its story
스토리로 의미를 배우기
Vamos aprender os significados dos kanjis através das estórias
Aprendamos los significados a través de historias

---

380 応 応 応

广 → 应 → 応

广 ☆32 (p.45 vol.1)
心 170

The staff of the shop are anxious to know how their customers will **respond** to their service.
가게의 사람은 손님의 **반응**이 신경쓰이는 법입니다. [응]
Os vendedores da loja se importam com a **reação** do freguês.
El personal de la tienda está ansioso por conocer cómo **respond**en los clientes a sus servicios.

---

381 必 必 必

心 + ノNo!! = 必 → 必

心 170

In Japan, you must restrain your emotions **without fail**.
일본에서는 기분(마음)을 억제하는 것이 **꼭** 필요합니다. [필]
No Japão, **com certeza**, é necessário refrear as emoções.
En el Japón debes **necesariamente** contener tus emociones.

---

382 付 付 付

亻 + ✋ = 亻 + 寸 = 付

亻 ☆1 (p.4 vol.1)
寸 ★28 (p.41 vol.1)

Remember 寸? People **attach** decorations by hand.
'寸'를 기억하고 있습니까? 사람이 손으로 장식을 **붙입니다**. [부]
Lembra-se 寸? A pessoa **coloca** os efeites com a mão.
¿Recuerdas el kanji 寸? Las personas **coloc**an los adornos con las manos.

---

383 対 対 対

👤 + ✋ → 対 → 対

文 79
寸 ★28 (p.41 vol.1)

You are writing with your hand a statement of your opinions which are **opposite** to the others'.
다른 사람과는 **반대**의 의미의 문장을 손으로 씁니다. [대]
Você escreve à mão a opinião **contrária** aos outros.
Con la mano escribes unas frases **opuest**as a las opiniones de los demás.

384 要

西 + 女 = 要 → 要 → 要

Women in western Japan are regarded as **necessary**. Remember 覀 and 西 are different.
서일본의 여성은 **필요**합니다. '覀'는 '西'와는 형태가 다른 것에 주의하십시오. [요]
As mulheres no oeste do Japão são consideradas **necessári**as. Fique atento com 覀, pois é diferente de 西.
Las mujeres del oeste del Japón son considerados **necesari**as hoy más que nunca. Observa que 覀 y 西 son diferentes.

西 86
女 16

385 価

イ + 西 = 侒 → 価 → 価

People in western Japan are particular about the **value** of everything. Remember 覀 and 西 are different.
서일본의 사람은 물건의 **가치**를 중시합니다. '覀'는 '西'와 다른 것에 주의하십시오. [가]
As pessoas do oeste do Japão se importam com o **valor** dos produtos. Fique atento com 覀, diferente de 西.
Las personas del oeste del Japón se preocupan por el **valor** de las cosas. Observa que 覀 and 西 son diferentes.

イ ☆1 (p.4 vol.1)
西 86

386 酒

氵 + 西 + 一 = 酒 → 酒

The beverage most consumed in the west is **alcohol**.
서양에서 가장 많이 마시는 음료수는 **술**입니다. [주]
A bebida mais consumida na Europa é **álcool**.
En occidente, las bebidas de mayor consumo son las **bebida**s **alcohólica**s.

氵 ☆15 (p.26 vol.1)
西 86
一 1

387 配

酒 → 酒 → 配 → 配

You **distribute** a bottle of alcohol which has a snake inside.
뱀이 들어 있는 술을 **나누어 줍니다**. [배]
Você **distribui** bebida alcóolica com uma cobra dentro.
Distribuyes botellas de licor de serpientes.

酒 386

388 記

言 + 🐍 = 記 → 記

Something that was said is **written down** but cannot be read. The writing looks like a snake.
들은 것이 서류에 **적혀** 있지만 읽을 수 없습니다. 글자가 뱀같습니다. [기]
O que me disseram está **anota**do com letra em forma de cobra.
Todo lo dicho lo han **puesto por escrito** en letras serpenteantes.

言 ★22 (p.34 vol.1)

389 反

友 → 友 → 反

Friends are **oppos**ing each other arguing about two things.
두 가지 일에 대해서 친구와 싸워서 지금 서로 **반발**하고 있습니다. [반]
Amigos discutindo sobre dois assuntos pois têm opiniões **opost**as.
Los amigos **se opon**en unos a otros con respecto a dos cosas.

友 56

390 返

辶 + 反 = 返

When you **return** something, it moves in the opposite direction.
물건을 **돌려줄** 때는 반대 방향이 됩니다. [반]
Quando **devolver** algo, o artigo segue a direção oposta de onde veio.
Cuando **devuelves** algo, tiene que ir en el sentido opuesto por el mismo camino.

反 389
辶 ☆33 (p.46 vol.1)

391 接

手 + 立 + 女 = 接

When you come in **contact** with a woman, you need to stand up and take her hand.
여성을 **접할** 때는 서서 손을 잡고 에스코트합시다. [접]
Quando tiver **contato** com uma mulher, procure ficar de pé e segurar a sua mão.
Para tener **contact**o con una mujer, te paras y tomas su mano.

扌 ☆29 (p.43 vol.1)
立 44
女 16

392 案

安 + 木 = 案

I can submit a good **proposal** on how to use cheap wood.
싼 나무를 어떻게 사용하면 좋을지 좋은 **생각**(안)이 있습니다. [안]
Eu tenho uma boa **proposta** sobre como se deve usar madeiras baratas.
Tengo una buena **propuesta** para utilizar la madera barata.

安 17
木 9

393 直

→ 𠃍 → 直

Look at the tenth corner from here. Go **straight** until you get there.
열 번째 모퉁이를 보세요. 거기까지 **똑바로** 갑니다. [직]
Olha para a décima esquina. Ate lá, você vai **reto**.
Mira la esquina diez calles más abajo. Sigue **recto** hasta allí.

十 35
目 6

394 置

四 + 直 = 置 → 置 → 置

四 29
直 393

You **put** four things lined straight up and down. Note 皿 and 四 are different.
네 개의 물건을 똑바로 **놓습니다**. '皿'과 '四'는 형태가 다른 것에 주의하십시오. [치]
Põe quatro objetos retos. Fique atento com a formato de 皿, pois é diferente de 四.
Pon cuatro cosas rectas, alineadas. Observa que 皿 y 四 son diferentes.

395 位

イ ☆1 (p.4 vol.1)
立 44

You can tell the **rank** of the person by looking at where he/she is standing.
사람이 서 있는 곳에서 랭크(**순위**)를 알 수 있습니다. [위]
Você pode dizer a **posição** de alguém só de ver o lugar onde ela está.
Tu puedes saber en qué **puesto** quedó cada persona por el lugar en que están paradas.

396 面

The shape of a **mask**. This kanji also means 'to **face**'.
탈(**가면**)의 형태입니다. 이 한자에는 '**마주보다**' 라는 의미도 있습니다. [면]
Formato de uma **máscara**. Este kanji tem o significado de '**estar frente a frente**'.
La forma de una **máscara**. Este kanji también tiene el significado de "**estar frente a**".

397 談

言 ★22 (p.34 vol.1)
火 47

When you are deeply into a **talk**, you have a fiery discussion.
회담에서는 불꽃이 튈 정도 뜨거운 의논이 이루어집니다. [담]
Numa mesa redonda, **conversa** pega fogo.
Cuando estás en una **conversación** importante, mantienes un diálogo tan acalorado como si saltaran chispas.

398 相

木 ★26 (p.40 vol.1)
目 6

When you look at the cross section of a tree, you will see many **phase**s of its growth.
나무를 잘 보면 여러 개의 **형상**(모습)이 보입니다. [상]
Olhando bem para uma árvore, você verá as suas **fases** de crescimento.
Cuando miras el árbol con detenimiento, verás las distintas **fases** de su crecimiento.

399 様

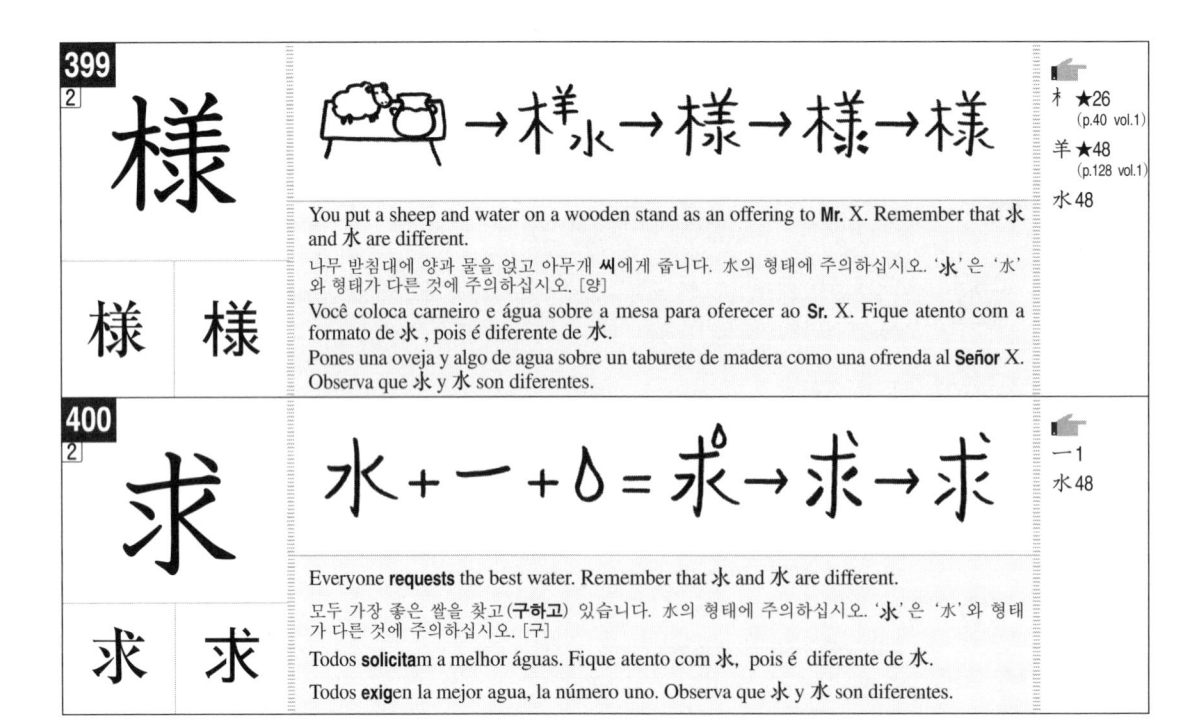

木 ★26 (p.40 vol.1)
羊 ★48 (p.128 vol.1)
氺 48

🐑(木)→样→様→様→様

You put a sheep and water on a wooden stand as an offering to **Mr.** X. Remember that 氺 and 水 are different.

나무 받침대에 양과 물을 얹고 아무개 **씨**에게 줍니다. 水의 형태에 주의하십시오. '氺'은 '水'와 형태가 다른 것에 주의하십시오. [양]

Você coloca carneiro e água sobre a mesa para oferecer ao **Sr.** X. Fique atento com a formato de 氺, pois é diferente de 水.

Pones una oveja y algo de agua sobre un taburete de madera como una ofrenda al **Señor** X. Observa que 氺 y 水 son diferentes.

400 求

一 1
氺 48

氺 + 一 + ㆍ = 求 → 求 → 求

Everyone **requests** the best water. Remember that 氺 and 水 are different.

모두 가장 좋은 쌀을 찾고(**구하고**) 있습니다. 水의 형태에 주의하십시오. '氺'은 '水'와 형태가 다른 것에 주의하십시오. [구]

Todos **solicita**m a melhor águas. Fique atento com 氺, pois é diferente de 水.

Todos **exig**en la mejor agua, la número uno. Observa que 氺 y 水 son diferentes.

第21回

練習問題

Exercise / 연습문제 / Exercícios / Ejercicios

1 意味を書いてください。

置	応	接	配	必	相
酒	対	面	案	直	記
談	要	求	様	返	価
位	反	付			

2 意味を推測して、適当なものをa～eから選んでください。

① 必要　（　　）
② 反対　（　　）
③ 日記　（　　）
④ 面接　（　　）
⑤ 案内　（　　）

a. a diary / 일기 / diário / diario
b. opposite, opposition / 반대 / contrário / contrario
c. an interview / 면접 / entrevista / entrevista
d. necessity / 필요 / necessidade / necesidad
e. guidance / 안내 / informação / guía

3 ことばの意味を推測してください。

① 定価　（　　　　　）　② 応用　（　　　　　）
③ 心配　（　　　　　）　④ 相談　（　　　　　）
⑤ 返事　（　　　　　）　⑥ 自転車置き場（　　　　　）

4 文の意味を推測してください。

① 会社を辞めたので、求人広告を見て、次の仕事をさがしています。

② 夜は、飲酒運転の車がありますので、気を付けて下さい。

③ 「木下様、こちらにご住所とお名前をご記入下さい。」

④ あの人は、とても正直な性格で、悪いことをする人ではありません。

⑤ 上田さんはテニスが上手で、おとといの試合では1位になりました。

第17回 読み方と書き方を覚えよう

Let's learn reading and writing
읽는 법과 쓰는 법 배우기
Vamos aprender a ler e a escrever
Aprendamos la lectura y la escritura de los kanjis

301 的 (8)
target, -tive (adjective suffix) / 과녁 [적] / objetivo, -ivo / objetivo, –ivo (sufijo adjetival)

消極的な ②	しょうきょくてきな	shōkyoku**teki** na	passive / 소극적인 / passivo / pasivo
積極的な ②	せっきょくてきな	sekkyoku**teki** na	active / 적극적인 / ativo / activo
的確な ②	てきかくな	**teki**kaku na	accurate / 정확한 / exato / preciso
目的 ②	もくてき	moku**teki**	purpose / 목적 / objetivo / objetivo
一般的に	いっぱんてきに	ippan'**teki** ni	generally / 일반적으로 / generalmente / generalmente

てき: 的 的

302 約 (9)
promise / 약속 [약] / combinado / promesa

約束する ③	やくそくする	**yaku**soku suru	to promise / 약속하다 / prometer / prometer
予約する ③	よやくする	yo**yaku** suru	to reserve / 예약하다 / reservar / reservar
契約する ③	けいやくする	kē**yaku** suru	to enter into a contract / 계약하다 / fazer o contrato / contratar
約(50人) ②	やく(ごじゅうにん)	**yaku**(gojū nin)	approximately (fifty people) / 약(50 인) / aproximadamente (50 pessoas) / aproximadamente (cincuenta personas)
要約する	ようやくする	yō**yaku** suru	to summarize / 요약하다 / resumir / resumir

やく: 約 約 約

303 宿 (11)
inn / 숙소 [숙] / hospedaria / posada

宿題 ④	しゅくだい	**shuku**dai	homework / 숙제 / tarefa / deberes, tarea
下宿する ③	げしゅくする	ge**shuku** suru	to lodge / 하숙하다 / ficar numa pensão / alojarse en una pensión
宿泊する ④	しゅくはくする	**shuku**haku suru	to stay overnight / 숙박하다 / hospedar-se / alojarse
民宿 ①	みんしゅく	min'**shuku**	tourist home / 민박 / hospedaria privada / pensión
合宿する	がっしゅくする	gas**shuku** suru	to have a camp for training or practice / 합숙하다 / fazer o acampamento de treino / concentrarse

しゅく: 宿 宿 宿 宿 宿

第17回 301〜321

304 泊 (8) — stay overnight / 묵다[박] / hospedar / alojarse

泊まる ③	とまる	tomaru	to stay overnight / 묵다 / hospedar-se / alojarse, pasar la noche
泊める ②	とめる	tomeru	to let someone stay overnight / 묵게 하다, 숙박시키다 / hospedar / alojar, hospedar
(1)泊する ②	(いっ)ぱくする	(ip)paku suru	to stay (one) night / (1)박하다 / pousar (um dia) / alojarse (una) noche
外泊する	がいはくする	gaihaku suru	to stay out overnight / 외박하다 / dormir for a de casa / pasar la noche fuera

と-まる / と-める
はく / ぱく

305 荷 (10) — baggage / 짐[하] / bagagem / equipaje

荷物 ④	にもつ	nimotsu	luggage, package / 짐 / bagagem / equipaje
荷作りする ①	にづくりする	nizukuri suru	to pack / 짐을 꾸리다 / fazer as malas / empacar, hacer las maletas
手荷物	てにもつ	tenimotsu	baggage / 수하물 / bagagem de mão / equipaje de mano
入荷する	にゅうかする	nyūka suru	(goods) arrive, to receive (goods) / 입하하다 / chegar a mercadoria / llegar la mercancía

に
か

306 個 (10) — how many of them (general counter), individual / 개, 개인[개] / quantos(contagem geral), individual / ¿Cuánto(s)?, individual

(3)個 ④	(さん)こ	(san')ko	(three) things / (3)개 / (três) artigos / (tres) cosas
個性 ①	こせい	kosei	personality / 개성 / personalidade / personalidad
個室	こしつ	koshitsu	private room, compartment / 개실(개인실) / sala privada / habitación individual
個人的	こじんてき	kojin'teki	personal, individual / 개인적 / personal, individual / personal, individual

こ

307 訪 (11) — visit / 방문하다[방] / visitar / visitar

訪ねる ③	たずねる	tazuneru	to visit / 방문하다 / visitar / visitar
訪れる ①	おとずれる	otozureru	to visit / 방문하다 / visitar / visitar
訪問する ②	ほうもんする	hōmon' suru	to visit / 방문하다 / visitar / visitar
訪日	ほうにち	hōnichi	visit of Japan / 방일 / visita ao Japão / visitar Japón

たず-ねる / おとず-れる
ほう

308 比 (4) — compare / 비교하다[비] / comparar / comparar

比べる ③	くらべる	**kura**beru	to compare / 비교하다 / comparar / comparar
比較する ②	ひかくする	**hi**kaku suru	to compare / 비교하다 / comparar / comparar
比較的 ②	ひかくてき	**hi**kakuteki	comparatively / 비교적 / comparativamente / comparativamente, relativamente
前年比	ぜんねんひ	zen'nen'**hi**	compared to the previous year / 전년비 / comparação com ano anterior / en comparación al año anterior

くら-べる
ひ

比 比 比 比

309 階 (12) — floor / 층[계] / andar / piso

(3)階 ④	(さん)がい	(san')**gai**	(the third) floor, (three) storey / (3)층 / (segundo) andar / (tercer) piso
階段 ④	かいだん	**kai**dan	stairs / 계단 / escada / escalera
段階 ②	だんかい	dan'**kai**	steps / 단계 / faze / etapa
中産階級	ちゅうさんかいきゅう	chūsan'**kai**kyū	middle class / 중산계급 / classe média / clase media

かい / がい

階 階 階 階 階
階 階 階 階 階

310 化 (4) — transform / 변화[화] / transformação / transformar

文化 ③	ぶんか	bun'**ka**	culture / 문화 / cultura / cultura
化学 ②	かがく	**ka**gaku	chemistry / 화학 / química / química
変化する ②	へんかする	hen'**ka** suru	(something) changes / 변화하다 / tornar / cambiar, transformarse
化粧する ②	けしょうする	**ke**shō suru	to put on makeup / 화장하다 / fazer a maquilagem / maquillarse
(国際)化する ②	(こくさい)かする	(kokusai) **ka** suru	to globalize, to internationalize / (국제)화하다 / globalizar, internacionalizar / internacionalizarse

か
け

化 化 化 化

311 老 (6) — old person / 노인[로(노)] / pessoa idosa / anciano

老ける ①	ふける	**fu**keru	to age / 늙다 / envelhecer / envejecer
老人 ②	ろうじん	**rō**jin	elderly, elderly person / 노인 / pessoa idosa / anciano(a)
老後	ろうご	**rō**go	when one gets old / 노후 / depois de envelhecer / después de la tercera edad
敬老の日	けいろうのひ	ke**rō** no hi	Respect-for-the-Aged Day / 경로의 날 / dia de idosos / Día de los Ancianos
老化する	ろうかする	**rō**ka suru	to age, to become old / 노화하다 / envelhecer / envejecer

ふ-ける
ろう

老 老 老 老 老

第17回 301〜321

312 宅 (6) — residence / 자택[택] / residência / residencia

漢字	かな	ローマ字	意味
お宅 [3]	おたく	otaku	someone's home / 댁 / casa de alguém / su casa
帰宅する [2]	きたくする	kitaku suru	to return home / 귀가하다 / voltar para casa / regresar a casa
自宅 [2]	じたく	jitaku	one's own home / 자택 / residência própria / residencia, mi casa
住宅 [2]	じゅうたく	jūtaku	housing / 주택 / residência moradia / vivienda
宅配	たくはい	takuhai	home delivery / 택배 / entrega a domicílio / entrega a domicilio

たく

313 若 (8) — young / 젊다[약] / jovem / joven

漢字	かな	ローマ字	意味
若い [4]	わかい	wakai	young / 젊다 / jovem / joven
若者 [1]	わかもの	wakamono	young people / 젊은이 / os jovens / joven, adolescente
若手	わかて	wakate	young (person) / 신인 / um jovem, inexperiente / (personas) jóvenes
若干 [1]	じゃっかん	jakkan	a certain number of ~ / 약간 / certo número de, pouco / un poco de, algunos(as)

わか-い
じゃく / じゃっ

314 変 (9) — change / 변하다[변] / mudar / cambiar

変える [3]	かえる	kaeru	to change something / 바꾸다 / mudar alguma coisa / cambiar
変わる [3]	かわる	kawaru	(something) changes / 변하다, 바뀌다 / mudar-se / cambiar, convertirse
大変な [4]	たいへんな	taihen' na	terrible, serious / 대단한 / trabalhoso / terrible, grave, serio
変な [3]	へんな	hen' na	strange, awkward / 이상한 / estranho / extraño, raro
変更する [2]	へんこうする	hen'kō suru	to change something / 변경하다 / tornar alguma coisa / cambiar, modificar

か-わる
か-える
へん

315 晩 (12) — night / 밤[만] / noite / noche

漢字	かな	ローマ字	意味
今晩 [4]	こんばん	kon'ban	tonight / 오늘밤 / esta noite / esta noche
晩 [4]	ばん	ban	night / 밤 / noite / noche
晩ご飯 [4]	ばんごはん	ban'gohan	dinner / 저녁밥 / jantar / cena
晩年 [1]	ばんねん	ban'nen	one's later years / 만년 / os últimos anos da vida / últimos años (de vida)
朝晩	あさばん	asaban	mornings and evenings / 아침저녁, 밤낮 / manhã e noite / la mañana y la noche

ばん

316 雲 (12)
cloud / 구름[운] / nuvem / nube

雲 ③	くも	**kumo**	cloud / 구름 / nuvem / nube
! 曇る	くもる	**kumo**ru	become cloudy / 흐리다 / nublar-se / nublarse
! 曇り	くもり	**kumo**ri	cloudy / 흐림 / tempo nublado / nublado

くも
そう

317 育 (8)
grow up / 자라다[육] / crescer / crecer

育てる ③	そだてる	**soda**teru	to bring up, to raise / 키우다 / criar / criar, formar
育つ ②	そだつ	**soda**tsu	(someone/something) grows (up) / 자라다 / crescer / crecer, criarse
教育する ③	きょういくする	kyō**iku** suru	to educate / 교육하다 / educar / educar
体育 ②	たいいく	tai**iku**	physical education / 체육 / edecação física / educación física
保育園 ①	ほいくえん	ho**iku**en	nursery school / 보육원 / creche / guardería

そだ-つ
そだ-てる
いく

318 窓 (11)
window / 창문[창] / janela / ventana

窓 ④	まど	**mado**	window / 창문 / janela / ventana
窓口	まどぐち	**mado**guchi	window, teller / 창구 / guichê / ventanilla
同窓会 ③	どうそうかい	dō**sō**kai	school, class reunion / 동창회 / reunião de colegas de escola / reunión de clase, condiscípulos

まど
そう

319 園 (13)
park / 공원[원] / parque / parque

公園 ④	こうえん	kō**en**	park / 공원 / parque / parque
動物園 ③	どうぶつえん	dōbutsu**en**	zoo / 동물원 / jardim zoológico / zoológico
幼稚園 ②	ようちえん	yōchi**en**	kindergarten / 유치원 / jardim de infância / jardín de niños
植物園	しょくぶつえん	shokubutsu**en**	botanical garden / 식물원 / jardim botânico / jardín botánico

えん

▶読み方と書き方
第17回 301〜321

320 眠 (10)
sleepy / 졸리다[면] / sonolento / somnoliento

眠い ③	ねむい	**nemu**i	sleepy / 졸리다 / sonolento / somnoliento
眠る ③	ねむる	**nemu**ru	to sleep / 자다 / dormir / dormir
居眠り運転 ②	いねむりうんてん	i**nemu**ri un'ten	dozing while driving / 졸음 운전 / cochilar ao volante / conducción con somnolencia
睡眠不足 ②	すいみんぶそく	sui**min**' busoku	lack of sleep / 수면 부족 / falta de sono / falta de sueño
冬眠する ①	とうみんする	tō**min**' suru	to hibernate / 동면하다 / hibernar / hibernar

ねむ-い
ねむ-る
みん

321 遊 (12)
play / 놀다[유] / brincar / jugar

遊ぶ ④	あそぶ	**aso**bu	to play, to have fun / 놀다 / brincar / jugar, divertirse
遊び人	あそびにん	**aso**binin	playboy, playgirl / 노는 사람, 건달 / playboy / playboy, vividor
遊園地 ②	ゆうえんち	**yū**en'chi	amusement park / 유원지 / parque de diversões / parque de diversiones
遊牧民 ①	ゆうぼくみん	**yū**bokumin	nomad / 유목민 / nômade / nómade

あそ-ぶ
ゆう

❗ 漢字の形が違うので注意してください。
Please beware that the shape of the kanji is different.
한자의 형태가 다르므로 주의하십시오.
Fique atento com a forma de kanji, pois é diferente.
Presten atención que la forma del kanji es diferente.

第17回

練習問題

1 適当な読み方を選んでください。

① ホテルに二泊、泊まります。
a. にぱく　　d. はく
b. にはく　　e. ね
c. にっぱく　f. と

② ひっこしの荷作りをします。
a. かつくり
b. につくり
c. にづくり

③ 遊園地で遊びます。
a. ゆうえんち　　d. あそび
b. あそえんち　　e. ゆうび
c. ゆうえんいけ　f. あび

④ その老人はよく眠っています。
a. ろうにん　　d. かわって
b. ろうじん　　e. ねむって
c. ろうひと　　f. ねって

2 下線部の読み方を書いてください。

① 帰宅時間は、毎晩、変わります。　② 手荷物は、二個までです。

③ 今日の宿題は多くて大変です。　④ 若い人は老後のことを考えません。

⑤ この学校の教育の目的は、自分で考える子どもを育てることです。

⑥ いろいろな国を訪ねて、食文化を比べるのはおもしろいです。

3 読んで意味を考えましょう。

① A：雲が出ていますね。
B：そうですね。

② 客：日曜日の7時に予約したいんですが。
レストランの人：はい、何名様でしょうか。

③ ホテルの人：お部屋は5階になります。お荷物は後からお持ちします。
客：お願いします。

④ A：雲が出てきましたね。
B：ええ、雨が降りそうだから、窓を閉めておきますね。

4 ひらがなを一つ書いてください。必要がない場合は、×を書いてください。

① 旅館に泊(　　)ります。　② 子どもを育(　　)ます。

③ 公園で遊(　　)ます。　④ とても眠(　　)です。

⑤ 2つの国の人口を比(　　)ます。

チャレンジ！ Challenge! / 도전해보기! / Desafio! / ¡Desafío!

1 適当な漢字を選んでください。

① 私の部屋は3がいにあります。
a. 階
b. 回
c. 外

② 3才の子どもをそだてています。
a. 育って
b. 育てて
c. 育て

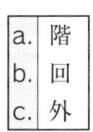

③ しゅくはく客は、やく50人です。
a. 宿訪
b. 宿泊
c. 宅泊
d. 弱
e. 約
f. 薬

④ まどから、月が見えます。
a. 広
b. 窓
c. 家

⑤ あまりねむれませんでした。
a. 眠
b. 民
c. 晩

⑥ 空にくもが出ています。
a. 雨
b. 電
c. 雲

2 適当な漢字を書いてください。

① 年々、人々の生活はへんかしています。

② 今日は、ばんごはんをじたくで食べません。

③ 去年とくらべると、今年は、大学に行くわかものの数が減っています。

④ あの人は積極てきな人です。　⑤ 日曜日にゆうえんちでデートをします。

3 ひらがなを漢字やカタカナに変えて、文を書き直してください。または、タイプをしてください。

① どうぶつえんで どうぶつの あかちゃんを そだてるのは むずかしいです。

② えきの まどぐちで しんかんせんの きっぷを かいます。

③ まだ つかっていない てにすぼーるが やく50こ、あります。

④ よく ねむれるように、ねるまえに あたたかい ぎゅうにゅうを のみます。

第18回 読み方と書き方を覚えよう

Let's learn reading and writing
읽는 법과 쓰는 법 배우기
Vamos aprender a ler e a escrever
Aprendamos la lectura y la escritura de los kanjis

322 才 (3)
talent, years old / 재능, 살(나이) [재] / talento, anos de idade / talento, año(s) de edad

才能 ②	さいのう	sai nō	talent / 재능 / talento / talento
天才 ①	てんさい	ten'sai	genius / 천재 / génio / genio
(3)才(=3歳)	(さん)さい	(san') sai	(three) years old / (3) 살(=3 세) / (3) anos de idade / (tres) años de edad

さい： 才 才 才

323 身 (7)
body / 몸[신] / corpo / cuerpo

中身 ②	なかみ	naka mi	content, inside / 내용 / conteúdo / contenido
身長 ②	しんちょう	shin'chō	one's height / 신장 / altura / estatura
出身 ②	しゅっしん	shusshin	(one) from (a place) / 출신 / natural de (lugar) / natural (de)
独身 ②	どくしん	dokushin	single, not married / 독신 / solteiro / soltero
(私)自身 ②	(わたし)じしん	(watashi)jishin	(my)self / (나) 자신 / própria pessoa / (yo) mismo

み： 身 身 身 身 身 身
しん： 身

324 単 (9)
simple / 단순[단] / simplicidade / simple

簡単な ③	かんたんな	kantan' na	simple and easy / 간단한 / fácil / simple, fácil
単語 ②	たんご	tan'go	word / 단어 / palavra / palabra
単純な ②	たんじゅんな	tan'jun' na	simple / 단순한 / simples / simple, sencillo
単なる(友達) ②	たんなる(ともだち)	tan'naru (tomodachi)	mere (friend) / 그냥 (친구) / somente (amigo) / mero (amigo)

たん： 単 単 単 単 単 単 単 単

325 礼 (5) — etiquette / 예의[례(예)] / cortesia / cortesía

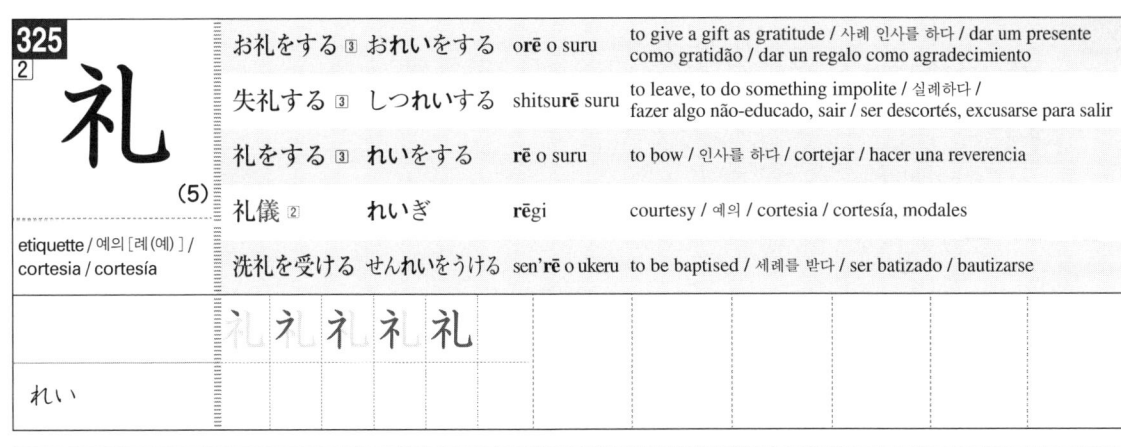

お礼をする ③	おれいをする	orē o suru	to give a gift as gratitude / 사례 인사를 하다 / dar um presente como gratidão / dar un regalo como agradecimiento
失礼する ③	しつれいする	shitsurē suru	to leave, to do something impolite / 실례하다 / fazer algo não-educado, sair / ser descortés, excusarse para salir
礼をする ③	れいをする	rē o suru	to bow / 인사를 하다 / cortejar / hacer una reverencia
礼儀 ②	れいぎ	rēgi	courtesy / 예의 / cortesia / cortesía, modales
洗礼を受ける	せんれいをうける	sen'rē o ukeru	to be baptised / 세례를 받다 / ser batizado / bautizarse

れい

326 初 (7) — first time / 처음[초] / primeira vez / primera vez

初め(は) ④	はじめ(は)	hajime(wa)	first, at the beginning / 처음 (은) / no começo / primero, al principio
初めて ④	はじめて	hajimete	for the first time / 처음으로 / primeira vez / por primera vez
(女性)初の(大臣) ②	(じょせい)はつの(だいじん)	(josē) hatsu no (daijin)	first (female minister) / (여성) 최초의 (장관) / primeir(a) (ministr(a)) / primer(a) (ministra)
最初 ③	さいしょ	saisho	first, at the beginning / 최초 / no início / primero, al comienzo
初級 ②	しょきゅう	shokyū	beginners level / 초급 / nível básico / nivel principiante

はじ-め
はつ
しょ

327 伝 (6) — convey / 전하다[전] / transmitir / transmitir

伝える ③	つたえる	tsutaeru	to convey / 전하다 / transmitir / transmitir
手伝う ③	てつだう※	tetsudau※	to help, to aid / 도와주다 / ajudar / ayudar
伝言 ②	でんごん	den'gon	message / 전언 / mensagem / mensaje
伝統 ②	でんとう	den'tō	tradition / 전통 / tradição / tradición
遺伝する	いでんする	iden' suru	to inherit / 유전되다 / herder / heredarse, transmitirse

つた-わる
つた-える
でん

328 留 (10) — remain / 멈추다[류(유)] / ficar / permanecer

書留 ②	かきとめ	kakitome	registered mail / 서류 / correio registrado / correo certificado
留学生 ④	りゅうがくせい	ryūgakusē	foreign student / 유학생 / estudante estrangeiro / estudiante extranjero
留守 ③	るす	rusu	being away from home / 부재중 / ausência / ausencia de casa
留守電 (=留守番電話) ②	るすでん (るすばんでんわ)	rusuden (rusuban den'wa)	answering machine / 자동 응답 전화 / secretária telefónica / contestador (automático)
保留にする	ほりゅうにする	horyū ni suru	to suspend, to withhold / 보류로 하다 / reservar, deixar parado / reservar, aplazar

と-まる
と-める
りゅう
る

329 番 (12)
No. / 번[번] / número / número
ばん

交番	こうばん	kōban	police box / 파출소 / posto policial / puesto policial
(1)番	(いち)ばん	(ichi)ban	number (one) / (1) 번 / número (um) / número (uno)
番号	ばんごう	ban'gō	number / 번호 / número / número
順番	じゅんばん	jun'ban	order, turn / 순번, 차례 / ordem / orden, turno
番地	ばんち	ban'chi	house number / 번지 / número residencial / número del domicilio

330 号 (5)
sign / 기호[호] / símbolo / signo
ごう

記号	きごう	kigō	sign, symbol / 기호 / símbolo / signo, símbolo
信号	しんごう	shin'gō	traffic light / 신호 / sinal / semáforo
青信号	あおしんごう	aoshin'gō	green light / 청신호 / sinal verde / semáforo en verde

331 信 (9)
believe / 믿다[신] / acreditar / creer
しん

自信	じしん	jishin	confidence / 자신 / auto-confiança / confianza en sí mismo
信じる	しんじる	shin'jiru	to believe, to trust / 믿다 / acreditar / creer, confiar
信用する	しんようする	shin'yō suru	to trust / 신용하다 / confiar, acreditar / confiar
信頼する	しんらいする	shin'rai suru	to rely / 신뢰하다 / confiar / tener confianza
通販 (=通信販売)	つうはん (つうしんはんばい)	tsūhan (tsūshin han'bai)	mail order / 통신 판매 / venda por correio / venta por correo

332 違 (13)
different / 다르다[위] / diferente / diferente
ちが-う / い

違う	ちがう	chigau	to differ, wrong / 다르다 / diferir, errar / diferir, diferente, equivocado
間違える	まちがえる	machigaeru	to make a mistake / 틀리다 / confundir / equivocarse, equivocar
勘違いする	かんちがいする	kan'chigai suru	to misunderstand / 착각하다 / enganar-se / equivocarse
違い	ちがい	chigai	difference, distinction / 차이 / diferença / diferencia, discrepancia
違反する	いはんする	ihan' suru	to violate / 위반하다 / violar / violar

333 他 (5)

other / 다르다[타] / outro / otro

その他 [2]	そのほか / そのた	sono **hoka** / sono **ta**	others / 그 밖 / outros / otros
他の(場所) [2]	ほかの(ばしょ)	**hoka** no (basho)	other (place) / 다른 (장소) / outro (lugar) / otro (lugar)
他人 [2]	たにん	**ta**nin	other people / 타인 / outra pessoa / otra persona

ほか
た

ノ 亻 亻 仲 他

334 両 (6)

both / 양쪽[량(양)] / ambos / ambos

両親 [4]	りょうしん	**ryō**shin	both parents / 양친 / os pais / ambos padres
両方 [3]	りょうほう	**ryō**hō	both / 양쪽 / ambos / ambos
両替する [2]	りょうがえする	**ryō**gae suru	to exchange money / 환전하다 / trocar dinheiro / cambiar dinero
両手	りょうて	**ryō**te	both hands / 양손 / as dois mãos / ambas manos

りょう

両 両 両 両 両 両

335 利 (7)

profit / 이익[리(이)] / benefício / provecho

便利な [4]	べんりな	ben'**ri** na	convenient / 편리한 / conveniente, prático / práctico, cómodo
利用する [3]	りようする	**ri**yō suru	to use / 이용하다 / usar / utilizar
権利 [2]	けんり	ken'**ri**	right (to do something) / 권리 / direito / derecho
不利な [2]	ふりな	fu**ri** na	disadvantageous / 불리한 / desvantagem / desfavorable
有利な [2]	ゆうりな	yū**ri** na	advantageous / 유리한 / vantajoso / favorable, ventajoso
利益 [2]	りえき	**ri**eki	profit / 이익 / lucro / provecho, ganancias, beneficios
利子 [1]	りし	**ri**shi	(finance) interest / 이자 / juro / interés (financiero)

り

利 利 千 利 利 利
利

336 平 (5)

flat / 평평하다[평] / liso / plano

平仮名 [3]	ひらがな	**hira**gana	hiragana / 히라가나 / hiragana / hiragana
平らな [1]	たいらな	**tai**ra na	flat / 평평한 / liso, plano / plano
不公平な [1]	ふこうへいな	fukō**hē** na	unfair / 불공평한 / injusto / injusto
平気な [1]	へいきな	**hē**ki na	calm, indifferent / 태연한 / calma / calmado, indiferente
平均 [1]	へいきん	**hē**kin	average / 평균 / média / promedio
平日 [1]	へいじつ	**hē**jitsu	weekday / 평일 / dia de semana / día de semana
平和な [1]	へいわな	**hē**wa na	peaceful / 평화로운 / pacífico / pacífico, apacible
男女平等 [1]	だんじょびょうどう	dan'jo **byō**do	sexual equality / 남녀 평등 / igualdade sexual / equidad de género

ひら
たい-ら
へい
びょう

337 成 (6)

become / 되다[성] / tornar-se / convertirse

賛成する [2]	さんせいする	sansē suru	to agree / 찬성하다 / concordar / estar de acuerdo
成功する [2]	せいこうする	sēkō suru	to succeed (in something) / 성공하다 / ter sucesso / tener éxito
成績 [2]	せいせき	sēseki	grade, mark, result / 성적 / resultado, nota / nota, calificación, resultado
成長する [2]	せいちょうする	sēchō suru	to grow, to develop / 성장하다 / crescer / crecer, desarrollarse
平成25年	へいせいにじゅうごねん	hēsē nijū gonen	25th year of Heisei era / 헤이세이 25 년 / ano 25 de heisei / año 25 de la era Heisei

な-る
せい

338 完 (7)

complete / 완성[완] / finalizar / completar

完成する [2]	かんせいする	kan'sē suru	to be finished, to complete / 완성하다 / finalizar, completar / completar, culminar
完全な [2]	かんぜんな	kan'zen na	complete, full / 완전한 / completo / completo, perfecto
完璧な [1]	かんぺきな	kan'peki na	perfect / 완벽한 / perfeito / perfecto

かん

339 打 (5)

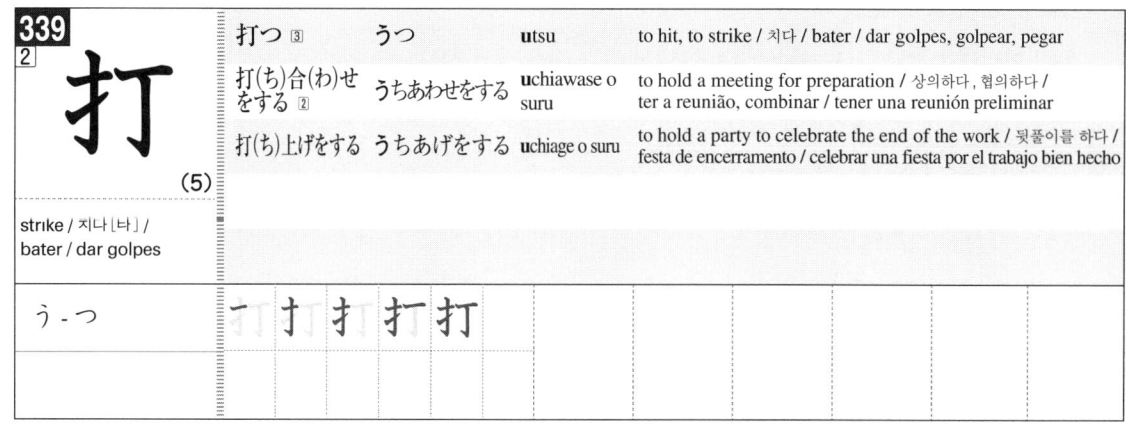

strike / 치다[타] / bater / dar golpes

打つ ③	うつ	**u**tsu	to hit, to strike / 치다 / bater / dar golpes, golpear, pegar
打(ち)合(わ)せをする ②	うちあわせをする	**u**chiawase o suru	to hold a meeting for preparation / 상의하다, 협의하다 / ter a reunião, combinar / tener una reunión preliminar
打(ち)上げをする	うちあげをする	**u**chiage o suru	to hold a party to celebrate the end of the work / 뒷풀이를 하다 / festa de encerramento / celebrar una fiesta por el trabajo bien hecho

う-つ

一 亅 扌 打 打

340 当 (6)

hit / 맞다[당] / acertar / acertar

当たる ②	あたる	**a**taru	(something) hits, to win the lottery / 맞다 / bater, acertar / acertar, chocar
当たり前の ②	あたりまえの	**a**tarimae no	natural, ordinary / 당연한 / natural, lógico / natural, lógico
(お)弁当 ④	(お)べんとう	(o)bent**ō**	boxed lunch / 도시락 / marmita / lonchera
本当 ④	ほんとう	hont**ō**	real / 정말 / realidade / verdadero, real
適当な ③	てきとうな	te**k**itō na	appropriate, irresponsible / 적당한 / adequado, irresponsável / adecuado, irresponsable

あ-たる
あ-てる

⺍ 当 当 当 当 当

とう

341 静 (14)

quiet / 조용하다[정] / quieto / tranquilo

静かな ④	しずかな	**shizu**ka na	quiet / 조용한 / quieto, tranquilo / tranquilo, silencioso
冷静な ②	れいせいな	rēsē na	calm, cool-headed / 냉정한 / calmo, sangue frio / sereno, de sangre fría

しず-か

一 十 キ 青 青 青

せい

青 青 青 静 静 静 静

第18回

練習問題 Exercise / 연습문제 / Exercícios / Ejercicios

1 適当な読み方を選んでください。

① この建物は平成15年に完成しました。
a. へいせい　d. せいこう
b. へいせ　　e. かんせ
c. へせ　　　f. かんせい

② 子どもは三才です。
a. さんざい
b. さんさい
c. さんしん

③ 最初は簡単だと思いました。
a. さいはつ　d. かんたん
b. さいはじ　e. かんだん
c. さいしょ　f. かんだ

④ 神社では両手を合わせて礼をします。
a. りょうて　d. れ
b. かたて　　e. れい
c. りゅうて　f. らい

2 下線部の読み方を書いてください。

① 子どもの成長を見るのは楽しみです。　② 今、X大学の留学生です。

③ 自分に自信を持つことは大切です。　④ 留守番電話に伝言を残しました。

⑤ 打ち合わせは、他の時間になりました。

3 読んで意味を考えましょう。

① A：ご両親といっしょにお住まいですか。
　B：いいえ、一人で住んでいます。

② A：失礼ですが、ご結婚なさっていますか。
　B：いいえ、独身です。

④ A：新しい家はいかがですか。
　B：駅から近くて便利ですよ。

③ A：田中さんのお宅ですか。
　B：いえ、違います。森です。
　　番号が間違っていませんか。
　A：あ、すみません。

⑤ A：ご出身はどちらですか。
　B：青森です。

4 ひらがなを一つ書いてください。必要がない場合は、×を書いてください。

① ここは静(　)ですね。　② そんないい話、信(　)られません。

③ ボールが顔に当(　)りました。　④ 手伝(　)てくれてありがとう。

⑤ 海外旅行は初(　)てです。

チャレンジ！ Challenge! / 도전해보기! / Desafio! / ¡Desafío!

1 適当な漢字を選んでください。

① 図書館を<u>りよう</u>しましょう。
  a. 利用
  b. 使用
  c. 信用

② 何回も<u>まちがえ</u>ました。
  a. 間違え
  b. 間違がえ
  c. 目違がえ

③ <u>りょうほう</u>とも、好きじゃありません。
  a. 旅方
  b. 料方
  c. 両方

④ ボールが<u>う</u>てません。
  a. 打
  b. 売
  c. 生

⑤ その意見に賛<u>せい</u>です。
  a. 賛生
  b. 賛正
  c. 賛成

⑥ 今日の試合は<u>かんぜん</u>に負けました。
  a. 完前
  b. 完全
  c. 館全

2 適当な漢字を書いてください。

① <u>しんちょう</u>は180センチで、<u>たいじゅう</u>は75キロです。

② 早川さんからの<u>でんごん</u>を、山下先生に<u>つた</u>えていただけますか。

③ <u>たんご</u>を<u>覚</u>えるのは<u>はじ</u>めは<u>難</u>しかったけど、後で簡<u>たん</u>になりました。

④ <u>あかしんごう</u>では、車は<u>と</u>まらなければなりません。

⑤ <u>せかい</u>が<u>へい</u>和になると<u>しん</u>じています。

3 ひらがなを漢字やカタカナに変えて、文を書き直してください。または、タイプをしてください。

① ほかのくにに りゅうがくするのは、ほんとうに たいへんです。

② ひろくて しずかな あぱーとに すみたいです。

③ こどものときは てんさいだ と いわれました。

④ ぷれぜんとを もらった おれいに けーきを つくって、あげました。

第19回 読み方と書き方を覚えよう

Let's learn reading and writing
읽는 법과 쓰는 법 배우기
Vamos aprender a ler e a escrever
Aprendamos la lectura y la escritura de los kanjis

342 忘 (7)
forget / 잊다[망] / esquecer / olvidarse

忘れる ④	わすれる	wasureru	to forget / 잊어버리다 / esquecer / olvidarse, olvidar
忘れ物をする ③	わすれものをする	wasuremono o suru	to leave (something) behind / 물건을 잊다 / deixar (algo no local) / olvidar un objeto
(書き)忘れる	(かき)わすれる	(kaki)wasureru	to forget to (write) / (쓰는 것을) 잊다 / esquecer de (escrever) / olvidar (de escribir)
忘年会	ぼうねんかい	bōnen'kai	end of the year party / 망년회 / festa de despedida de fim de ano / reunión de fin de año

わす-れる
ぼう

343 忙 (6)
busy / 바쁘다[망] / ocupado / ocupado

| 忙しい ④ | いそがしい | isogashī | busy / 바쁘다 / ocupado / ocupado |
| 多忙な ① | たぼうな | tabō na | very busy / 다망한 / muito ocupado / muy ocupado |

いそが-しい
ぼう

344 性 (8)
personality, -ity / 성질, -성 [성] / personalidade, -dade / personalidad, -idad

男性 ③	だんせい	dansē	male / 남성 / sexo masculino / sexo masculino
性質 ②	せいしつ	sēshitsu	character, nature / 성질 / personalidade / carácter, naturaleza
性別 ②	せいべつ	sēbetsu	sex, gender / 성별 / sexo / sexo, género
(可能)性	(かのう)せい	(kanō)sē	(possibil)ity / (가능)성 / (possibili)dade / (posibil)idad

せい

345 感 (13) sense / 감가[감] / sentido / sentido

語	読み	ローマ字	意味
(変な)感じ(がする) ②	(へんな)かんじ(がする)	(hen' na) **kan'**ji (ga suru)	(to have a strange) feeling / (이상한) 느낌(이 들다) / sensação (estranho) / (tener una extraña) sensación
感謝する ②	かんしゃする	**kan'**sha suru	to appreciate / 감사하다 / agradecer / agradecer
感じる ②	かんじる	**kan'**jiru	to feel / 느끼다 / sentir / sentir
感動する ②	かんどうする	**kan'**do suru	to be moved / 감동하다 / emocionar-se / emocionarse
(責任)感	(せきにん)かん	(sekinin') **kan**	sense (of responsibility) / (책임)감 / senso (de responsabilidade) / sentido (de la responsabilidad)

かん: 丿 厂 厂 厂 后 后 咸 感 感 感 感 感

346 減 (12) decrease / 줄다[감] / diminuir / disminuir

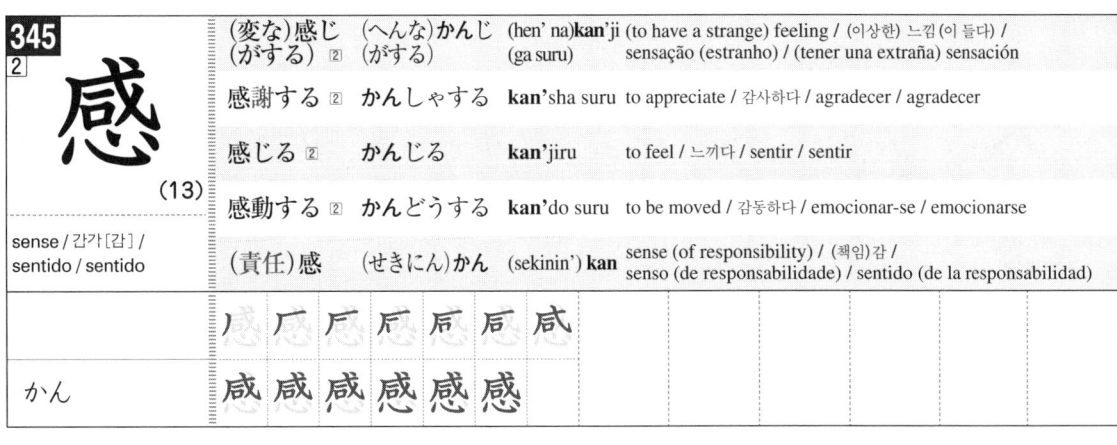

減る ②	へる	**he**ru	(something) decreases / 줄다 / (algo) diminuir / disminuir
減らす ②	へらす	**he**rasu	to decrease (something) / 줄이다 / reduzir (algo) / reducir, disminuir
いい加減な ①	いいかげんな	iika**gen'** na	irresponsible / 무책임한 / imperfeito / irresponsable
減少する ①	げんしょうする	**gen'**shō suru	(something) decreases / 감소하다 / (algo) baixar / disminuir

へ-る / へ-らす / げん: 減 減 減 減 減 氵 氵 氵 氵 減 減 減

347 泣 (8) cry / 울다[읍] / chorar / llorar

泣く ③	なく	**na**ku	to cry with tears / 울다 / chorar / llorar
泣き声	なきごえ	**na**kigoe	crying voice / 울음소리 / voz de choro / voz lacrimosa
(泣き)出す	(なき)だす	(**na**ki)dasu	to start (cry)ing / (울기) 시작하다 / começa a (chorar), cair em pranto / echarse a (llorar)

な-く: 泣 泣 泣 泣 泣 泣 泣 泣

348 夫 (4) husband / 남편[부] / marido / esposo

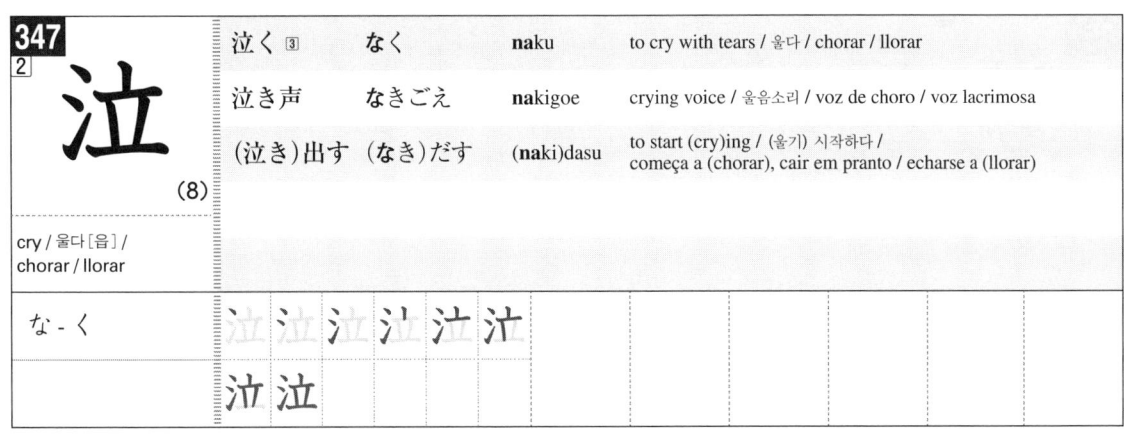

夫 ③	おっと	**otto**	one's own husband / 남편 / meu marido / mi esposo
丈夫な ④	じょうぶな*	jō**bu** na*	sturdy, durable / 건강한, 튼튼한 / forte / robusto, sano
大丈夫な ④	だいじょうぶな*	daijō**bu** na*	alright, fine / 괜찮은 / sem perigo / seguro, bien
工夫する ②	くふうする	ku**fū** suru	to devise / 궁리하다 / inventor, criar / idear
夫婦 ②	ふうふ	**fū**fu	husband and wife, married couple / 부부 / marido e esposa / esposos, marido y mujer

おっと / ふう: 一 二 夫 夫

349 実 (8) — real / 실제 [실] / verdade / real

事実	じじつ	ji**jitsu**	fact / 사실 / verdade / hecho
実験する	じっけんする	**jikken' suru**	to experiment / 실험하다 / fazer uma experiência (experimento) / experimentar
実現する	じつげんする	**jitsugen' suru**	to realize, to come true / 실현하다 / realizar (tornar realidade) / realizar, materializarse
実際(は)	じっさい(は)	**jissai(wa)**	in fact, in reality / 실제 (는) / na verdade / en realidad
実は	じつは	**jitsuwa**	to tell the truth, actually / 실은 / falar a verdade / a decir verdad, la verdad

じつ / じっ

350 失 (5) — lose / 잃다 [실] / perder / perder

失う	うしなう	**ushinau**	to lose / 잃다 / perder / perder
失礼な	しつれいな	**shitsurē na**	rude / 무례한 / falta de educação / descortés
失敗する	しっぱいする	**shippai suru**	to fail, to make a mistake / 실패하다 / fracassar / fracasar, fallar
失業する	しつぎょうする	**shitsugyō suru**	to lose one's job / 실업하다 / ficar desempregado / perder el trabajo

うしな-う
しつ / しっ

351 鉄 (13) — iron / 철 [철] / ferro / hierro

地下鉄	ちかてつ	chika**tetsu**	subway / 지하철 / metrô / metro
私鉄	してつ	shi**tetsu**	private railway / 사철, 민간 철도 / empresa privada de trens / ferrocarril privado
鉄	てつ	**tetsu**	iron / 철 / ferro / hierro
鉄道	てつどう	**tetsu**dō	railway / 철도 / trem (estrada de ferro) / ferrocarril

てつ

352 表 (8) — express / 나타내다 [표] / expressar / expresar

表	おもて	**omote**	front, surface / 겉 / frente, face / frente, exterior
表す	あらわす	**arawa**su	to express / 나타내다 / revelar / expresar
発表する	はっぴょうする	hap**pyō** suru	to announce, to present / 발표하다 / apresentar / anunciar
表	ひょう	**hyō**	list, table / 표 / lista, tabela / lista, tabla
表現する	ひょうげんする	**hyō**gen' suru	to express / 표현하다 / expressar / expresar

おもて
あらわ-す
ひょう / ぴょう

353 現 (11)
actual / 현실[현] / realidade / actual

現れる ②	あらわれる	arawareru	to appear / 나타나다 / aparecer / aparecer
現金 ②	げんきん	gen'kin	cash / 현금 / dinheiro / dinero en efectivo
現在 ②	げんざい	gen'zai	present, nowadays / 현재 / presente / presente, actualidad
現実 ②	げんじつ	gen'jitsu	reality / 현실 / realidade / realidad
現場 ②	げんば	gen'ba	scene, site where something takes place / 현장 / local em questão, local do ocorrido / escena, lugar del suceso

あらわ-れる / あらわ-す
げん

354 覚 (12)
memorize / 기억하다[각] / memorizar / memorizar

覚える ④	おぼえる	oboeru	to memorize / 기억하다, 외우다 / memorizar / memorizar
(目が)覚める ②	(めが)さめる	(me ga) sameru	(someone) wakes up / (눈이) 뜨이다 / acordar / despertarse
目覚まし時計	めざましどけい	mezamashi dokē	alarm clock / 자명종 / despertador / reloj despertador
感覚 ②	かんかく	kan'kaku	sense / 감각 / senso / sentido

おぼ-える
さ-める, さ-ます
かく

355 石 (5)
stone / 돌[석] / pedra / piedra

石 ③	いし	ishi	stone, rock / 돌 / pedra / piedra
石けん ④	せっけん	sekken	soap / 비누 / sabão / jabón
石炭 ②	せきたん	sekitan	charcoal / 석탄 / carvão / carbón
石油 ②	せきゆ	sekiyu	oil, petroleum / 석유 / petróleo / petróleo
一石二鳥	いっせきにちょう	isseki nichō	killing two birds with one stone / 일석이조 / Matar dois coelhos com uma cajadada só / matar dos pájaros de un tiro

いし
せき / せっ

356 確 (15)
certain / 확인하다[확] / confirmar / verificar

確かに ③	たしかに	tashika ni	certain, sure / 분명히, 확실히 / certamente / con seguridad, con certeza
確かめる ②	たしかめる	tashikameru	to ensure / 확인하다 / confirmar / verificar, asegurarse
確か	たしか	tashika	certain, probable / 분명함, 확실함 / certo / cierto, seguro
確実な ②	かくじつな	kakujitsu na	sure, definite / 확실한 / seguro / cierto, seguro
正確な ②	せいかくな	sēkaku na	precise, correct / 정확한 / correto / preciso, correcto

たし-か
たし-かめる
かく

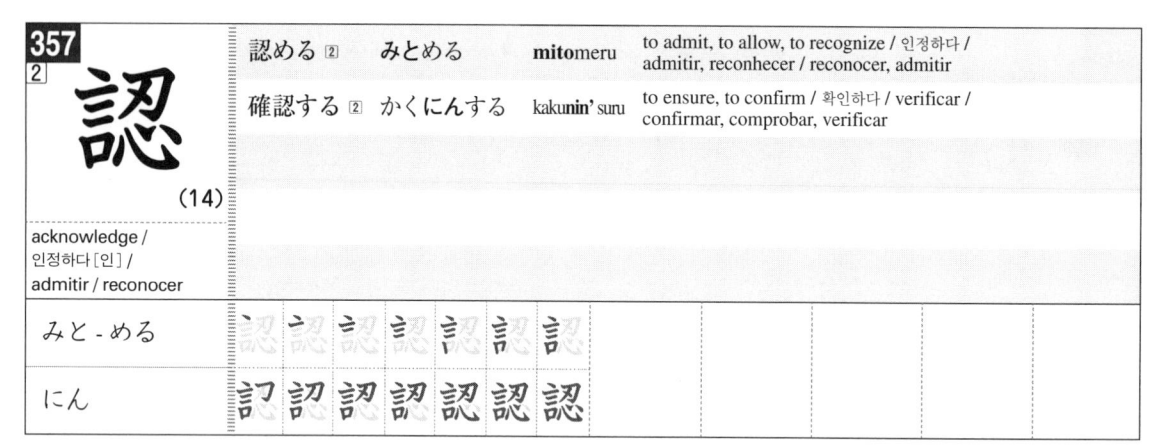

#	Kanji	Word	Reading	Romaji	Meanings
357	認 (14) acknowledge / 인정하다 [인] / admitir / reconocer	認める ②	みとめる	mito**meru**	to admit, to allow, to recognize / 인정하다 / admitir, reconhecer / reconocer, admitir
		確認する ②	かくにんする	kaku**nin'** suru	to ensure, to confirm / 확인하다 / verificar / confirmar, comprobar, verificar

みと-める
にん

358	増 (14) increase / 늘다 [증] / aumentar / aumentar	増える ③	ふえる	**fu**eru	(something) increases / 늘다 / aumentar / aumentar
		増やす ②	ふやす	**fu**yasu	to increase (something) / 늘리다 / aumentar / aumentar
		増加する ②	ぞうかする	**zō**ka suru	(something) increases / 증가하다 / aumentar / aumentar, incrementar

ふ-える
ふ-やす
ぞう

359	加 (5) add / 가해지다 [가] / acrescentar / agregar	加える ②	くわえる	**kuwa**eru	to add / 더하다, 보태다 / acrescentar / agregar
		付け加える ①	つけくわえる	tsuke**kuwa**eru	to add / 덧붙이다, 부가하다 / suplementar / agregar, adicionar
		参加する ②	さんかする	san'**ka** suru	to join, to participate / 참가하다 / participar / participar
		追加する ②	ついかする	tsui**ka** suru	to add / 추가하다 / adicionar / agregar, añadir

くわ-わる
くわ-える
か

360	婦 (11) lady / 부인 [부] / senhora / dama	看護婦 (=看護師) ③	かんごふ (かんごし)	**kango**fu (kangoshi)	female nurse (=nurse) / 간호부 (간호사) / enfermeira (o) / enfermera (o)
		夫婦 ②	ふうふ	fū**fu**	husband and wife, married couple / 부부 / cônjuges, casal / esposos, marido y mujer
		主婦 ②	しゅふ	shu**fu**	housewife / 주부 / dona de casa / ama de casa
		婦人服 ②	ふじんふく	**fu**jin'fuku	women's clothing / 부인복 / roupa feminina / ropa para damas

ふ

第19回

練習問題 Exercise / 연습문제 / Exercícios / Ejercicios

1. 適当な読み方を選んでください。

   ① 石けんを買います。
   a. せけん
   b. せっけん
   c. せんけん

   ② けんかをして友達を一人、失いました。
   a. しついました
   b. なくしました
   c. うしないました

   ③ 上手になるためには工夫が必要です。
   a. くうふ
   b. くふう
   c. くふ

   ④ 妻は、専業主婦です。
   a. しゅうふ
   b. しゅふう
   c. しゅふ

2. 下線部の読み方を書いてください。

   ① タバコを吸う男性の数は減少しています。
   ② 石油の値段が上がっています。
   ③ 親といっしょに住む夫婦の数が減っています。
   ④ 失業者が増加しています。現実はきびしいです。
   ⑤ 地下鉄の電車の時間を確認します。
   ⑥ 明日は、ゼミで発表をします。

3. 読んで意味を考えましょう。

   ① A：いい映画でしたね。
   　　B：ええ、感動しました。

   ② 客　　：カードでも大丈夫ですか。
   　　店の人：すみません、現金でお願いします。

   ③（電話で）
   　　A：失礼ですが、どちら様ですか。
   　　B：ABC会社の田口と申します。

   ④ A：大木さんはいらっしゃいますか。
   　　B：確か、来ると言っていましたが。

   ⑤ A：お忙しいですか。
   　　B：ええ、平日の帰宅はだいたい11時過ぎです。

4. ひらがなを一つ書いてください。必要がない場合は、×を書いてください。

   ① 体重が2キロ増(　　)ました。
   ② もう少し塩を加(　　)てください。
   ③ 漢字を300、覚(　　)ました。
   ④ 泣(　　)ないでください。
   ⑤ 忙(　　)くて、夫の誕生日を忘(　　)てしまいました。

第19回

チャレンジ！ Challenge! / 도전해보기! / Desafio! / ¡Desafío!

1 適当な漢字を選んでください。

① 毎日とても<u>いそがしい</u>です。
a. 忘しい
b. 忙しい
c. 性しい

② 雨の日は、かさの<u>わすれ</u>物が多いです。
a. 忘れ
b. 忘
c. 忙

③ 時間を<u>たしかめます</u>。
a. 確かめます
b. 確めます
c. 認めます

④ 顔を<u>おぼえて</u>いますが、名前は思い出せません。
a. 覚えて
b. 親えて
c. 現えて

⑤ <u>しゅふ</u>になりたい<u>じょせい</u>は、<u>へって</u>います。
a. 主婦　　d. 女忘　　g. 減
b. 主女　　e. 女忙　　h. 増
c. 主夫　　f. 女性　　i. 感

2 適当な漢字を書いてください。

① 映画に<u>かんどう</u>して、<u>なき</u>ました。 ② <u>げん</u>在、おっとは中国に住んでいます。

③ <u>じつ</u>は先月仕事を<u>うしなって</u>しまい、今は<u>しつぎょうちゅう</u>です。

④ 東京の<u>ちかてつ</u>は複雑なので電車を間違えていないか、<u>かくにん</u>します。

⑤ この<u>ひょう</u>は、人口の<u>ぞうか</u>を<u>あらわして</u>います。

3 ひらがなを漢字やカタカナに変えて、文を書き直してください。または、タイプをしてください。

① まいあさ、ごじに めが さめます。

② どようびなら、かくじつに いく ことが できます。

③ てにすの しあいに さんかする ひとの かずが ふえました。

④ せんもんについて にほんごで はっぴょうすることは、にほんごの べんきょうにも、せんもんの べんきょうにも なるので、いっせきにちょうです。

第20回 読み方と書き方を覚えよう

Let's learn reading and writing
읽는 법과 쓰는 법 배우기
Vamos aprender a ler e a escrever
Aprendamos la lectura y la escritura de los kanjis

361 冷 (7)
cold / 차다[랭(냉)] / gelado / frío

つめ-たい
ひ-える, ひ-やす
れい

冷たい ④	つめたい	**tsume**tai	cold / 차다 / gelado / frío
冷える ③	ひえる	**hi**eru	to chill, to become cold / 식다, 차가워지다 / esfriar / enfriarse
冷やす ②	ひやす	**hi**yasu	to chill (something) / 식히다 / resfriar / enfriar, refrigerar
冷蔵庫 ④	れいぞうこ	**rē**zōko	refrigerator / 냉장고 / geladeira / refrigerador
冷房 ③	れいぼう	**rē**bō	air conditioner, air conditioning / 냉방 / ar condicionado / aire acondicionado

362 欠 (4)
lack / 모자라다[결] / faltar / faltar

か-ける
けつ / けっ

(歯が)欠ける ②	(はが)かける	(ha ga) **ka**keru	(a tooth) gets chipped / (이)가 빠지다, 깨지다 / faltar (dente) / faltar (le dientes a uno)
欠席する ②	けっせきする	**kes**seki suru	to be absent / 결석하다 / faltar a aula / ausentarse
欠点 ②	けってん	**ket**ten	weakness / 결점 / defeito / defectos
不可欠な ①	ふかけつな	fuka**ketsu** na	indispensable / 불가결한 / indispensável / indispensable

363 次 (6)
next / 다음[차] / próximo / siguiente

つぎ
じ

次 ④	つぎ	**tsugi**	next / 다음 / próximo / siguiente
目次 ②	もくじ	moku**ji**	table of contents / 목차 / índice / índice
(あなた)次第 ②	(あなた)しだい	(anata)**shi**dai	depending on (you), up to (you) / (당신) 나름 / depende de (você) / depende de (ti)
第二次世界大戦	だいにじせかいたいせん	daini**ji** sekai taisen	World War II / 제 2 차 세계대전 / Segunda Guerra Mundial / Segunda Guerra Mundial
次回	じかい	**ji**kai	next time / 다음 번 / próxima vez / siguiente vez
(二)次会	(に)じかい	(ni)**ji**kai	an after-party / (2)차회 / (a segunda) festa / (segunda) fiesta en una misma noche

part I 361-379 Reading

55

364 資 (13)
assets / 자산[자] / recurso / bien(es)

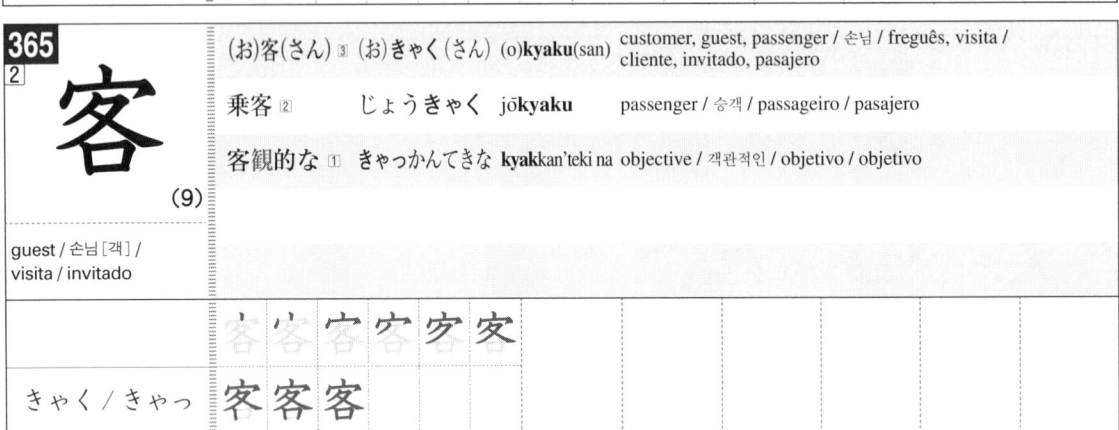

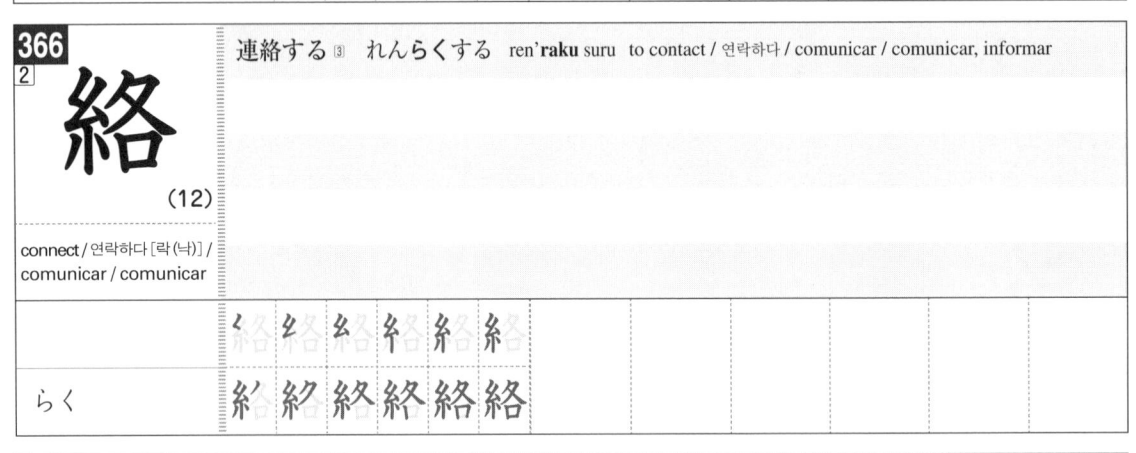

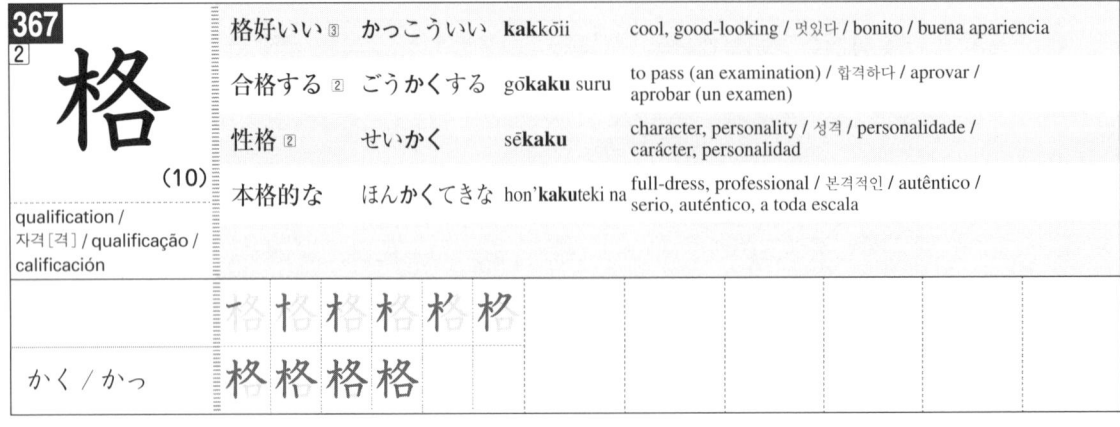

資源 ②	しげん	**shi**gen	resource / 자원 / recurso / recursos
資料 ②	しりょう	**shi**ryō	material, data / 자료 / dados / material, datos
資格 ①	しかく	**shi**kaku	qualification / 자격 / qualificação / calificación
投資する ①	とうしする	tō**shi** suru	to invest / 투자하다 / investir / invertir
資本主義	しほんしゅぎ	**shi**hon'shugi	capitalism / 자본주의 / capitalismo / capitalismo

し

365 客 (9)
guest / 손님[객] / visita / invitado

(お)客(さん) ⓪	(お)きゃく(さん)	(o)**kyaku**(san)	customer, guest, passenger / 손님 / freguês, visita / cliente, invitado, pasajero
乗客 ⓪	じょうきゃく	jō**kyaku**	passenger / 승객 / passageiro / pasajero
客観的な ⓪	きゃっかんてきな	**kyak**kan'teki na	objective / 객관적인 / objetivo / objetivo

きゃく / きゃっ

366 絡 (12)
connect / 연락하다[락(낙)] / comunicar / comunicar

| 連絡する ⓪ | れんらくする | ren'**raku** suru | to contact / 연락하다 / comunicar / comunicar, informar |

らく

367 格 (10)
qualification / 자격[격] / qualificação / calificación

格好いい ③	かっこういい	**kak**kōii	cool, good-looking / 멋있다 / bonito / buena apariencia
合格する ⓪	ごうかくする	gō**kaku** suru	to pass (an examination) / 합격하다 / aprovar / aprobar (un examen)
性格 ⓪	せいかく	sē**kaku**	character, personality / 성격 / personalidade / carácter, personalidad
本格的な ⓪	ほんかくてきな	hon'**kaku**teki na	full-dress, professional / 본격적인 / autêntico / serio, auténtico, a toda escala

かく / かっ

368 連 (10)

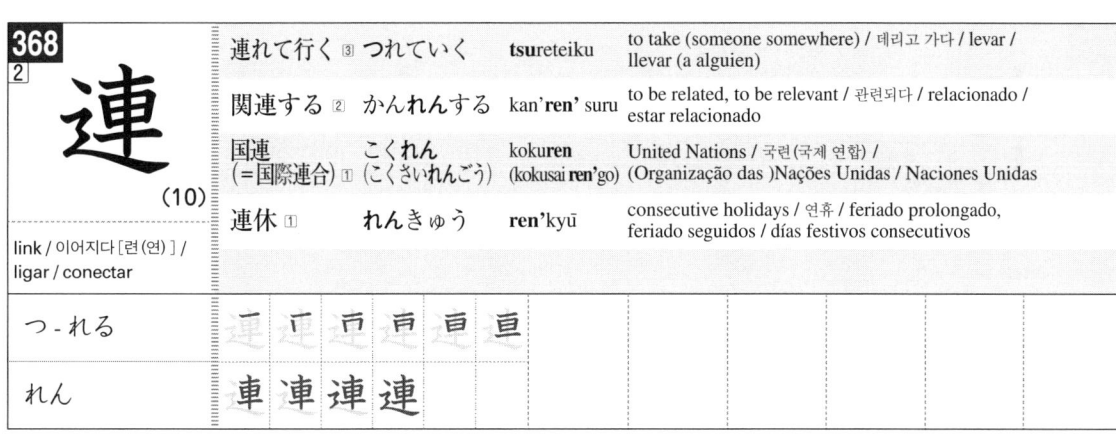

link / 이어지다 [련(연)] / ligar / conectar

連れて行く ③	つれていく	tsureteiku	to take (someone somewhere) / 데리고 가다 / levar, llevar (a alguien)
関連する ⓪	かんれんする	kan'ren' suru	to be related, to be relevant / 관련되다 / relacionado, estar relacionado
国連 (=国際連合) ⓪	こくれん (こくさいれんごう)	kokuren (kokusai ren'go)	United Nations / 국련(국제 연합) / (Organização das) Nações Unidas / Naciones Unidas
連休 ⓪	れんきゅう	ren'kyū	consecutive holidays / 연휴 / feriado prolongado, feriado seguidos / días festivos consecutivos

つ-れる
れん

369 席 (10)

seat / 자리 [석] / assento / asiento

出席する ⓪	しゅっせきする	shusseki suru	to attend / 출석하다 / comparecer / asistir
席 ①	せき	seki	seat / 자리 / cadeira / asiento
座席 ⓪	ざせき	zaseki	seat / 좌석 / assento / asiento
満席 ⓪	まんせき	man'seki	no vacant seats / 만석 / nenhum assento vago / asientos ocupados
空席 ⓪	くうせき	kūseki	vacant seat, vacant / 공석 (빈자리) / assento desocupado, vago / asiento desocupado, vacante

せき

370 指 (9)

finger / 손가락 [지] / dedo / dedo

指 ①	ゆび	yubi	finger / 손가락 / dedo / dedo
指輪 ⓪	ゆびわ	yubiwa	ring (for fingers) / 반지 / anel / anillo
親指 ⓪	おやゆび	oyayubi	thumb / 엄지손가락 / polegar / pulgar
目指す ②	めざす	mezasu	to aim, to head for (somewhere) / 목표로 하다 / visar / poner la mira en, aspirar a
指定席 ⓪	していせき	shitēseki	reserved seat / 지정석 / lugar reservado / asiento reservado

ゆび
さ-す
し

371 座 (10)

sit / 앉다 [좌] / sentar / sentarse

座る ⓪	すわる	suwaru	to sit / 앉다 / sentar / sentarse
銀座	ぎんざ	ginza	(place name) Ginza / 긴자 / Ginza / Ginza
口座	こうざ	kōza	(finance) account / 구좌 / conta bancária / cuenta
正座する	せいざする	sēza suru	to sit up straight, to sit on one's heels / 정좌하다 / sentar corretamente no chão / sentarse derecho en el suelo sobre los talones

すわ-る
ざ

372 卒 (8)

graduate / 졸업하다[졸] / formar / graduarse

卒業する ②	そつぎょうする	**sotsu**gyō suru	to graduate / 졸업하다 / formar, concluir / graduarse
卒業式 ②	そつぎょうしき	**sotsu**gyō shiki	graduation ceremony / 졸업식 / formatura / ceremonia de graduación
脳卒中	のうそっちゅう	nō**socchū**	cerebrovascular accident, stroke / 뇌졸중 / acidente vascular cerebral (AVC), apoplexia cerebral / accidente cerebro vascular, apoplejía
高卒	こうそつ	kō**sotsu**	high school graduate (who did not go to college) / 고졸 / ensino médio concluído / graduado de la secundaria superior

そつ / そっ

373 禁 (13)

prohibit / 금지[금] / proibido / prohibir

禁煙する ②	きんえん	**kin**'en	to stop smoking / 금연하다 / parar de fumar / dejar de fumar
禁止する ②	きんしする	**kin**'shi suru	to prohibit / 금지하다 / proibir / prohibir
禁じる ①	きんじる	**kin**'jiru	to prohibit / 금하다 / proibir / prohibir
解禁する ①	かいきんする	kai**kin**' suru	to lift the ban / 해금하다 / liberar / levantar la prohibición

きん

374 予 (4)

beforehand / 미리[예] / antemão / con anticipación

予定 ③	よてい	**yo**tē	plan, schedule / 예정 / plano / plan, programa
予習する ③	よしゅうする	**yo**shū suru	to prepare (lessons) / 예습하다 / preparar as lições de amanhã / preparar la lección
予算 ②	よさん	**yo**san	budget / 예산 / orçamento / presupuesto
予防する ②	よぼうする	**yo**bō suru	to prevent (illness, accident) / 예방하다 / prevenir / prevenir
予想する ①	よそうする	**yo**sō suru	to expect, to anticipate / 예상하다 / prever, adivinhar / prever, pronosticar

よ

375 決 (7)

decide / 결정하다[결] / decidir / decidir

決まる ③	きまる	**ki**maru	(something) is decided / 결정되다 / (algo) está decidido / decidirse
決める ③	きめる	**ki**meru	to decide (something) / 결정하다 / decidir / decidir
決して(食べ)ない ③	けっして(たべ)ない	**kes**shite (tabe) nai	never (eat), by no means (eat) / 결코 (먹)지 않는다 / nunca (comer) / nunca, de ninguna manera (comeré)
解決する ②	かいけつする	kai**ketsu** suru	to solve / 해결하다 / resolver / resolver

き-まる
き-める

けつ / けっ

376 定 (8)
fix / 고정하다[정] / fixar / fijar

安定する ②	あんていする	an**tē** suru	to settle / 안정되다 / fixar / estabilizar
決定する ②	けっていする	ket**tē** suru	to decide (something), (something) is decided / 결정하다 / determinar(-se) / decidir
定期券 ②	ていきけん	**tē**kiken	commuter pass / 정기권 / passé (trem, etc) / boleto de abono (temporal)
定休日 ②	ていきゅうび	**tē**kyūbi	regular holiday / 정기 휴일 / feriado regular / días fijos de descanso
勘定する ②	かんじょうする	kan**jō** suru	to count / 계산하다 / contar / hacer las cuentas

てい / じょう

377 辞 (13)
resign / 그만두다[사] / demitir-se / renunciar

辞める ②	やめる	**ya**meru	to resign (from a job) / 그만두다 / demitir-se / renunciar
辞書 ④	じしょ	**ji**sho	dictionary / 사전 / dicionário / diccionario
辞典 ③	じてん	**ji**ten	dictionary / 사전 / dicionário / diccionario
お辞儀する ②	おじぎする	o**ji**gi suru	to bow / 머리 숙여 인사하다 / inclinar o corpo / hacer una reverencia
お世辞を言う ①	おせじをいう	ose**ji** o iu	to flatter / 겉치렛말을 하다 / bajular / decir un cumplido

や-める / じ

378 報 (12)
information / 정보[보] / informação / información

天気予報 ③	てんきよほう	tenkiyo**hō**	weather forecast / 일기 예보 / previsão do tempo / pronóstico del tiempo
電報 ③	でんぽう	den'**pō**	telegram / 전보 / telegrama / telegrama
情報 ②	じょうほう	**jōhō**	information / 정보 / informação / información

ほう / ぽう

379 告 (7)
notify / 알리다[고] / notificar / anunciar

報告する ②	ほうこくする	hō**koku** suru	to report / 보고하다 / relatar / informar
広告する ②	こうこくする	kō**koku** suru	to advertise / 광고하다 / anunciar / anunciar, poner un anuncio

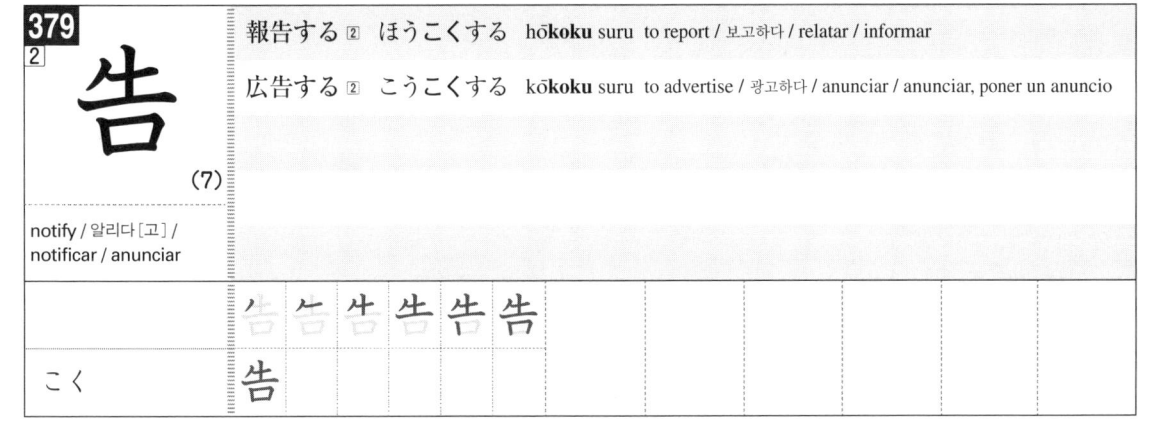

こく

第20回

練習問題 Exercise / 연습문제 / Exercícios / Ejercicios

1 適当な読み方を選んでください。

① 試合の日が決定しました。　② 連休の予定はありますか。
　　　a. けって　　　　　　　　　a. れんきゅう　　d. よってい
　　　b. けってい　　　　　　　　b. れっきゅう　　e. よてい
　　　c. けつてい　　　　　　　　c. れいきゅう　　f. ようてい

③ 分からない漢字を辞書で調べます。　④ 欠点のない人はいません。
　　　a. じしょ　　　　　　　　　　　a. けてん
　　　b. じっしょ　　　　　　　　　　b. けってん
　　　c. じしょう　　　　　　　　　　c. けんてん

2 下線部の読み方を書いてください。

① この店の定休日は水曜日です。　② 何か冷たい飲み物はありますか。

③ 天気予報によると、今週はずっと雨だそうです。

④ 欠席した人の数を、後で報告してください。

⑤ 打ち合わせの資料を準備します。　⑥ 親指の次の指は、人さし指です。

3 読んで意味を考えましょう。

① A：会議の日時が決まりましたので、みなさんに連絡していただけますか。
　　B：わかりました。
② 学生：卒業式には出席なさいますか。　③ A：合格、おめでとう。
　　先生：ええ、行きます。　　　　　　　　B：ありがとう。
④ 客：土曜日の7時に、空席はまだありますか。
　　チケット売り場の人：土曜の夜は、満席なんです。
　　　　　　　　　　　　他の時間なら、ありますが。
⑤ 店の人：お客さん、すみません、ここは禁煙なんです。
　　客：あっ、すみません。

4 ひらがなを一つ書いてください。必要がない場合は、×を書いてください。

① 打ち合わせの日を決（　　）ました。　② アルバイトを辞（　　）ました。
③ 冷蔵庫にビールが冷（　　）ています。　④ どうぞ、座（　　）って下さい。
⑤ パーティーにご家族を連（　　）て来てください。

チャレンジ！ Challenge! / 도전해보기! / Desafio! / ¡Desafío!

1 適当な漢字を選んでください。

① じかいのミーティングは水曜です。
a. 次回
b. 二回
c. 時回

② 通訳のしかくを持っています。
a. 四角
b. 資格
c. 資絡

③ せきがあいています。
a. 席
b. 石
c. 座

④ あの人はせいかくがいいです。
a. 性書
b. 正格
c. 性格

⑤ 飛行機のじょうきゃくは、みんな無事でした。
a. 乗各
b. 乗客
c. 上客

2 適当な漢字を書いてください。

① よしゅうをすることは大切です。　② りょこうにペットをつれて行きます。

③ そつぎょうしきの会場でアルコールを飲むのはきんしされています。

④ 彼は上司に会社をやめるというほうこくをしました。

⑤ れい蔵庫に、つめたい飲み物がひえています。

3 ひらがなを漢字やカタカナに変えて、文を書き直してください。または、タイプをしてください。

① でんしゃがとまったので、かいしゃにおくれるというれんらくをしました。

② れんきゅうのよていは まだ きまっていません。

③ じんこうのぞうかと しょくりょうのげんしょうには かんれんがあります。

④ していせきにすわるためには、じょうきゃくは、とくべつなきっぷをかわないといけません。

第21回 読み方と書き方を覚えよう

Let's learn reading and writing
읽는 법과 쓰는 법 배우기
Vamos aprender a ler e a escrever
Aprendamos la lectura y la escritura de los kanjis

380 応 (7)
respond / 반응[응] / reação / responder

一応 ②	いちおう	ichiō	just to make sure, anyway / 일단 / em princípio / en todo caso, por lo pronto
応援する ②	おうえんする	ōen' suru	to support, to cheer / 응원하다 / apoiar, torcer / apoyar, animar
応じる ②	おうじる	ōjiru	to respond, to agree / 응하다 / responder, aceitar / responder, aceptar
応用する ②	おうようする	ōyō suru	to apply / 응용하다 / aplicar / aplicar

おう

応 応 応 応 応
応

381 必 (5)
without fail / 꼭[필] / com certeza / necesariamente

必ず ③	かならず	kanarazu	surely, by all means / 꼭 / com certeza, sem dúvida / con seguridad, necesariamente
必要な ③	ひつような	hitsuyō na	necessary / 필요한 / necessário / necesario
必要性	ひつようせい	hitsuyōsē	necessity / 필요성 / necessidade / necesidad

かなら-ず
ひつ

必 必 必 必 必

382 付 (5)
attach / 붙이다[부] / colocar / colocar

気が付く ②	きがつく	ki ga tsuku	to notice / 알아채다 / perceber / darse cuenta
付き合う ②	つきあう	tsukiau	to hang out, to be seeing (as a girl/boy friend) / 사귀다 / relacionar-se, sair com / relacionarse con, salir con
気を付ける ②	きをつける	ki o tsukeru	to be careful / 조심하다 / ficar atento / tener cuidado
添付する	てんぷする	ten'pu suru	to attach (a file) / 첨부하다 / anexar / adjuntar

つ-く
つ-ける
ふ / ぷ

付 付 付 付 付

62

第21回 380〜400

383 対 (7)
opposite / 반대[대] / contrário / opuesto

絶対に	ぜったいに	zettai ni	absolutely, definitely / 절대로 / abusolutamente / definitivamente, en absoluto
(3)対(1)	(さん)たい(いち)	(san) tai (ichi)	(score) (three) to (one) / (3)대(1) / (três) contra a (um) / (tres) a (uno)
対応する	たいおうする	taiō suru	to correspond / 대응하다 / corresponder / corresponder

たい 対

384 要 (9)
necessary / 필요[요] / necessário / necesario

要る	いる	iru	to need, to require / 필요하다 / é preciso / necesitar, requerir
重要な	じゅうような	jūyō na	important / 중요한 / importante / importante
需要	じゅよう	juyō	demand / 수요 / demanda, oferta / demanda
不要な	ふような	fuyō na	unnecessary / 불필요한 / desnecessário / innecesario

い-る
よう 要

385 価 (8)
value / 가치[가] / valor / valor

価格	かかく	kakaku	price / 가격 / preço / precio
価値	かち	kachi	value / 가치 / valor / valor
定価	ていか	teika	fixed price, list price / 정가 / preço fixo / precio fijo, de lista
評価する	ひょうかする	hyōka suru	to evaluate, to highly evaluate / 평가하다 / avaliar, julgar / evaluar, valorar
物価	ぶっか	bukka	commodity price / 물가 / custo de vida / costo de vida

か 価

386 酒 (10)
alcoholic drink / 술[주] / álcool / bebida alcohólica

(お)酒	(お)さけ	(o)sake	alcohol, Japanese rice wine or sake / 술 / álcool (bebida alcóolica) / bebida alcohólica, licor de arroz japonés (sake)
居酒屋	いざかや*	izakaya*	bar, pub / 술집 / bar / bar, pub
日本酒	にほんしゅ	nihon'shu	Japanese rice wine or sake / 일본술 / saquê / licor de arroz japonés, sake
飲酒運転する	いんしゅうんてんする	inshu un'ten' suru	to drink and drive / 음주운전하다 / dirigir bêbado / conducir en estado de embriaguez
禁酒する	きんしゅする	kin'shu suru	to quit drinking / 금주하다 / parar de beber / dejar de tomar licor

さけ
しゅ 酒

387 配 (10)
distribute / 나누어 주다 [배] / distribuir / distribuir

配る ②	くばる	kuba ru	to distribute / 나누어 주다 / distribuir / distribuir
心配する ③	しんぱいする	shin'pai suru	to worry / 걱정하다 / preocupar / preocuparse
配達する ⓪	はいたつする	haitatsu suru	to deliver / 배달하다 / entregar / repartir, entregar
配偶者 ①	はいぐうしゃ	haigūsha	spouse / 배우자 / cônjuge / cónyuge

くば-る
はい / ぱい

388 記 (10)
write down / 적다 [기] / anotar / poner por escrito

日記 ⓪	にっき	nikki	diary / 일기 / diário / diario
暗記する ⓪	あんきする	an'ki suru	to memorize / 암기하다 / memorizar / memorizar
記事 ①	きじ	kiji	article, report / 기사 / artigo / artículo
記入する ⓪	きにゅうする	kinyū suru	to fill out / 기입하다 / preencher / llenar

き

389 反 (4)
oppose / 반발하다 [반] / oposto / oponerse

反対する ⓪	はんたいする	han'tai suru	to oppose / 반대하다 / opor-se / oponerse
反省する ⓪	はんせいする	han'sē suru	to reflect (on oneself) / 반성하다 / pensar melhor / reflexionar
反応する ⓪	はんのうする	han'nō suru	to react, to respond / 반응하다 / reagir / reaccionar, responder

はん

390 返 (7)
return / 돌려주다 [반] / devolver / devolver

返す ①	かえす	kaesu	to return (someone something) / 돌려주다 / devolver / devolver
くり返す ③	くりかえす	kurikaesu	to repeat / 되풀이하다, 반복하다 / repetir / repetir
返事する ③	へんじする	hen'ji suru	to answer, to reply, to respond / 대답하다 / responder / responder, contestar
返信する	へんしんする	hen'shin suru	to reply, to respond / 회신하다 / responder / responder, contestar

かえ-る
かえ-す
へん

391 接 (11)
contact / 접하다[접] / contato / contactar
せつ

語	よみ	ローマ字	意味
直接	ちょくせつ	choku**setsu**	directly, in person / 직접 / direto / directo
面接する	めんせつする	men**setsu** suru	to interview / 면접하다 / entrevistar / entrevistar

392 案 (10)
proposal / 생각[안] / proposta / propuesta
あん

案内する	あんないする	an'nai suru	to guide / 안내하다 / informar / guiar
案	あん	an	plan, suggestion / 생각, 안 / projeto, sugestão / plan, propuesta
案外	あんがい	an'gai	contrary to expectations / 뜻밖, 의외 / inesperadamente / inesperado, contra toda previsión
提案する	ていあんする	tē**an**' suru	to propose, to suggest / 제안하다 / propor / proponer

393 直 (8)
straight / 똑바로[직] / reto / recto
なお-る / なお-す / ちょく / じき

直す	なおす	**nao**su	to repair / 고치다 / corrigir / reparar
直る	なおる	**nao**ru	to be fixed / 고쳐지다 / normalizar-se / arreglarse, ser reparado
素直な	すなおな	su**nao** na	obedient / 순진한, 순순한 / obediente / obediente
正直な	しょうじきな	shō**jiki** na	honest / 정직한 / honesto / honesto
率直な	そっちょくな	soc**choku** na	frank, open / 솔직한 / honesto, claro / franco, abierto

394 置 (13)
put / 놓다[치] / por / poner
お-く / ち

置く	おく	**o**ku	to place, to put / 놓다 / por / poner
自転車置き場	じてんしゃおきば	jiten'sha **o**kiba	bicycle shed, bicycle parkade / 자전거 세워 두는 곳 / estacionamento de bicicleta / estacionamiento para bicicletas
位置	いち	i**chi**	position, location / 위치 / posição / posición, ubicación

395 位 (7)

rank / 순위[위] / posição / puesto

漢字	かな	ローマ字	意味
(2)位	(に)い	(ni)i	(second) place / (2)위 / (segunda) posição / (segundo) puesto
単位	たんい	tan'i	*(unit of study)* credit / 단위 / crédito (unidade de estudo universitário) / crédito
地位	ちい	chii	(social) status, rank / 지위 / posição social / posición, categoría (social)

い: 位

396 面 (9)

mask, to face / 가면, 마주 보다[면] / máscara, estar frente a frente / máscara, estar frente a

漢字	かな	ローマ字	意味
面白い	おもしろい	**omo**shiroi	interesting, funny / 재미있다 / interessante, engraçado / interesante, divertido
真面目な	まじめな※	ma**ji**me na※	serious / 진지한 / sério / serio, sincero
表面的な	ひょうめんてきな	hyō**men**'teki na	superficial / 표면적인 / superficial / superficial
(名古屋)方面	(なごや)ほうめん	(Nagoya)hō**men**	headed towards (Nagoya), bound for (Nagoya) / (나고야) 방면 / sentido a (Nagóia) / hacia, con dirección a (Nagoya)
面倒な	めんどうな	**men**'dō na	troublesome, inconvenient / 번거로운, 귀찮은 / trabalhoso / complicado, pesado

おも: 面
めん: 面

397 談 (15)

talk / 회담[담] / conversar / conversación

漢字	かな	ローマ字	意味
相談する	そうだんする	sō**dan**' suru	to consult, to discuss / 상담하다 / consultar / consultar, pedir consejo(s) a
冗談を言う	じょうだんをいう	jō**dan**' o iu	to joke / 농담을 하다 / dizer piada / bromear

だん: 談

398 相 (9)

phase / 형상[상] / fase / fase

漢字	かな	ローマ字	意味
相変わらず	あいかわらず	**ai**kawarazu	still, same as usual / 변함없이, 여전히 / como sempre / como siempre, todavía
相手	あいて	**ai**te	partner, party, counterpart / 상대 / companheiro, adversário / pareja, parte contraria, oponente
首相	しゅしょう	shu**shō**	prime minister / 수상 / primeiro ministro / primer ministro
相対的な	そうたいてきな	**sō**taiteki na	relative / 상대적인 / relativo / relativo

あい: 相
そう / しょう: 相

399 様 (14)

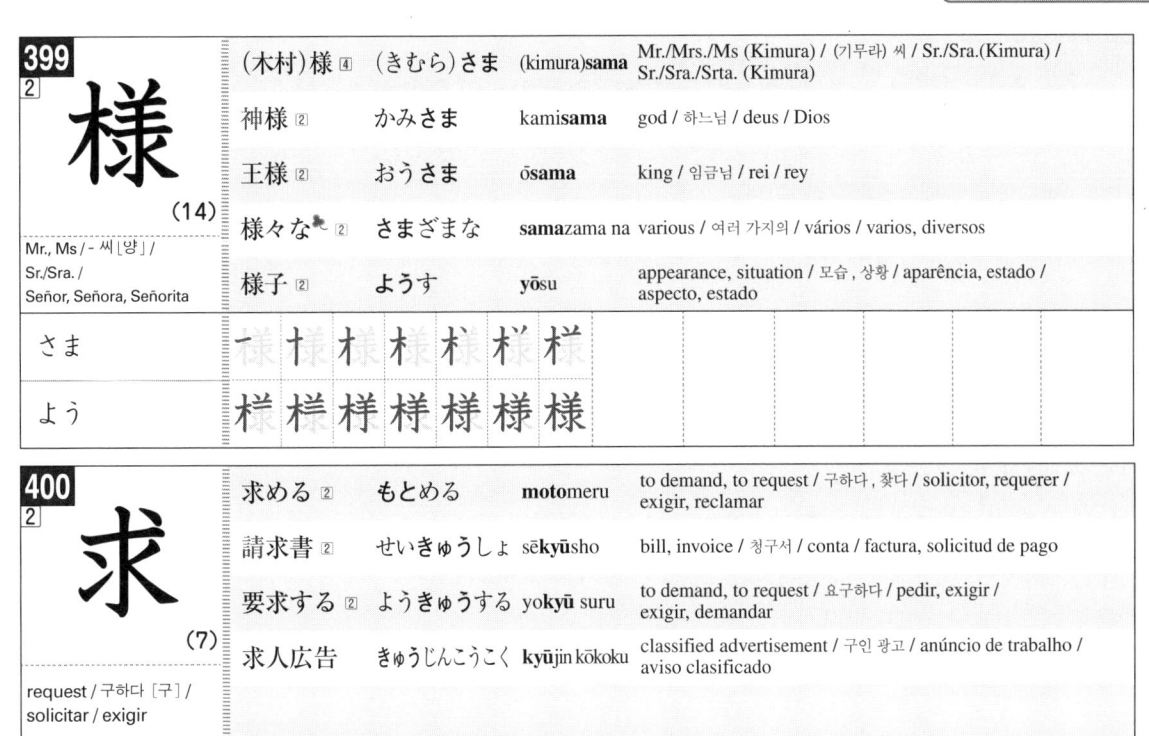

Mr., Ms / - 씨 [양] / Sr./Sra. / Señor, Señora, Señorita

さま / よう

漢字	よみ	ローマ字	意味
(木村)様	(きむら)さま	(kimura)sama	Mr./Mrs./Ms (Kimura) / (기무라) 씨 / Sr./Sra.(Kimura) / Sr./Sra./Srta. (Kimura)
神様	かみさま	kamisama	god / 하느님 / deus / Dios
王様	おうさま	ōsama	king / 임금님 / rei / rey
様々な	さまざまな	samazama na	various / 여러 가지의 / vários / varios, diversos
様子	ようす	yōsu	appearance, situation / 모습, 상황 / aparência, estado / aspecto, estado

400 求 (7)

request / 구하다 [구] / solicitar / exigir

もと-める / きゅう

漢字	よみ	ローマ字	意味
求める	もとめる	motomeru	to demand, to request / 구하다, 찾다 / solicitor, requerer / exigir, reclamar
請求書	せいきゅうしょ	sēkyūsho	bill, invoice / 청구서 / conta / factura, solicitud de pago
要求する	ようきゅうする	yokyū suru	to demand, to request / 요구하다 / pedir, exigir / exigir, demandar
求人広告	きゅうじんこうこく	kyūjin kōkoku	classified advertisement / 구인 광고 / anúncio de trabalho / aviso clasificado

♣ '々' は、同じ漢字をくり返すときに使います。
'々' is used when the same kanji is repeated.
'々' 는 한자를 반복할 때에 쓰입니다.
'々' é usado para repetir kanji.
'々' es utilizado para repetir el mismo kanji.

第21回

練習問題 Exercise / 연습문제 / Exercícios / Ejercicios

1. 適当な読み方を選んでください。

① 会議で様々な意見が出ました。
   a. さまさまな
   b. ようような
   c. さまざまな

② 組合は給料アップを要求しました。
   a. ようきゅう
   b. よっきゅう
   c. よんきゅう

③ 面白い記事が新聞にのっていました。
   a. おもしろい   d. きっじ
   b. めんしろい   e. きじ
   c. まじめ   f. きこと

④ 明日、面接試験があります。
   a. めんせっ
   b. めっせつ
   c. めんせつ

2. 下線部の読み方を書いてください。

① 図書館を案内します。

② 夫は、よい相談相手です。

③ 物価は年々高くなっています。

④ 飲酒運転は法律違反です。

⑤ 一応、メールでもう一度連絡します。

⑥ 必要な資料はもう準備しました。

3. 読んで意味を考えましょう。

① A：お忙しいですか。
   B：ええ、相変わらずですね。

② A：この意見に賛成ですか。
   B：どちらかというと反対です。

③ A：歓迎会に絶対に来てくださいね。
   B：ええ、楽しみにしています。

④ A：打ち合せのために何が要りますか。
   B：新しい商品のカタログを用意してもらえますか。

⑤ A：ここは自転車を置いてはいけない場所ですよ。看板があるでしょ。
   B：すみません、気が付きませんでした。

4. ひらがなを一つ書いてください。必要がない場合は、×を書いてください。

① コンピュータを直（　）ます。
② 友だちにお土産を配（　）ります。
③ 必（　）ず、行きます。
④ これ、どこに置（　）ましょうか。
⑤ 同じ間違いをくり返（　）ないようにしましょう。

▶読み方と書き方
第 21 回 380〜400

チャレンジ！ Challenge! / 도전해보기! / Desafio! / ¡Desafío!

1 適当な漢字を選んでください。

① 運動はひつようです。

a. 必用
b. 必要
c. 応要

② 今日は、彼女のようすが変です。

a. 用す
b. 様子
c. 要す

③ この研究を別の研究におうようします。

a. 反応
b. 応様
c. 応用

④ あの人は真じめな性格です。

a. 真面目
b. 真字目
c. 真面明

⑤ 地図で今いるいちを確認します。

a. 意血
b. 市
c. 位置

2 適当な漢字を書いてください。

① こちらに、お名前とご連絡先をごきにゅう下さい。

② 商品のかかくを下げてほしいというようきゅうが多いです。

③ ていかをいくらにするかそうだんします。

④ 大学のたんいが足りているか、しんぱいです。

⑤ 会議では、さまざまなおもしろいあんが出ましたが、はんたい意見も多かったです。

3 ひらがなを漢字やカタカナに変えて、文を書き直してください。または、タイプをしてください。

① もんだいがあるときは、あいてにちょくせつあってはなしたほうがいいです。

② おさけを のみすぎないように きをつけて ください。

③ かりた ほんは かならず かえして ください。

④ かっこくの しゅしょうや だいとうりょうが あつまって えねるぎーもんだいについて、はなしあいました。

Choose the appropriate kanji.
적당한 한자를 선택하십시오.
Escolha o kanji correto.
Elije el kanji correcto.

Write the kanji of the underlined portion.
적당한 한자를 쓰십시오.
Escreva em kanji as palavras sublinhadas.
Escribe el kanji de las palabras subrayadas.

Re-write or type the sentences using kanji and katakana.
히라가나를 한자나 가타카나로 바꿔서 문장을 다시 쓰십시오. 또는 타자로 치십시오.
Escreva ou tecla os seguintes hiragana em kanji ou katakana.
Corrige las oraciones sustituyendo el hiragana por kanjis y katakanas. Luego, escríbelos en el teclado.

69

PART II

第22回～第26回

ここでは、基本漢字500のうち、401-500までの100字の漢字を学びます。
You will learn the last one hundred kanji #401 to #500 from the list of five hundred basic kanji.
여기에서는 기본한자 500 중에서 401-500 까지의 100 자의 한자를 배웁니다.
Nesta parte, você poderá aprender 100 kanjis, de 401 a 500, dentre 500 kanjis básicos.
Aquí aprenderás 100 kanjis del 401 al 500 que forman parte de los 500 kanjis básicos.

▶ストーリーで意味を覚えよう ▶▶▶ p.72

Let's memorize kanji with its story
스토리로 의미를 배우기
Vamos aprender os significados dos kanjis através das estórias
Aprendamos los significados a través de historias

- イラストとストーリーで100字の字形と意味を楽しく覚えます。
- It is so much fun to memorize the shape and meaning of 100 kanji through stories and illustrations.
- 일러스트와 스토리로 100 자의 자형과 의미를 즐겁게 배웁니다.
- Utilizando desenhos e estórias, você irá aprender o formato e o significado de 100 kanjis de um jeito divertido.
- Aprenderás de manera divertida la forma y el significado de 100 kanjis a través de ilustraciones e historias.

▶読み方と書き方を覚えよう ▶▶▶ p.102

Let's learn reading and writing
읽는 법과 쓰는 법 배우기
Vamos aprender a ler e a escrever
Aprendamos la lectura y la escritura de los kanjis

- ストーリーで覚えた漢字の読み方と書き方を覚えます。
- You can learn the reading and writing of the kanji you have already memorized through stories.
- 스토리로 익힌 한자의 읽는 방법과 쓰는 방법을 배웁니다.
- Você irá aprender a leitura e a escrita dos kanjis que aprendeu através das estórias.
- Aprenderás la lectura y escritura de los kanjis aprendidos a través de historias.

第22回 ストーリーで意味を覚えよう

Let's memorize kanji with its story
스토리로 의미를 배우기
Vamos aprender os significados dos kanjis através das estórias
Aprendamos los significados a través de historias

★70 皿

A **plate**. This kanji is also used alone.
이것은 **접시**입니다. 이 한자는 단독으로도 사용됩니다. [명]
Prato. Este kanji pode ser usado sozinho também.
Plato. Este kanji también puede ser utilizado solo.

401 血

皿 ★70 (p.72)

There is something on the plate. It is **blood**.
접시 위에 뭔가가 있습니다. **피**입니다. [혈]
Há algo no prato. É **sangue**.
Hay algo encima del plato. Es **sangre**.

402 温

氵 ☆15 (p.26 vol.1)
日 41
皿 ★70 (p.72)

When you eat soup in a bowl, you make it **warm** by sunlight.
태양으로 접시 속의 스프를 **따뜻하게** 합니다. [온]
O sol faz a sopa do prato ficar **caloroso** (quentinha).
La sopa del plato está **tibia** por el sol.

403 暖

日 ★4 (p.13 vol.1)
一 1
友 56

In **warm** weather, you feel like staying with a friend under a parasol.
따뜻한 날에는 다른 한 명의 친구와 파라솔 아래에서 같이 있고 싶어집니다. [난]
Nos dias **aquecido**s, dá vontade de deitar debaixo do guarda-sol junto com um amigo.
En un día **templado** te provoca estar al sol bajo una sombrilla con un amigo.

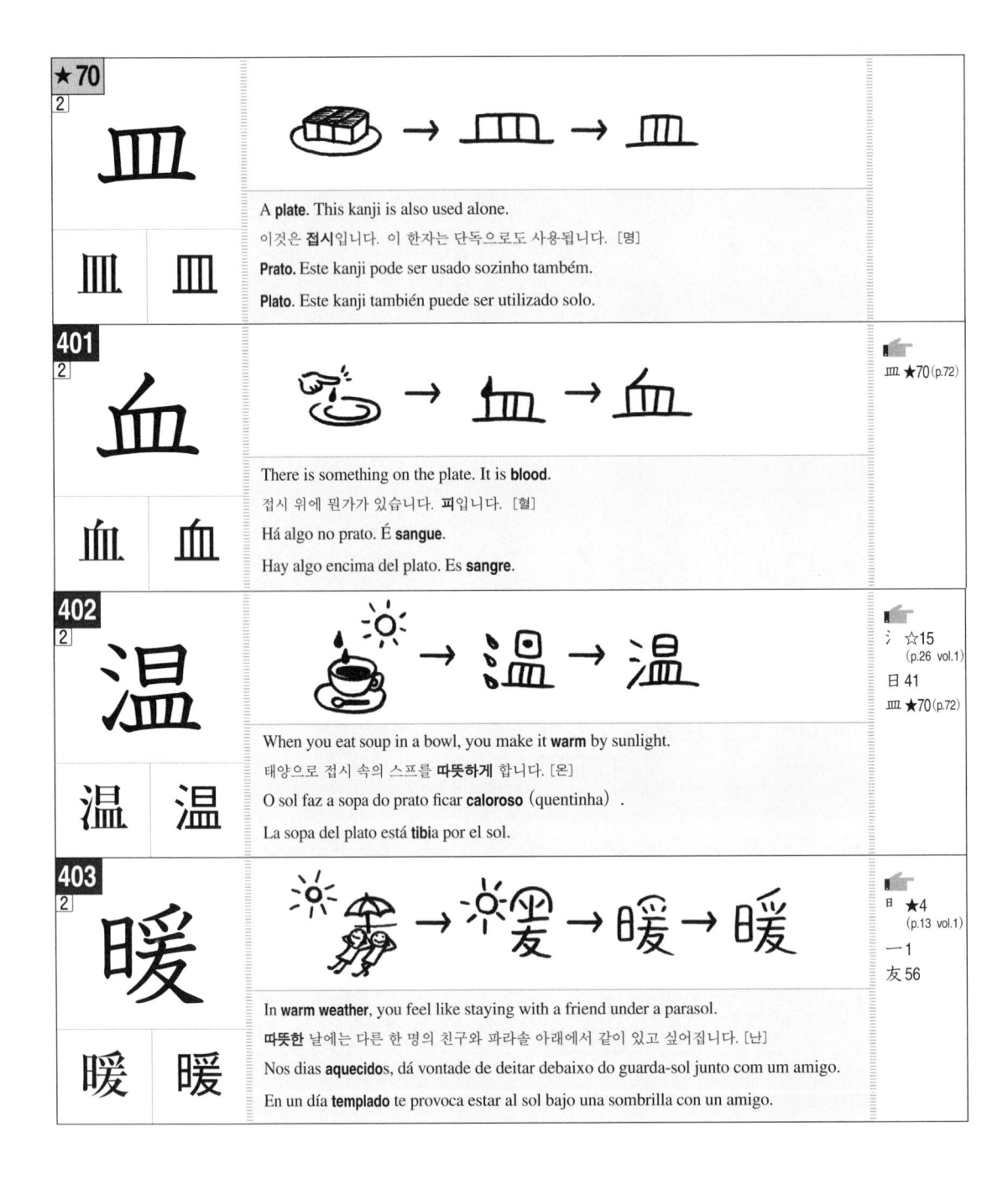

404 湯

湯 湯

On Sunday you cook pork in **hot water** and eat it.

일요일에는 돼지를 뜨거운 물(**끓인 물**)로 끓여서 먹습니다. [탕]

No domingo, você cozinha o porco com **água quente** para comer.

El domingo, comemos cerdo cocido en una olla con **agua caliente**.

氵 ☆15 (p.26 vol.1)
日 41
昜 ☆54 (p.140 vol.1)

405 熱

熱 熱

The ground is **heat**ed to 89℃ and you sweat. Remember that it is 丸 not 九.

지면이 89도가 되어서 **뜨겁**습니다. 뜨거워서 땀이 납니다. '丸'는 '九'와 형태가 다르므로 주의하십시오. [열]

O solo está **quente**, tem 89° e te faz suar. Fique atento com 丸, pois é diferente de 九.

El suelo está **caliente**, alcanzó los 89º haciéndome sudar. Observa que 丸 es diferente a 九.

土 49
八 33
九 34

406 割

割 割

In a house, you **split** three things with a knife.

집 안에서 세 개의 물건을 칼로 **쪼갭니다**. [할]

Você **divide** três coisas com uma faca, dentro de casa.

En la casa, **part**es tres cosas con un cuchillo.

宀 ☆2 (p.5 vol.1)
三 3
口 7
刂 ☆16 (p.30 vol.1)

★71 又

又 又

You want to sit on this stool **again**. This kanji can be used alone.

이 의자에 **또** 앉고 싶다. 이 한자는 단독으로도 사용됩니다. [우]

Quero sentar nessa cadeira **novamente**. Este kanji pode ser usado sozinho também.

Me gustaría sentarme en este banco **otra vez**. Este kanji también puede ser utilizado solo.

407 支

十 + 又 = 支

支 支

I am **support**ed by ten people again.

10명의 사람이 또 **받쳐**(지탱해) 주고 있습니다. [지]

Novamente, sou **apoia**do por dez pessoas.

Diez personas me **apoy**an otra vez.

十 35
又 ★71 (p.73)

★72 皮

))皮 → 皮 → 皮 → 皮

支 407

What helps support the body is the **skin**. This kanji can be used alone.

몸을 지탱하고 있는 막은 **피부**입니다. 이 한자는 단독으로도 사용됩니다. [피]

A película que apoia (protege) o corpo é a **pele**. Este kanji pode ser usado sozinho também.

La membrana que sirve de apoyo al cuerpo es la **piel**. Este kanji también puede ser utilizado solo.

408 疲

疒 + 皮 = 疲

疒 ☆59 (p.154 vol.1)
皮 ★72 (p.74)

When you are **tired**, your skin condition goes bad.

지치면 피부의 상태는 나빠집니다. [피]

Quando **fica cansado**, o estado da sua pele fica ruim.

Cuando te **cans**as, tu piel pierde lozanía.

409 彼

彳 + 皮 = 彶 → 彼

彳 ☆13 (p.25 vol.1)
皮 ★72 (p.74)

He goes out to get tanned.

그가 피부를 태우러 갑니다. [피]

Ele vai pegar o sol para ficar com a pele morena.

Él va en busca de un bronceado para su piel.

410 痛

疒 + マ + 用 = 痛

疒 ☆59 (p.154 vol.1)
用 204

You say 'mama (ママ)' when you feel **pain**.

아플 때 엄마(ママ)라는 말을 사용합니다. [통]

Quando **dói**, você diz: Mamãe(ママ)!

Cuando sentimos **dolor**, siempre decimos "mamá" (ママ).

411 歯

→ 止 → 歯 → 歯

止 63
米 116

You stop chewing rice because you have a **tooth**ache.

이가 아파서 입으로 쌀을 씹는 것을 그만둡니다. [치]

Você para de mastigar arroz porque tem dor de **dente**.

Cuando nos duele el **diente**, dejamos de masticar el arroz.

412 奥

奥 奥

🖐→🖐=奥→奥→奥

A big bag of rice is kept **deep inside** the house.
쌀이 들어 있는 큰 자루는 집 **깊숙한 곳**에 있습니다. [오]
Um grande saco de arroz fica guardado no **fundo** da casa.
El gran recipiente de arroz está al **fondo** de la casa.

米 116
大 21

413 険

険 険

Best 🏠 → 阝僉 → 険

Before a **steep** cliff, people in a lodge are checking the best way.
험한 절벽을 앞에 두고 산장에서 사람들은 가장 좋은 길을 조사하고 있습니다. [험]
Na frente de um precipício **íngreme**, uma pessoa pesquisa sobre o melhor caminho dentro de uma cabana na montanha.
Ante un acantilado **escabroso**, las personas en la cabaña buscan el mejor camino.

阝 ☆7 (p.15 vol.1)
一 1
口 7
人 8

414 証

証 証

言 + 正 = 証

You say 'I am right' to **prove** that you are right.
'나는 옳다'라고 말해서 자신이 옳다는 것을 **증명합니다**. [증]
Você diz "Estou certo" para **provar** que está certo.
Dices que estás en lo correcto y lo **pruebas**.

言 ★22 (p.34 vol.1)
正 64

415 保

保 保

🧒→伥→保

You **keep** something important on the top of a tree so that nobody can take it away from you.
다른 사람에게 뺏기지 않도록 중요한 물건을 나무 위에 **보관합니다**. [보]
Você **guarda** algo importante no topo de uma árvore para que ninguém o tire de você.
Guardas algo importante arriba de un árbol para que nadie te lo pueda quitar.

亻 ☆1 (p.4 vol.1)
口 7
木 9

416 過

過 過

辶冎 + 過 = 過

The size of the load you carry **exceeds** the capacity.
나르기에는 커버 안의 물건이 **지나치게**(너무) 큽니다. [과]
Os artigos embaixo de cobertor são grande **demais** para carregar.
Las cosas que están dentro de la cubierta para ser transportadas **exced**en su tamaño.

口 7
冂 ☆34 (p.46 vol.1)
辶 ☆33 (p.46 vol.1)

417

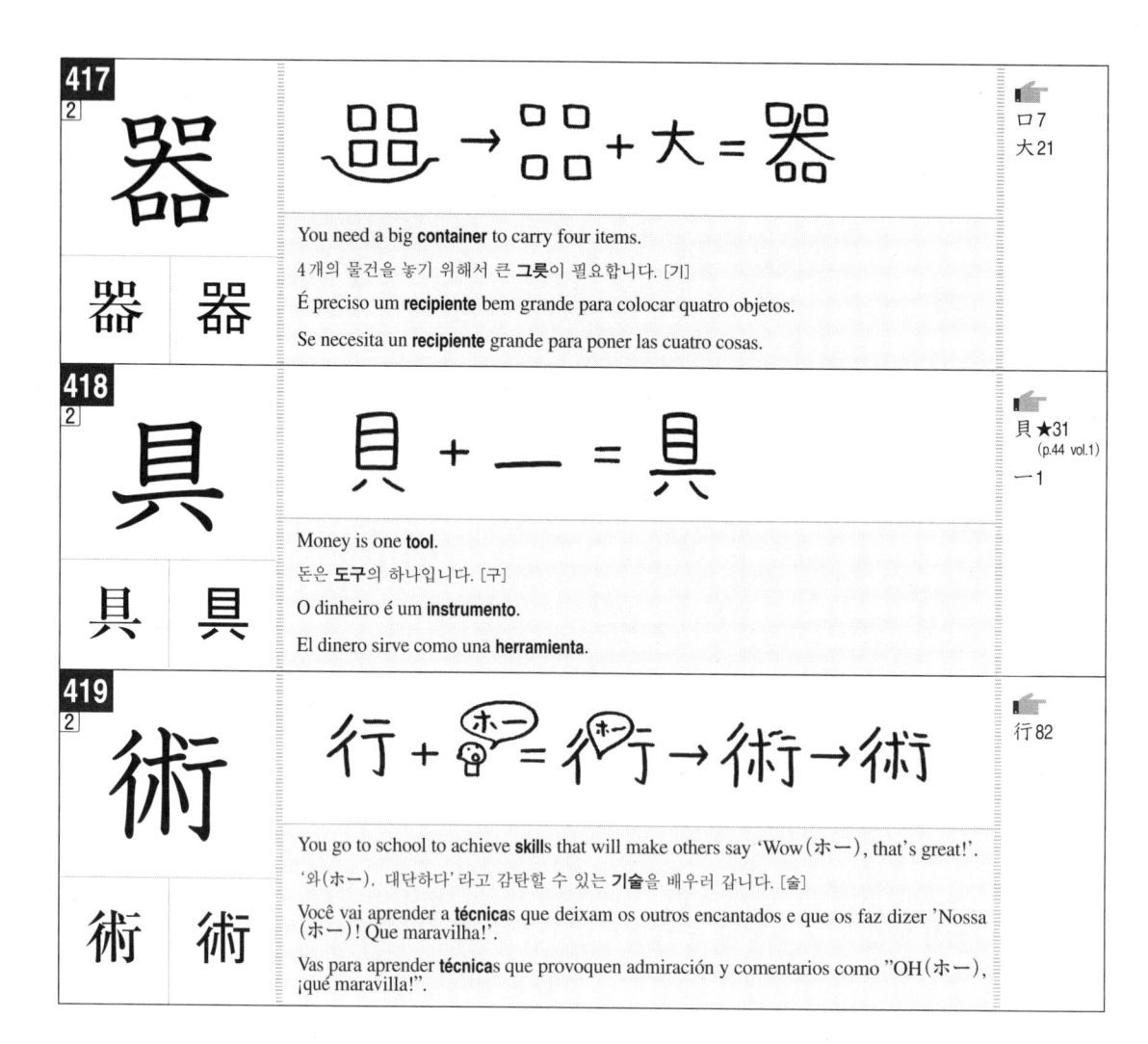

器

器 器

品 → 品 + 大 = 器

You need a big **container** to carry four items.

4개의 물건을 놓기 위해서 큰 **그릇**이 필요합니다. [기]

É preciso um **recipiente** bem grande para colocar quatro objetos.

Se necesita un **recipiente** grande para poner las cuatro cosas.

口 7
大 21

418

具

具 具

貝 + 一 = 具

Money is one **tool**.

돈은 **도구**의 하나입니다. [구]

O dinheiro é um **instrumento**.

El dinero sirve como una **herramienta**.

貝 ★31
(p.44 vol.1)
一 1

419

術

術 術

行 + ホー = 行 → 術 → 術

You go to school to achieve **skill**s that will make others say 'Wow(ホー), that's great!'.

'와(ホー), 대단하다'라고 감탄할 수 있는 **기술**을 배우러 갑니다. [술]

Você vai aprender **técnica**s que deixam os outros encantados e que os faz dizer 'Nossa (ホー)! Que maravilha!'.

Vas para aprender **técnica**s que provoquen admiración y comentarios como "OH(ホー), ¡qué maravilla!".

行 82

第 22 回

Exercise / 연습문제 / Exercícios / Ejercicios

1 意味を書いてください。

熱	疲	証	保	術
温	過	血	彼	険
暖	痛	湯	器	支
割	奥	歯	具	

2 意味を推測して、適当なものをa～eから選んでください。

① 家具　　（　　）
② 温暖化　（　　）
③ 証明　　（　　）
④ 楽器　　（　　）
⑤ 支店　　（　　）

a. furniture / 가구 / mobília / mueble
b. a musical instrument / 악기 / instrumento musical / instrumento musical
c. proof / 증명 / prova / certificación
d. a branch office / 지점 / sucursal / sucursal
e. global warming / 지구온난화 / aquecimento global / calentamiento global

3 ことばの意味を推測してください。

① 頭痛　（　　　）　② 食べ過ぎ（　　　）
③ 熱心　（　　　）　④ 手術　　（　　　）
⑤ 熱湯　（　　　）　⑥ 気温　　（　　　）

4 文の意味を推測してください。

① 田中さんの奥さんは3時過ぎに来ます。

② 歯をみがくと血が出るので、歯医者に行こうと思います。

③ 山道はとても険しいので、足が疲れた。

④ 彼の打ったボールがあたって、窓が割れた。

⑤ 海外旅行の前に、保険に入っておく。

第23回 ストーリーで意味を覚えよう

Let's memorize kanji with its story
스토리로 의미를 배우기
Vamos aprender os significados dos kanjis através das estórias
Aprendamos los significados a través de historias

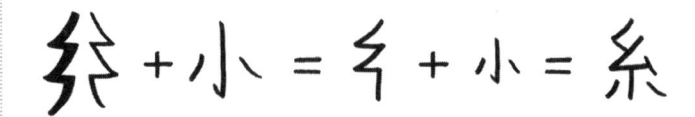

---

420 糸
糸

糸 + 小 = 乡 + 小 = 糸

When used as a part of kanji, this means a small tree. This kanji alone means **thread**.
부품으로 사용될 경우의 의미는 작은 나무입니다. 한자로는 **실**이라는 의미가 됩니다. [사]
Quando é usado como uma parte de kanji, significa árvore pequena. Este kanji sozinho significa **fio**.
Cuando se utiliza como parte o radical de un kanji, significa árbol pequeño. Este kanji tiene el significado de **hilo**.

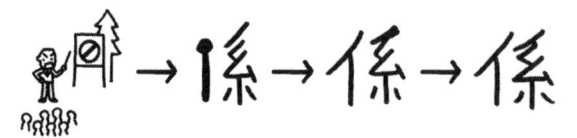

糸 ★46 (p.127 vol.1)

---

421 係
係

The **person in charge** is saying 'No' beside the small tree.
담당자가 작은 나무 옆에서 안된다고 말하고 있습니다. [계]
A pessoa **encarregad**a está ao lado de uma pequena árvore dizendo "Não!".
El **encargado** está diciendo "No" al lado del árbol pequeño.

イ ☆1 (p.4 vol.1)
糸 ★46 (p.127 vol.1)

---

422 機
機

This is a **machine** made of wood. Remember that 幺 and 糸 are different.
나무로 만들어진 베틀짜는 **기계**입니다. '幺'는 '糸'와 형태가 다른 것에 주의하십시오. [기]
Máquina de tecelagem feita de madeira. Fique atento com 幺, diferente de 糸.
Una **máquina** de tejer hecha de madera. Observa que 幺 es diferente a 糸.

木 ★26 (p.40 vol.1)
糸 ★46 (p.127 vol.1)

---

423 関
関

Whether or not you can go through the gates of heaven is **relate**d to your deeds in this world.
천국의 문을 통과할 수 있는지 없는지는 지금 자신의 품행(행위)에 관계가 있습니다(**관계되어** 있습니다). [관]
Você passar ou não pelos portões do paraíso **tem relação** com o seu agir.
El hecho de poder pasar o no por la puerta del cielo **está relacionado** con tu proceder actual.

門 90
天 78

424 交

交 ★27 (p.40 vol.1)

A father wearing a hat **mingle**s with others.

모자를 쓴 아버지가 다른 사람과 **교류합니다**. [교]

Um pai de chapéu **faz**endo **intercâmbio** com outras pessoas.

Un padre con sombrero **intercambi**a opiniones con otras personas.

425 落

艹 ☆35 (p.48 vol.1)
氵 ☆15 (p.26 vol.1)
各 ★66 (p.21)

Water **drop**s from each leaf of a plant growing in the fence.

풀잎에서 물방울이 **떨어지고** 있습니다. [락(낙)]

Caem gotas d'água das plantas que estão dentro da cerca.

Gotas de agua **cae**n de cada una de las hojas de las plantas que crecen tras la cerca.

426 路

足 66
各 ★66 (p.21)

Each of our footsteps can be seen on the **road**.

각각의 사람들 발자국이 **도로**에 남아 있습니다 [로(노)]

Cada rastos de cada um continuam na **rua**.

Las huellas de cada persona quedaron marcadas en la **calle**.

427 練

糸 ★46 (p.127 vol.1)
東 85

You **practice** beside a small tree while watching the sun rise in the east.

작은 나무 옆에서 동쪽에서 떠오르는 아침 해를 보면서 **연습합니다**. [련(연)]

Você **pratica** olhando o sol nascente ao leste do lado de uma árvore.

Practicas al lado de un árbol pequeño mirando el sol que sale por el este.

428 線

糸 ★46 (p.127 vol.1)
白 103
水 48

A stream of water looks like a white **line** when seen from the sky.

물의 흐름을 상공에서 보면 하얀 **선**으로 보입니다. [선]

Se você olhar do céu uma correnteza, vai parecer uma **linha** branca.

El hilo de agua que corre parece una **línea** blanca vista desde el cielo.

429 細

細 細

糸 ★46 (p.127 vol.1)
田 13

There is a small and **skinny** tree beside the rice field.
밭 옆에 작고 **가는** 나무가 서 있습니다. [세]
Há uma árvore **fina** e pequena ao lado do arrozal.
Hay un árbol pequeño y **delgado** al lado del campo de arroz.

430 向

向 向

何 57

What do you see **facing** that direction? This kanji is similar to 何.
맞은편에 무엇이 보입니까? '何' 라는 한자와 형태가 비슷합니다. [향]
O que você vê do **outro lado**? É parecido com 何.
¿Qué se ve allá, al **otro lado**? Este kanji es parecido a 何.

431 局

局 局

尸 ☆55 (p.141 vol.1)
向 430

The building facing that direction appeared to be some sort of store but in fact was a **bureau** building.
맞은편에 가게가 있다고 생각했는데 그것은 **사무국**이었습니다. [국]
Pensei que tivesse um armazém do outro lado, mas era um **escritório**.
Pensé que al otro lado había una tienda, pero en realidad se trata de una **dirección general**.

432 営

営 営

⺌ ☆3 (p.9 vol.1)
口 7

You are not allowed to do any commercial **business** at school.
학교에서 **영업을 하는**(물건을 파는) 것은 안됩니다. [영]
É proibido **fazer** qualquer tipo de **negócios** comerciais (comércio) na escola.
En el colegio no está permitido hacer **negocios**.

433 点

点 点

The good **point** about my key is that it glitters.
제 열쇠의 좋은 **점**은 반짝반짝 빛나고 있는 것입니다. [점]
O **ponto** forte da minha chave é ela ser brilhosa.
Un **punto** favorable de mi llave es su brillo reluciente.

▶意味
第23回 420～440

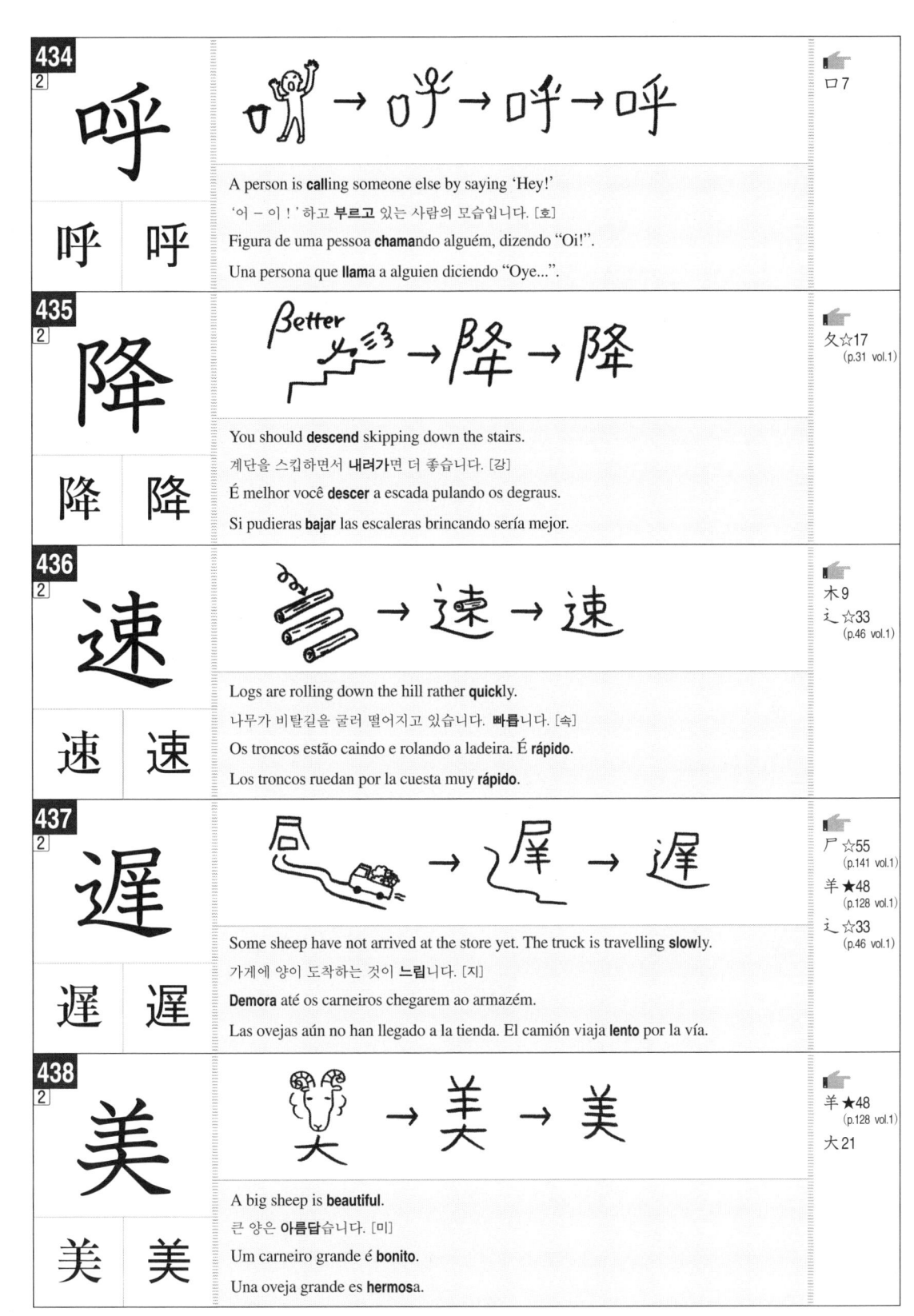

434 呼

口7

A person is **call**ing someone else by saying 'Hey!'
'어 – 이 !' 하고 **부르고** 있는 사람의 모습입니다. [호]
Figura de uma pessoa **chama**ndo alguém, dizendo "Oi!".
Una persona que **llam**a a alguien diciendo "Oye...".

435 降

夂☆17
(p.31 vol.1)

You should **descend** skipping down the stairs.
계단을 스킵하면서 **내려가면** 더 좋습니다. [강]
É melhor você **descer** a escada pulando os degraus.
Si pudieras **bajar** las escaleras brincando sería mejor.

436 速

木9
辶☆33
(p.46 vol.1)

Logs are rolling down the hill rather **quick**ly.
나무가 비탈길을 굴러 떨어지고 있습니다. **빠릅**니다. [속]
Os troncos estão caindo e rolando a ladeira. É **rápido**.
Los troncos ruedan por la cuesta muy **rápido**.

437 遲

尸☆55
(p.141 vol.1)
羊★48
(p.128 vol.1)
辶☆33
(p.46 vol.1)

Some sheep have not arrived at the store yet. The truck is travelling **slow**ly.
가게에 양이 도착하는 것이 **느립**니다. [지]
Demora até os carneiros chegarem ao armazém.
Las ovejas aún no han llegado a la tienda. El camión viaja **lento** por la vía.

438 美

羊★48
(p.128 vol.1)
大21

A big sheep is **beautiful**.
큰 양은 **아름답**습니다. [미]
Um carneiro grande é **bonito**.
Una oveja grande es **hermos**a.

439

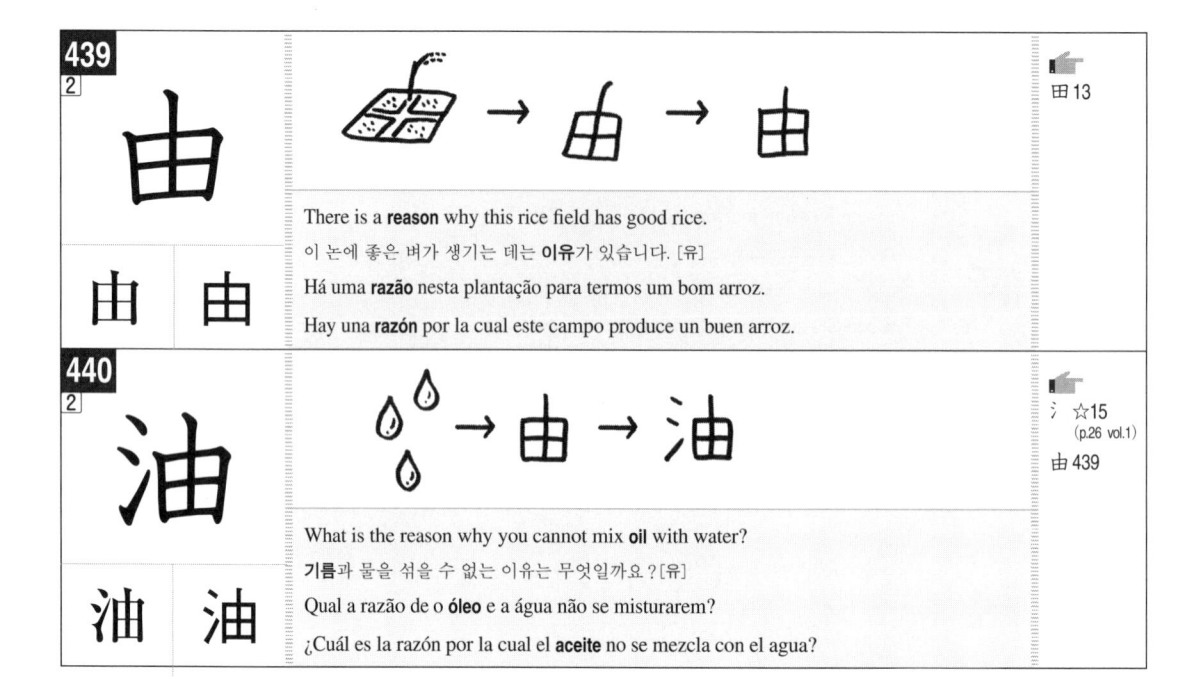

由

由 由

田 13

There is a **reason** why this rice field has good rice.

이 논에 좋은 벼가 생기는 데는 **이유**가 있습니다. [유]

Há uma **razão** nesta plantação para termos um bom arroz.

Hay una **razón** por la cual este campo produce un buen arroz.

440

油

油 油

氵 ☆15
(p.26 vol.1)
由 439

What is the reason why you cannot mix **oil** with water?

기름과 물을 섞을 수 없는 이유는 무엇일까요? [유]

Qual a razão de o **óleo** e a água não se misturarem?

¿Cuál es la razón por la cual el **aceite** no se mezcla con el agua?

第23回

練習問題

Exercise / 연습문제 / Exercícios / Ejercicios

1 意味を書いてください。

速　　遅　　交　　練　　線　　由

降　　糸　　機　　関　　細　　係

路　　呼　　向　　美　　落　　局

営　　点　　油

2 意味を推測して、適当なものをa～eから選んでください。

① 細長い（　　）
② 石油（　　）
③ 終点（　　）
④ 自由（　　）
⑤ 案内係（　　）

a. a terminal / 종점 / ponto final / terminal
b. oil, petroleum / 석유 / petróleo / petróleo
c. freedom / 자유 / liberdade / libertad
d. slender, long and narrow / 가늘고 길다 / longo e estreito / largo y delgado
e. a person in charge of guiding / 안내 담당 / encarregado de informação, guia / guía

3 ことばの意味を推測してください。

① 道路（　　）　　② 美人（　　）
③ 下線（　　）　　④ 交通（　　）
⑤ 薬局（　　）　　⑥ 練習（　　）

4 文の意味を推測してください。

① 将来自分のレストランを持ちたいと思っているので、レストランの営業に関心がある。

② 落し物を交番に持って行く。

③ このコピー機は新しくてとても速い。

④ 次の駅で電車を降りて、向かい側の電車に乗りかえて下さい。

⑤ 30分前にタクシーを呼んだが、まだ来ない。遅れているようだ。

第24回 ストーリーで意味を覚えよう

Let's memorize kanji with its story
스토리로 의미를 배우기
Vamos aprender os significados dos kanjis através das estórias
Aprendamos los significados a través de historias

441 商

立 + 八 + 冏 = 兯 + 冋 = 商 → 商

Eight people are standing and selling things underneath the cover. It is a place of **commerce**.
여덟 명이 서서 커버 안의 물건을 팔면서 **장사하고** 있습니다. [상]
Oito pessoas estão em pé, fazendo **comércio**, vendendo as coisas que estão debaixo de uma cobertura.
Ocho personas paradas se encuentran vendiendo debajo de la cubierta. Es un lugar para el **comercio**.

立 44
冂 ☆34 (p.46 vol.1)
八 33
口 7

442 部

Better!! → 咅β → 咅β → 部

I want to stand up and say, 'I want to go to a better **department**'.
'좀 더 좋은 **부서**에 가고 싶다' 라고 일어서서 말하고 싶다. [부]
Fico de pé e digo: "Eu quero ir para um **departamento** melhor!".
Me gustaría ponerme de pie y decir: "Quiero irme a un **departamento** mejor"

立 44
口 7

443 経

→ 幺 → 経

Time has **pass**ed **through** the years since the small tree was planted. Let's plant another tree.
작은 나무를 심고 나서 시간이 **지났**습니다. 또 나무를 심읍시다. [경]
O tempo **pass**ou desde que plantamos aquelas pequenas árvores. Vamos plantar de novo.
Ha **transcurri**do tiempo desde que planté el pequeño árbol. Plantemos otro árbol otra vez.

糸 ★46 (p.127 vol.1)
又 ★71 (p.73)
土 49

444 済

斉 → 斉 → 済 → 済

Every month I prepare documents by the sweat of my brow. By doing so, my work is **done**. Remember that is 月 different from 月.
매월. 땀을 뻘뻘 흘리면서 문서를 씁니다. 그걸로 제 일은 **끝납니다**. '月'는 '月'과 형태가 다른 것에 주의하십시오. [제]
Todos os meses você sua a camisa para escrever os textos. Então, seu trabalho está **feito**. Fique atento com 月, é diferente de 月.
Cada mes preparo los documentos sudando la gota gorda. Entonces, mi trabajo está **hecho**. Observa que 月 es diferente a 月.

氵 ☆15 (p.26 vol.1)
文 79
月 42

445 払

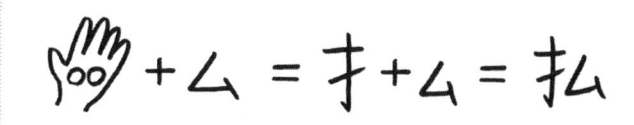

才 ☆29 (p.43 vol.1)
ム ☆40 (p.116 vol.1)
伝 327

When you **pay**, you open your hand. This kanji looks similar to 伝.
지불할 때는 손을 벌려서 돈을 보입니다. 이 한자는 '伝'과 형태가 비슷합니다. [불]
Quando vai **pagar**, você abre a mão para mostrar o dinheiro. Este kanji é parecido com 伝.
Cuando **pag**as extiendes la mano para mostrar el dinero. Este kanji se parece a 伝.

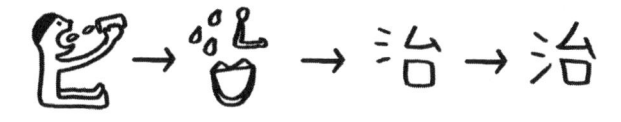

446 治

氵 ☆15 (p.26 vol.1)
ム ☆40 (p.116 vol.1)
口 7

Put some water in your mouth and stretch your legs, and this will **cure** your illness.
물을 입에 넣고 발을 뻗고 있으면 병이 **낫**습니다. [치]
Você coloca água na boca e estica suas pernas e assim sua doença é **cura**da.
Pon agua en tu boca y extiende las piernas, esto **curar**á tu enfermedad.

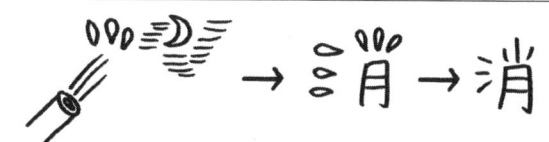

447 消

氵 ☆15 (p.26 vol.1)
月 42

You **extinguish** the fire with water on a moonlit night.
달밤의 화재를 물로 **끕니다**. [소]
Você **apaga** o fogo com água em uma noite de luar.
El incendio de una noche de luna es **apag**ado por el agua.

448 期

月 42

It is a rocket to the moon. It will be a long **term** stay.
달로 향하는 로켓입니다. 그 로켓은 긴 **기간** 달에 체재합니다. [기]
Um foguete que vai a lua. O foguete ficará na lua por um longo **período**.
Un cohete que se dirige a la luna. Permanecerá allí por un **período** largo.

449 第

⺮ ★53 (p.140 vol.1)
弟 176

The younger brothers are fighting for **first** place in the bamboo competition. This kanji comes in front of numbers and denotes sequential order.
동생들은 누가 대나무를 캐는 사람 **제1위**가 될지 경쟁하고 있습니다. '第'는 숫자 앞에 와서 차례를 나타냅니다. [제]
Os irmãos mais novos está discutindo para ver quem fica em **primeiro** lugar na competição de pegar bambus. Este kanji vem antes do número e indica ordem sequencial.
Los hermanos menores compiten por ser el **primero** en la competencia de bambúes. Este kanji se antepone al número para indicar el orden.

450 費

費 → 費 → 費 → 費

貝 ★31
(p.44 vol.1)

It is the dollar and other money. This kanji means **expense**.

달러와 돈입니다. **비용**이라는 의미입니다. [비]

Dólar é dinheiro. Este ideograma significa **custo**.

El signo de dólar y otras monedas. Este kanji tiene el significado de **gastos**.

451 府

广 + 付 = 广 + 付 = 府

广 ☆32
(p.45 vol.1)

付 382

The shops with the mark are supported by the **urban prefecture**s.

부(일본의 행정 구역)가 응원하고 있는 가게에는 마크가 붙어 있습니다. [부]

Há uma marca em todas as lojas apoiadas pela **prefeitura urbana**.

Las tiendas que llevan una marca reciben el apoyo de la **prefectura urbana**.

452 数

1.2.3... → 數 → 数 → 数

米 116
☆14
(p.26 vol.1)
女 16
❗ 教 268

A woman with a flag is **count**ing bags of bad rice. This kanji is similar to 教.

깃발을 가진 여자가 좋지 않은 쌀을 **세고** 있습니다. '教'와 형태가 비슷합니다. [수]

Uma mulher com uma bandeira na mão está **cont**ando os grãos de arroz que não servem. A forma deste kanji é semelhante a 教.

La mujer con la bandera está **cont**ando las bolsas de arroz en mal estado. Este kanji es parecido a 教.

453 故

NO ENTRY → 故 → 故

古 36
☆14
(p.26 vol.1)

An × is drawn on a flag. There seems to be some sort of **incident**.

낡은 깃발에 ×라고 써 있습니다. **사고**가 있었습니다. [고]

Tem um × escrito em uma bandeira velha. Houve algum **acidente**.

La bandera vieja lleva una ×. Parece que ha habido un **incidente**.

454 政

正 → 政 → 政

正 64
☆14
(p.26 vol.1)

It is **politics** that corrects the wrong. Note that ⺜ is different from 正.

좋지 않은 것을 바로잡는 것은 **정치**입니다. '⺜'는 '正'과 형태가 다른 것에 주의하십시오. [정]

É a **política** que corrige tudo o que não é correto. Fique atento com ⺜, diferente de 正.

La **política** debe corregir los errores. Observa que ⺜ es diferente a 正.

455 驚

驚 驚

The horse is **surpris**ed to see the flag with "NO" written over the fence. Note that 句 is not the same as 向.

울타리 맞은편의 깃발에 '가서는 안 된다'라는 신호가 있어서 말이 **놀라고** 있습니다. '向'이 '句'로 되어 있는 것에 주의하십시오. [경]

O cavalo fica **assusta**do ao olhar a bandeira do outro lado da cerca, onde está escrito que é proibido entrar. Fique atento com 句 não é igual a 向.

El caballo está **sorprend**ido porque la bandera al otro lado de la cerca dice "No pasar". Observa que 句 no es igual a 向.

艹 ☆35 (p.48 vol.1)
向 430
宀 ☆14 (p.26 vol.1)
馬 113

456 良

良 良

Giving a gift is a **good** deed.

선물을 하는 것은 **좋은** 행위입니다. [량(양)]

Presentear é uma **boa** ação.

Obsequiar es algo **bueno**.

良 ★18 (p.31 vol.1)

☆73 厂

厂 厂

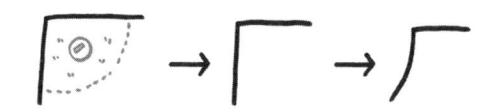

Field

들판입니다.

Campo

Campo

457 歴

歴 歴

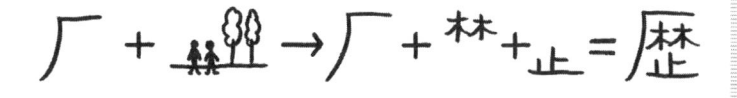

You pause in the field and retrace your **personal history** looking at the trees.

들판에서 발을 멈추고 나무들을 바라보면서 **자신의 역사**를 되돌아봅니다. [력(역)]

Você para no campo e observa as árvores para relembrar sua **história pessoal**.

En el campo te detienes y, observando los árboles, rememoras tu **historia personal**.

厂 ☆73 (p.87)
木 9
止 63

458 農

農 農

You grow good rice in this field. There is a lot of **farming** here. Remember that 辰 is different from 良.

이 논에서는 좋은 쌀이 수확됩니다. 여기는 **농업**이 번성하고 있습니다. '辰'과 '良'의 형태가 다른 것에 주의하십시오. [농]

Pode-se colher um bom arroz neste arrozal. A **agricultura** nesta região é bastante próspera. Fique atento com a diferença entre os ideogramas 辰 e 良.

En este campo se cosecha un buen arroz. Aquí la **agricultura** es próspera. Observa que 辰 es diferente a 良.

田 13
厂 ☆73 (p.87)
良 ★18 (p.31 vol.1)

459

原

原 原

厂 + 白 + 小 = 原 → 原

That small and white field is my **beginning**. This kanji also means a **field**.
하얗고 작은 들판은 제 **원점**입니다. 이 한자에는 **들판**이라는 의미도 있습니다. [원]
O campo branco e pequeno é a minha **origem**. Este kanji tem o significado de **campo** também.
Aquel campo blanco y pequeño marca mi **principio**. Este kanji también tiene el significado de **campo**.

厂 ☆73(p.87)
白 103
小 23

460

願

願 願

原 + 頁 = 願

In a field you write a page of your **wish**es.
들판에서 페이지에 **소원**(원하는 것)을 적습니다. [원]
Num campo, você escreve seus **desejo**s em alguma página do caderno.
En el campo escribo una página con mis **deseo**s.

原 459
頁 ★60
(p.157 vol.1)

461

史

史 史

⬚人 → 口人 → 史 → 史

History is a story passed from generation to generation by word of mouth. Remember that ㄱ is different from 人.
역사는 사람이 입으로 전한 이야기입니다. 'ㄱ'는 '人'과 형태가 다른 것에 주의하십시오. [사]
História é tudo aquilo que foi contado pelas pessoas e transmitido de geração em geração. Fique atento com ㄱ, diferente de 人.
La **historia** es un relato transmitido de boca en boca por las personas. Observa que ㄱ es diferente a 人.

口 7
人 8

第24回

練習問題

Exercise / 연습문제 / Exercícios / Ejercicios

1 意味を書いてください。

数	故	政	商	期	府
部	驚	第	良	歴	治
消	経	農	原	済	払
願	史	費			

2 意味を推測して、適当なものをa～eから選んでください。

① 部屋　　（　　）
② 前払い　（　　）
③ 消化　　（　　）
④ 願書　　（　　）
⑤ 経験　　（　　）

a. experience / 경험 / experiência / experiencia
b. advance payment / 선불 / pagamento adiantado / pago por adelantado
c. digestion / 소화 / digestão / digestión
d. a room / 방 / quarto / habitación
e. an application form / 원서 / requerimento / solicitud

3 ことばの意味を推測してください。

① 政治家　　（　　　　）　② 商品　　　　（　　　　）
③ 第一位　　（　　　　）　④ 世界の歴史　（　　　　）
⑤ 不良品　　（　　　　）　⑥ 春学期　　　（　　　　）

4 文の意味を推測してください。

① 東京に引っこしたら、食費が一ヶ月2万円も多くかかって驚いた。

② インターネットで農家から直接野菜を買っている。

③ 日本酒の原料はお米です。

④ 週末は遊びたいので、数学の宿題を金曜までに済ませたいと思う。

⑤ 車の事故で、道が通行止めになった。

第25回 ストーリーで意味を覚えよう

Let's memorize kanji with its story
스토리로 의미를 배우기
Vamos aprender os significados dos kanjis através das estórias
Aprendamos los significados a través de historias

462 [2] 深 深 深	(illustration) → 深 → 深 → 深	⺡ ☆15 (p.26 vol.1) 人 8 木 9
	A person is trying to grab a branch in the **deep** water. 깊은 물 속에서 사람이 나무를 붙잡으려 하고 있습니다. [심] Uma pessoa está tentando pegar uma árvore no **fundo** do mar. En aguas **profund**as, una persona trata de aferrarse a un tronco.	

☆74 戋 戋 戋	(ruler) → 戋 → 戋 → 戋	
	You **measure** the length with a ruler. 자로 길이를 잽니다. Você **med**e o comprimento (distância) com régua. Con una regla **med**imos el largo.	

463 [2] 残 残 残	一 + 夕 + (bowl) = 残 → 残	一 1 夕 69 戋 ☆74 (p.90)
	In the evening you measure out one serving and eat the **leftover**. 저녁에 일인분의 양을 재고 **나머지** 음식을 먹습니다. [잔] De tarde, você mede a quantidade de cada pessoa e come o **restante**. Al atardecer, medimos una porción de comida y nos comemos el **resto**.	

464 [2] 念 念 念	今 + 心 = 念	今 61 心 ★43 (p.121 vol.1)
	The **mind** is the present state of your heart. 심정이라는 것은 지금의 마음의 상태입니다. [념(염)] O **sentimento** é o atual estado do seu coração. La **mente** es el estado actual de nuestros corazones.	

465 泳

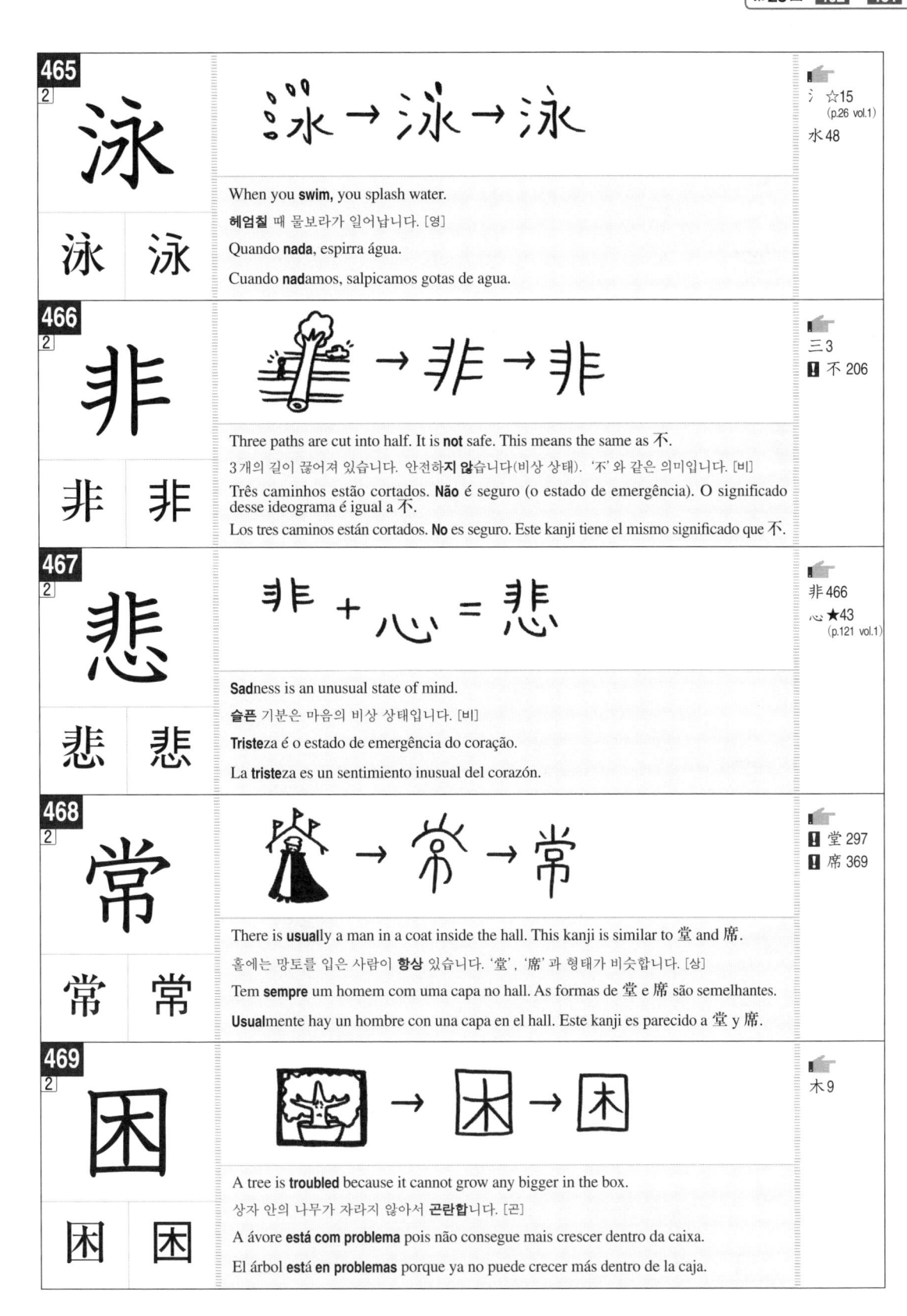

氵15 (p.26 vol.1)
水 48

When you **swim**, you splash water.
헤엄칠 때 물보라가 일어납니다. [영]
Quando **nada**, espirra água.
Cuando **nad**amos, salpicamos gotas de agua.

466 非

三 3
！不 206

Three paths are cut into half. It is **not** safe. This means the same as 不.
3개의 길이 끊어져 있습니다. 안전하**지 않**습니다(비상 상태). '不'와 같은 의미입니다. [비]
Três caminhos estão cortados. **Não** é seguro (o estado de emergência). O significado desse ideograma é igual a 不.
Los tres caminos están cortados. **No** es seguro. Este kanji tiene el mismo significado que 不.

467 悲

非 466
心 ★43 (p.121 vol.1)

非 + 心 = 悲

Sadness is an unusual state of mind.
슬픈 기분은 마음의 비상 상태입니다. [비]
Tristeza é o estado de emergência do coração.
La **triste**za es un sentimiento inusual del corazón.

468 常

！堂 297
！席 369

There is **usual**ly a man in a coat inside the hall. This kanji is similar to 堂 and 席.
홀에는 망토를 입은 사람이 **항상** 있습니다. '堂', '席' 과 형태가 비슷합니다. [상]
Tem **sempre** um homem com uma capa no hall. As formas de 堂 e 席 são semelhantes.
Usualmente hay un hombre con una capa en el hall. Este kanji es parecido a 堂 y 席.

469 困

木 9

A tree is **troubled** because it cannot grow any bigger in the box.
상자 안의 나무가 자라지 않아서 **곤란합**니다. [곤]
A ávore **está com problema** pois não consegue mais crescer dentro da caixa.
El árbol está **en problemas** porque ya no puede crecer más dentro de la caja.

470

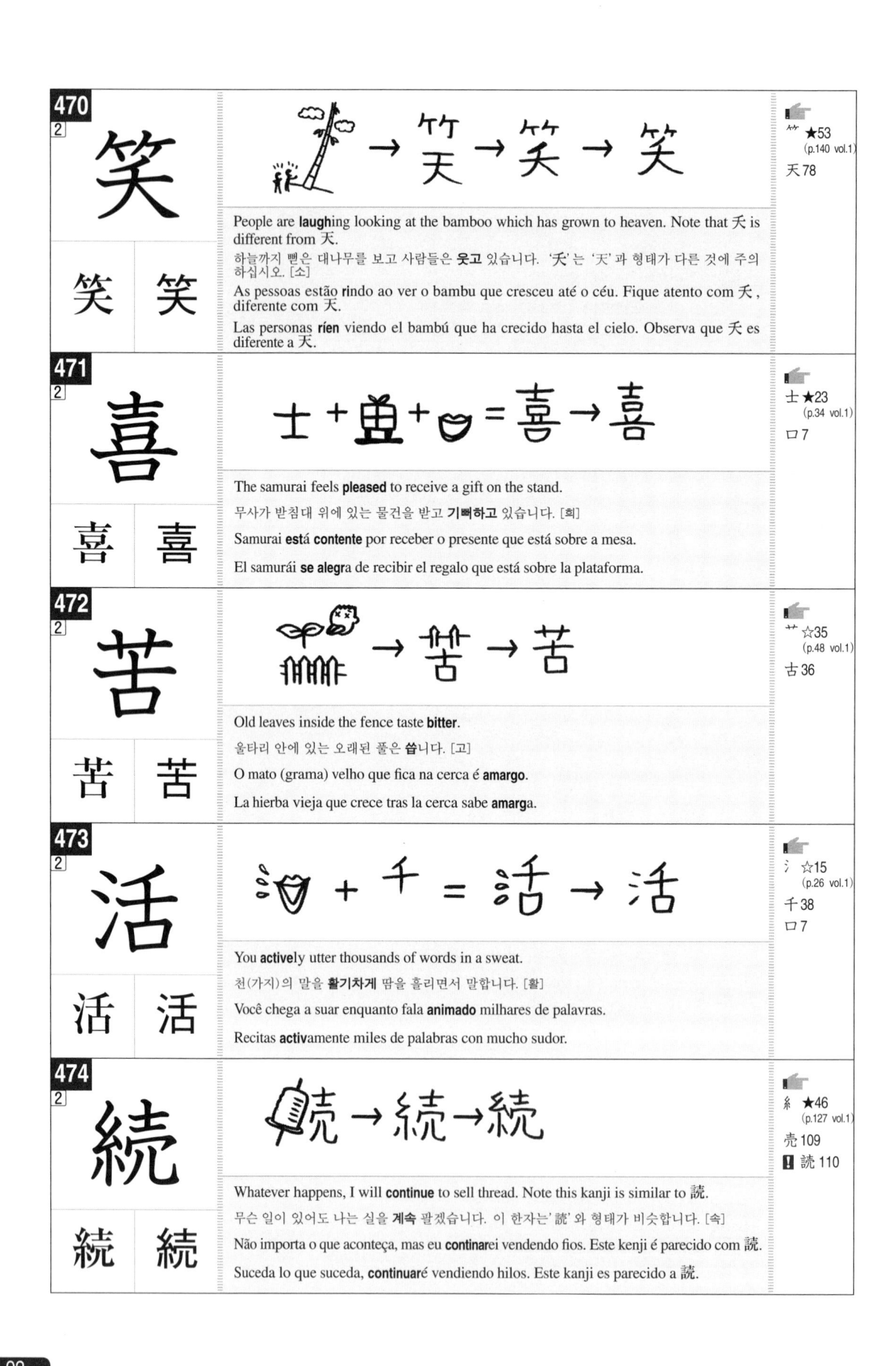

笑

笑　笑

People are **laugh**ing looking at the bamboo which has grown to heaven. Note that 夭 is different from 天.

하늘까지 뻗은 대나무를 보고 사람들은 **웃고** 있습니다. '夭'는 '天'과 형태가 다른 것에 주의하십시오. [소]

As pessoas estão **rindo** ao ver o bambu que cresceu até o céu. Fique atento com 夭, diferente com 天.

Las personas **ríen** viendo el bambú que ha crecido hasta el cielo. Observa que 夭 es diferente a 天.

★53 (p.140 vol.1)
夭 78

471

喜

喜　喜

The samurai feels **pleased** to receive a gift on the stand.

무사가 받침대 위에 있는 물건을 받고 **기뻐하고** 있습니다. [희]

Samurai **está contente** por receber o presente que está sobre a mesa.

El samurái **se alegra** de recibir el regalo que está sobre la plataforma.

士 ★23 (p.34 vol.1)
口 7

472

苦

苦　苦

Old leaves inside the fence taste **bitter**.

울타리 안에 있는 오래된 풀은 **씁**니다. [고]

O mato (grama) velho que fica na cerca é **amargo**.

La hierba vieja que crece tras la cerca sabe **amarg**a.

艹 ☆35 (p.48 vol.1)
古 36

473

活

活　活

You **active**ly utter thousands of words in a sweat.

천(가지)의 말을 **활기차게** 땀을 흘리면서 말합니다. [활]

Você chega a suar enquanto fala **animado** milhares de palavras.

Recitas **activa**mente miles de palabras con mucho sudor.

氵 ☆15 (p.26 vol.1)
千 38
口 7

474

続

続　続

Whatever happens, I will **continue** to sell thread. Note this kanji is similar to 読.

무슨 일이 있어도 나는 실을 **계속** 팔겠습니다. 이 한자는 '読'와 형태가 비슷합니다. [속]

Não importa o que aconteça, mas eu **continuarei** vendendo fios. Este kenji é parecido com 読.

Suceda lo que suceda, **continuaré** vendiendo hilos. Este kanji es parecido a 読.

糸 ★46 (p.127 vol.1)
売 109
❗ 読 110

475 組

組 組

繺 → 組 → 組

Many departments come together to become one **organiz**ed body.
여러 개의 부서가 모여서 **조직**이 됩니다. [조]
Alguns departamentos se juntam e formam uma **organização**.
Varios departamentos se juntan para formar una institución **organiz**ada.

糸 ★46
(p.127 vol.1)

476 専

専 専

䆲 → 㫪 → 専

Working in the field for ten years has allowed him to grow rice as a **specialty**.
논에서 10년 일하면 쌀 만들기의 **전문**가가 됩니다. [전]
Se você trabalhar por 10 anos num arrozal, va se tornar um **especiali**sta em cultivo de arroz.
Trabajar en el arrozal por diez años hizo del cultivo de arroz su **especialidad**.

十 35
田 13
寸 ★28
(p.41 vol.1)

477 再

再 再

一 + 用 → 用 → 再 → 再

For the environment, we **re**use things.
환경을 위해서 한번 더 사용합니다(**재**이용합니다). [재]
Reutilizar em prol do meio ambiente.
Para cuidar el medio ambiente, **re**utilizamos las cosas.

一 1
用 204

478 共

共 共

𦭴 → 廾 → 共

Two people are **together** hand in hand.
두 명의 사람이 **함께** 손을 맞잡고 있습니다. [공]
Duas pessoas estão **junt**as dando as mãos.
Dos personas **junt**as tomadas de la mano.

479 講

講 講

講 → 講 → 講

Let's go to the **lecture** together again. Remember that 井 and 共 are different.
저 **강의**를 함께 다시 들읍시다. '井'는 '共'와 형태가 다른 것에 주의하십시오. [강]
Vamos ouvir aquela **palestra** juntos novamente. Fique atento com 井, diferente de 共.
Vayamos a la **conferencia** juntos otra vez. Observa que 井 y 共 son diferentes.

言 ★22
(p.34 vol.1)
共 478
再 477

480

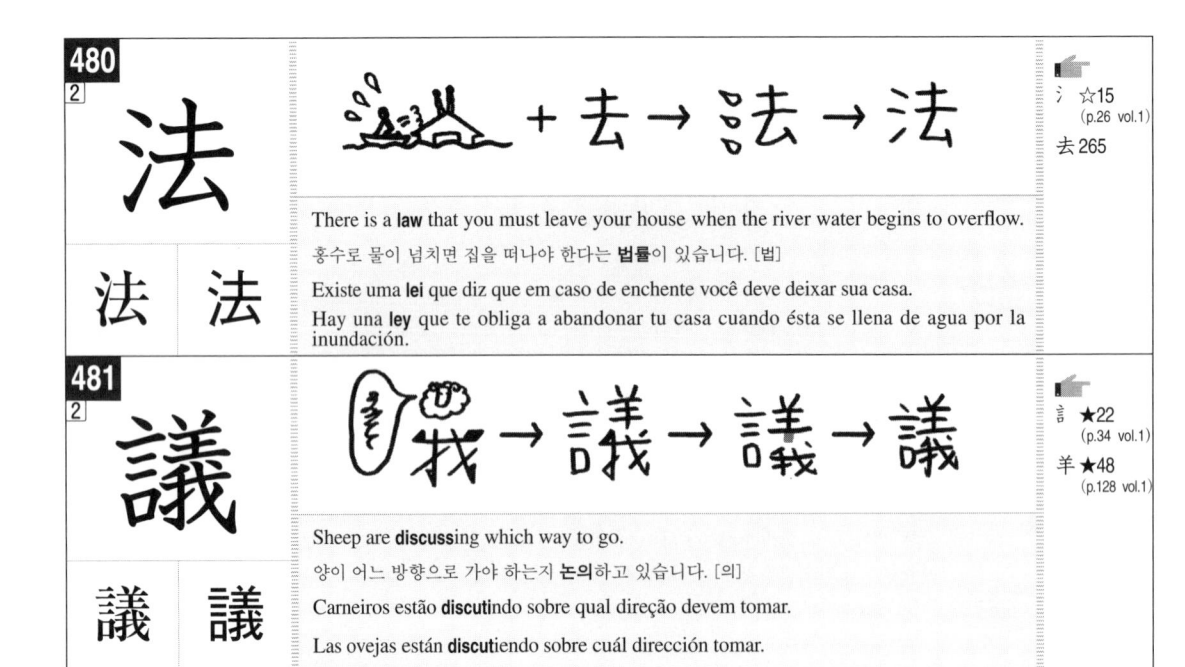

法

法 法

法 + 去 → 法 → 法

There is a **law** that you must leave your house when the river water begins to overflow.

홍수로 물이 넘치면 집을 떠나야 한다는 **법률**이 있습니다. [법]

Existe uma **lei** que diz que em caso de enchente você deve deixar sua casa.

Hay una **ley** que te obliga a abandonar tu casa cuando ésta se llena de agua por la inundación.

氵 ☆15 (p.26 vol.1)
去 265

481

議

議 議

我 → 議 → 議 → 議

Sheep are **discuss**ing which way to go.

양이 어느 방향으로 가야 하는지 **논의**하고 있습니다. [의]

Carneiros estão **discut**indo sobre qual direção devem tomar.

Las ovejas están **discut**iendo sobre cuál dirección tomar.

言 ★22 (p.34 vol.1)
羊 ★48 (p.128 vol.1)

第25回

練習問題

Exercise / 연습문제 / Exercícios / Ejercicios

1 意味を書いてください。

念	共	法	笑	議
非	続	専	組	残
悲	深	泳	常	困
喜	苦	講	再	活

2 意味を推測して、適当なものをa～eから選んでください。

① 深夜番組 (　　)
② 講堂 (　　)
③ 卒業記念 (　　)
④ 残業 (　　)
⑤ 共働き (　　)

a. husband and wife are employed / 맞벌이 / marido e esposa trabalham / ambos (esposos) trabajan
b. working overtime / 잔업 / hora-extra / horas extras
c. a late night TV programme / 심야 프로 / programa de madrugada / programa de medianoche
d. commemoration of the graduation / 졸업 기념 / comemoração de formatura / aniversario de graduación
e. a lecture hall / 강당 / auditório / auditorio

3 ことばの意味を推測してください。

① 専門家 (　　)　② 文法 (　　)
③ 非常口 (　　)　④ 笑顔 (　　)
⑤ 再入国 (　　)　⑥ 水泳 (　　)

4 文の意味を推測してください。

① 学校が忙しくてバイトをする時間もないので、生活費が足りなくて困っている。

② 試合で一点も取れなくて、本当に悲しかった。

③ この薬は苦くて飲みにくい。

④ 会議が長時間続いている。

⑤ 台風でクラスが休講になったので、学生が喜んだ。

第26回 ストーリーで意味を覚えよう

Let's memorize kanji with its story
스토리로 의미를 배우기
Vamos aprender os significados dos kanjis através das estórias
Aprendamos los significados a través de historias

---

482 調

言 + 土 + 囗 = 調 → 調

言 ★22 (p.34 vol.1)
冂 ☆34 (p.46 vol.1)
土 49
口 7
週 143

I was told to **check** the thing underneath the cover I bought on Saturday. This kanji looks similar to 週.

토요일에 산 카바 안의 물건을 **조사해** 달라는 말을 들었습니다. 이 한자는 '週' 과 형태가 비슷합니다. [조]

Me disseram para **checar** o que eu comprei no sábado dentro da tenda (cobertura). A forma deste kanji é semelhante a 週.

Me dijeron que **revisará** lo que hay dentro de la cubierta que compré el sábado. Este kanji es parecido a 週.

---

483 協

3→10 → 十 力力 → 十 力力

十 35
力 14

Three people combine their power and **cooperate**. It will be as powerful as ten people.

협력하면 3명의 힘은 10명분의 힘이 됩니다. [협]

Quando há **cooperação** a força de três pessoas equivale a de dez.

Cuando tres personas unen sus fuerzas y **cooper**an, logran la fuerza de diez.

★75 黄

共 + 由 = 共 + 由 = 黄

共 478
由 439

The reason why two people are waiting is because the traffic light is still **yellow**.

신호가 **노란색**이기 때문에 두 명의 사람이 같이 기다리고 있습니다. [황]

A razão de as duas pessoas estarem juntas esperando é porque o sinal está **amarelo**.

El semáforo en **amarillo** es la razón por la cual aquellas dos personas esperan juntas.

---

484 横

木 + 黄 = 横

木 ★26 (p.40 vol.1)
黄 ★75 (p.96)

I am by the **side** of a yellow tree.

저는 노란 나무 **옆**에 있습니다. [횡]

Eu estou ao **lado** da árvore amarela.

Estoy al **lado** de un árbol amarillo.

▶意味
第26回 482〜500

485 焼

火 + 十 + 共 = 焼 → 烧 → 燒

Ten people have gathered. Let us **burn** some wood and eat something. Remember that 艹 is different from 共.

10명 모였습니다. 같이 음식을 **구워서** 먹읍시다. '艹'는 '共'와 형태가 다른 것에 주의하십시오. [소]

Reuniram-se dez pessoas. Vamos **assar** algumas coisas para comer. Fique atento com 艹, diferente de 共.

Diez personas se han juntado alrededor del fuego. Vamos a **asar** algo para comer. Recuerda que 艹 es diferente a 共.

火 47
十 35
共 478

486 備

イ + 共 + 用 = 備 → 俻 → 備

People **prepare** goods which they can use together in case of a disaster.

화재가 일어났을 때를 **대비**해서 사람은 사용할 수 있는 물건을 준비해 둡니다. [비]

As pessoas **prepara**m aquilo que vão utilizar juntos em caso de desastre.

Las personas **prepar**an las cosas que podrán utilizar juntas en caso de desastres.

イ ☆1 (p.4 vol.1)
共 478
用 204

487 準

🧍‍♂️ → 十 → 準

You collect ten things in a sweat and decide the **standard**.

땀을 흘리면서 열심히 열 개의 물건을 모아서 **기준**을 결정합니다. [준]

Você sua a camisa para juntar dez objetos e decidir o **padrão**.

Puedes recolectar diez cosas con mucho sudor y esfuerzo para establecer una **norma**.

氵 ☆15 (p.26 vol.1)
隹 ☆61 (p.159 vol.1)
十 35

488 難

🧍 → 莫隹 → 莫隹 → 難

My husband has poor eyesight, so it is **difficult** for him to collect plants inside the fence.

남편은 눈이 나빠서 울타리 안에서 풀을 모으는 것이 **어려운** 것 같습니다. [난]

Meu marido tem a visão fraca, por isso é **difícil** para ele catar as gramas que ficam na cerca.

A mi esposo le es **difícil** recolectar las hierbas que crecen tras la cerca por su problema de la vista.

艹 ☆35 (p.48 vol.1)
夫 348
隹 ☆61 (p.159 vol.1)

489 離

🧍 → 离隹 → 离隹 → 離

I put on a hat, gather my belongings and **separate** myself from my partner. The meaning of this kanji is the same as that of 別.

나는 모자를 쓰고 짐을 모아서 애인으로부터 **떠납니다**. [리(이)]

Coloco meu chapéu, junto minhas coisas e me **separo** do meu namorado. O significado desse kanji é igual ao de 別.

Me puse mi sombrero, junté mis pertenencias y me **separé** de mi pareja. Este kanji tiene el mismo significado que 別.

亠 ☆11 (p.21 vol.1)
隹 ☆61 (p.159 vol.1)
❗ 別 295

490

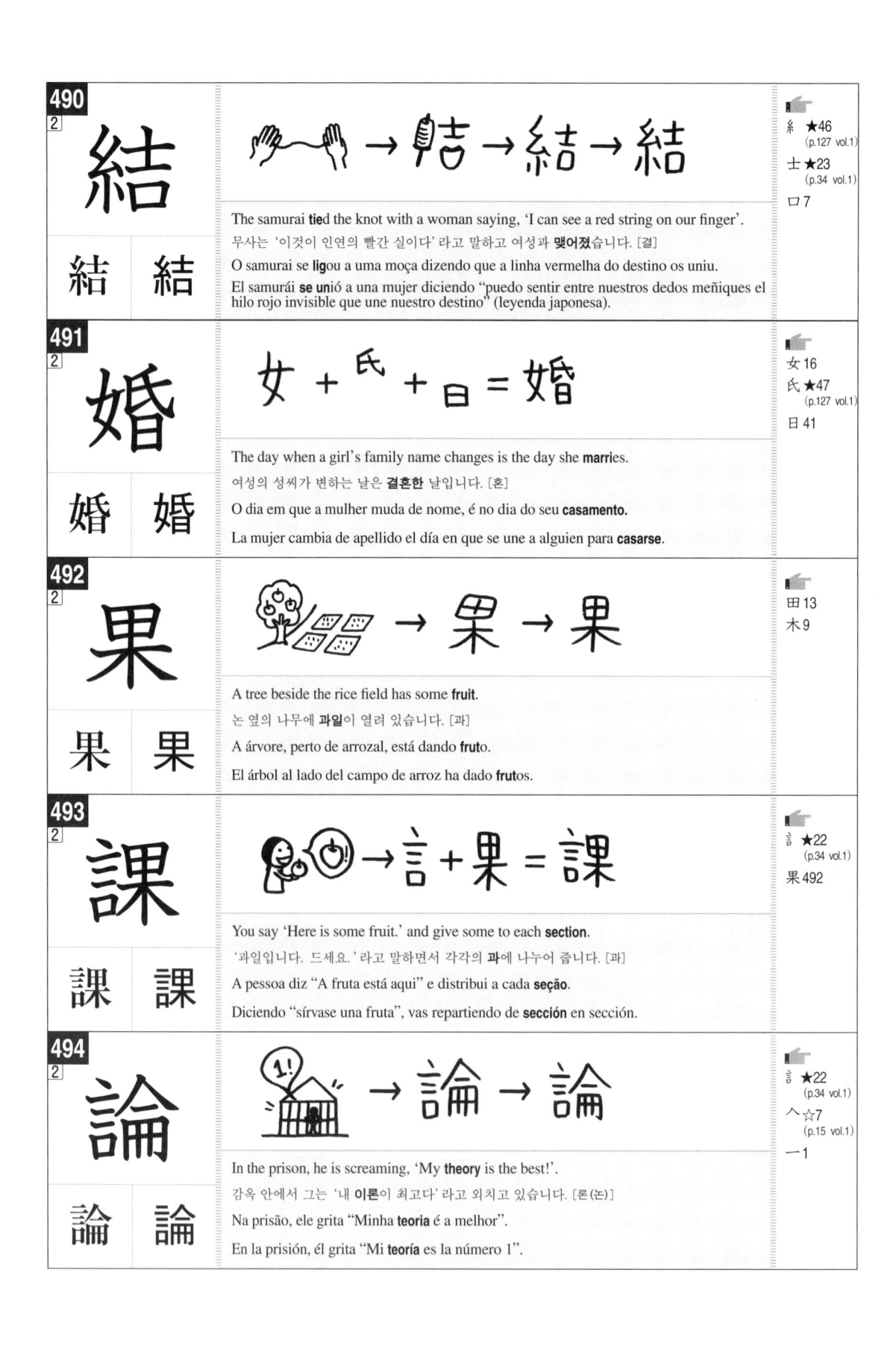

結

結　結

The samurai tied the knot with a woman saying, 'I can see a red string on our finger'.

무사는 '이것이 인연의 빨간 실이다' 라고 말하고 여성과 **맺어졌**습니다. [결]

O samurai se **lig**ou a uma moça dizendo que a linha vermelha do destino os uniu.

El samurái **se un**ió a una mujer diciendo "puedo sentir entre nuestros dedos meñiques el hilo rojo invisible que une nuestro destino" (leyenda japonesa).

糸 ★46 (p.127 vol.1)
士 ★23 (p.34 vol.1)
口 7

491

婚

婚　婚

女 + 氏 + 日 = 婚

The day when a girl's family name changes is the day she **marri**es.

여성의 성씨가 변하는 날이 **결혼한** 날입니다. [혼]

O dia em que a mulher muda de nome, é no dia do seu **casamento**.

La mujer cambia de apellido el día en que se une a alguien para **casarse**.

女 16
氏 ★47 (p.127 vol.1)
日 41

492

果

果　果

A tree beside the rice field has some **fruit**.

논 옆의 나무에 **과일**이 열려 있습니다. [과]

A árvore, perto de arrozal, está dando **frut**o.

El árbol al lado del campo de arroz ha dado **frut**os.

田 13
木 9

493

課

課　課

言 + 果 = 課

You say 'Here is some fruit.' and give some to each **section**.

'과일입니다. 드세요.' 라고 말하면서 각각의 **과**에 나누어 줍니다. [과]

A pessoa diz "A fruta está aqui" e distribui a cada **seção**.

Diciendo "sírvase una fruta", vas repartiendo de **sección** en sección.

言 ★22 (p.34 vol.1)
果 492

494

論

論　論

In the prison, he is screaming, 'My **theory** is the best!'.

감옥 안에서 그는 '내 **이론**이 최고다' 라고 외치고 있습니다. [론(논)]

Na prisão, ele grita "Minha **teoria** é a melhor".

En la prisión, él grita "Mi **teoría** es la número 1".

言 ★22 (p.34 vol.1)
入 ☆7 (p.15 vol.1)
一 1

495 效

効 効

交 + 力 = 効

When one power mingles with another, you have a bigger **effect**.
힘이 섞이면 큰 **효과**를 얻을 수 있습니다. [효]
Quando juntamos as forças, conseguimos um grande **efeito**.
Cuando hay un intercambio de fuerzas, el **efecto** es mayor.

交 ★27 (p.40 vol.1)
力 14

496 受

受 受

一 + 冖 + 又 = 受 → 受

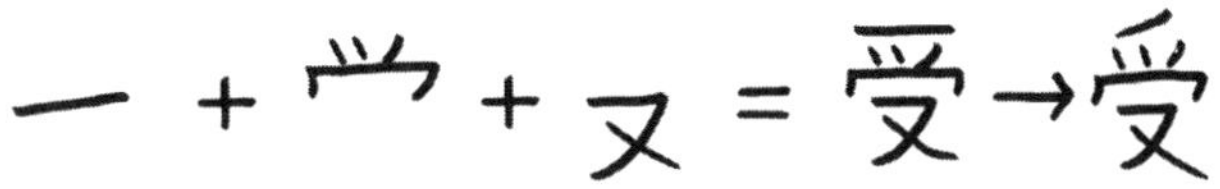

You go to school again to get or **receive** another certificate.
또 다른 학교에 갑니다. 또 자격을 따기(**받기**) 위해서 입니다. [수]
Eu vou à escola para adquirir (**receber**) outro certificado.
Vas a una escuela otra vez para **recibir** mayor calificación.

一 1
冖 ☆3 (p.9 vol.1)
又 ★71 (p.73)

497 設

設 設

言 + 殳 = 設 → 設

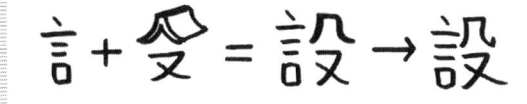

You read the instruction manual again to **set up** the machine.
다시 한번 설명서를 읽고 기계를 **설치합니다**. [설]
Você lê o manual mais uma vez e **instala** a máquina.
Lee otra vez lo que dice el manual de instrucciones para **instalar** la máquina.

言 ★22 (p.34 vol.1)
又 ★71 (p.73)

498 取

取 取

✋ + 又 = 耳 + 又 = 取

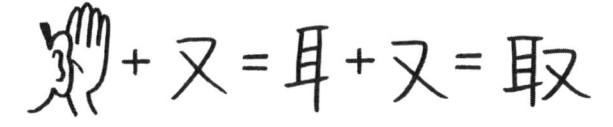

Please listen well again and **take** notes.
다시 한번 잘 듣고 메모를 해(**취해**) 주세요. [취]
Escute mais uma vez e **tome** nota.
Escucha otra vez con atención y **toma** nota.

耳 89
又 ★71 (p.73)

499 最

最 最

日 + 取 = 最 → 最 → 最

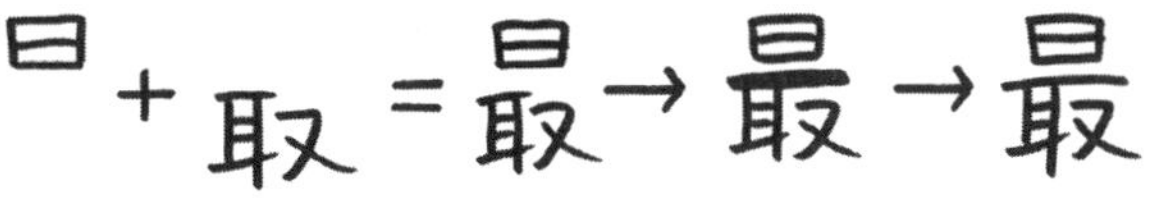

The day you get a holiday is the **best** day. Remember 冣 and 取 are a little different.
휴가를 받은 날은 **가장** 좋은 날입니다. '冣'은 '取'와 형태가 다른 것에 주의하십시오. [최]
O **melhor** dia é aquele em que consegue tirar folga. Fique atento com 冣, diferente de 取.
El día **más** bueno, el mejor, es aquel en que puedes tomar un descanso. Observa que 冣 y 取 son diferentes.

日 41
取 498

500
[2]

寝

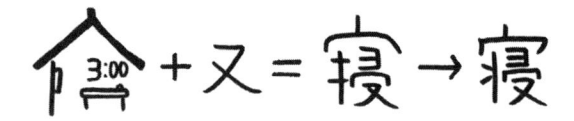

寝　寝

宀 + 又 = 寝 → 寝

宀 ☆2 (p.5 vol.1)
又 ★71 (p.73)

You are at home and at 3 o'clock you go to **sleep** again in your bed.

3시에 다시 한번 집의 침대에서 **잡니다**. [침]

Eu **d**urmo de novo às 3h na cama lá de casa.

Estás en casa y a las 3 otra vez **dormir**ás en tu cama.

第26回

練習問題

Exercise / 연습문제 / Exercícios / Ejercicios

① 意味を書いてください。

取	備	難	課	論
調	果	効	設	最
寝	離	横	焼	受
結	婚	準	協	

② 意味を推測して、適当なものをa〜eから選んでください。

① 難民問題（ 　 ）
② 予備校（ 　 ）
③ 結論　（ 　 ）
④ 有効　（ 　 ）
⑤ 準急　（ 　 ）

a. conclusion / 결론 / conclusão / conclusión
b. a private cram school for university entrance examinations / 학원 / curso preparatório para vestibular / escuela preparatoria
c. a local express train / 준급 (준급행 열차) / semi-expresso / tren semi-expreso
d. validity / 유효 / validade / válido
e. an issue on refugees / 난민 문제 / questão envolvendo os refugiados / problema de refugiados

③ ことばの意味を推測してください。

① 最高気温（ 　 ）　　② 離婚　　（ 　 ）
③ 新婚旅行（ 　 ）　　④ 果物　　（ 　 ）
⑤ 焼き鳥　（ 　 ）　　⑥ 初期設定（ 　 ）

④ 文の意味を推測してください。

① 会議がスムーズに進むように、みなさまご協力ください。
② 商品をどこに売りに行ったらいいか、営業課が調べている。
③ この薬は高いが、とてもよく効くいい薬だ。
④ 彼の横に座っているのが、石田さんです。
⑤ 昼寝をした後で、新しい保険証を受け取りに区役所に行く。

第 22 回 読み方と書き方を覚えよう

Let's learn reading and writing
읽는 법과 쓰는 법 배우기
Vamos aprender a ler e a escrever
Aprendamos la lectura y la escritura de los kanjis

401 血 (6)
blood / 피[혈] / sangue / sangre

血 ③	ち	chi	blood / 피 / sangue / sangre
血液型	けつえきがた	**ketsu**ekigata	blood type / 혈액형 / tipo sanguíneo / grupo sanguíneo
高血圧	こうけつあつ	kō**ketsu**atsu	high blood pressure / 고혈압 / hipertensão / hipertensión

ち
けつ

402 温 (12)
warm / 따뜻하다[온] / caloroso / tibio

温かい ④	あたたかい	**atata**kai	warm / 따뜻하다 / caloroso, morno / tibio
温泉 ②	おんせん	**on**'sen	hot spring / 온천 / águas termais / baños termales
温度 ②	おんど	**on**'do	temperature / 온도 / temperatura / temperatura

あたた - かい
あたた - まる
あたた - める
おん

403 暖 (13)
warm weather / 따뜻하다[난] / aquecido / templado

暖かい ④	あたたかい	**atata**kai	(weather) warm / 따뜻하다 / quente / templado
暖める	あたためる	**atata**meru	to warm up (something) / 데우다 / aquecer / calentar
暖まる	あたたまる	**atata**maru	(something) warms up / 따뜻해지다 / aquecer-se / calentarse
暖房する ③	だんぼうする	**dan**'bō suru	to heat (a room) / 난방하다 / ligar o aquecedor / calentar (una habitación)
(地球)温暖化	(ちきゅう)おんだんか	(chikyū) on'**dan**'ka	(global) warming / (지구) 온난화 / aquecimento (global) / calentamiento (global)

あたた - かい
あたた - まる
あたた - める
だん

▶読み方と書き方
第22回 401〜419

404 湯 (12)
hot water / 끓인 물[탕] / água quente / agua caliente

(お)湯 ③	おゆ	oyu	hot or warm water / 끓인 물 / água quente / agua caliente
熱湯 ①	ねっとう	nettō	boiling water / 열탕 / água fervente / agua hirviendo

- ゆ
- とう

405 熱 (15)
heat / 뜨겁다[열] / quente / caliente

熱い ④	あつい	atsui	hot / 뜨겁다 / quente / caliente
熱 ①	ねつ	netsu	heat / 열 / calor / calor
熱心な ③	ねっしんな	nesshin' na	earnest, enthusiastic / 열심인 / entusiasmo / entusiasta, aplicado
熱中する ②	ねっちゅうする	necchū suru	to be absorbed in doing (something) / 열중하다 / entusiasmar-se / apasionarse por

- あつ-い
- ねつ / ねっ

406 割 (12)
split / 쪼개다[할] / dividir / partir

割合 ③	わりあい	wariai	proportion / 비율 / proporção / proporción
割れる ③	われる	wareru	(something like china or glass) breaks / 깨지다, 쪼개지다 / quebrar / romperse, quebrarse
役割 ②	やくわり	yakuwari	role / 역할 / papel / papel, rol
(3割)引 ②	さんわりびき	san'waribiki	(30%) discount / (30%)할인 / desconto (de 30%) / descuento (del 30%)
割る ②	わる	waru	to divide, to break (something like china or glass) / 쪼개다 / dividir / dividir, partir

- わり
- わ-れる
- わ-る

407 支 (4)
support / 받치다[지] / apoiar / apoyar

支える ②	ささえる	sasaeru	to support / 받치다 / apoiar / apoyar
支度する ③	したくする	shitaku suru	to prepare / 준비하다 / preparar / preparar
支配する ②	しはいする	shihai suru	to control, to rule / 지배하다 / controlar / controlar, gobernar
支店 ②	してん	shiten	branch (office) / 지점 / sucursal, filial / sucursal
支払う ②	しはらう	shiharau	to pay / 지급하다, 지불하다 / pagar / pagar

- ささ-える
- し

408 疲 (10)
(be) tired / 지치다[피] / ficar cansado / cansarse

疲れる ④	つかれる	tsukareru	to become tired / 지치다 / ficar cansado / cansarse, agotarse
疲れ ②	つかれ	tsukare	fatigue / 피곤 / cansaço / fatiga
疲労 ①	ひろう	hirō	fatigue / 피로 / cansaço, fadiga / cansancio, fatiga

つか-れる
ひ

409 彼 (8)
he / 그[피] / ele / él

彼 ③	かれ	kare	he, him, boyfriend / 그, 남자친구 / ele, namorado / él, enamorado, novio
彼ら ③	かれら	karera	they, them / 그들 / eles / ellos
彼女 ③	かのじょ※	kanojo※	she, her, girlfriend / 그녀, 여자친구 / ela, namorada / ella, enamorada, novia

かれ

410 痛 (12)
pain / 아프다[통] / doer / dolor

痛い ④	いたい	itai	painful / 아프다 / doloroso / doloroso
痛む ②	いたむ	itamu	to ache, to hurt, to feel pain / 아프다 / doer / doler
頭痛がする ②	ずつうがする	zutsū ga suru	to have a headache / 두통이 나다 / estar com dor de cabeça / tener dolor de cabeza

いた-い
いた-む
つう

411 歯 (12)
tooth / 이[치] / dente / diente

歯 ④	は	ha	tooth / 이 / dente / diente
歯医者 ③	はいしゃ	haisha	dentist / 치과 의사 / dentista / dentista
歯みがき ②	はみがき	hamigaki	brushing one's teeth / 양치질 / escovar dentes / limpieza de dientes
虫歯 ②	むしば	mushiba	cavity / 충치 / cárie / caries
歯科 ①	しか	shika	dentist / 치과 / odontologia / odontología

は / ば
し

第22回 401〜419

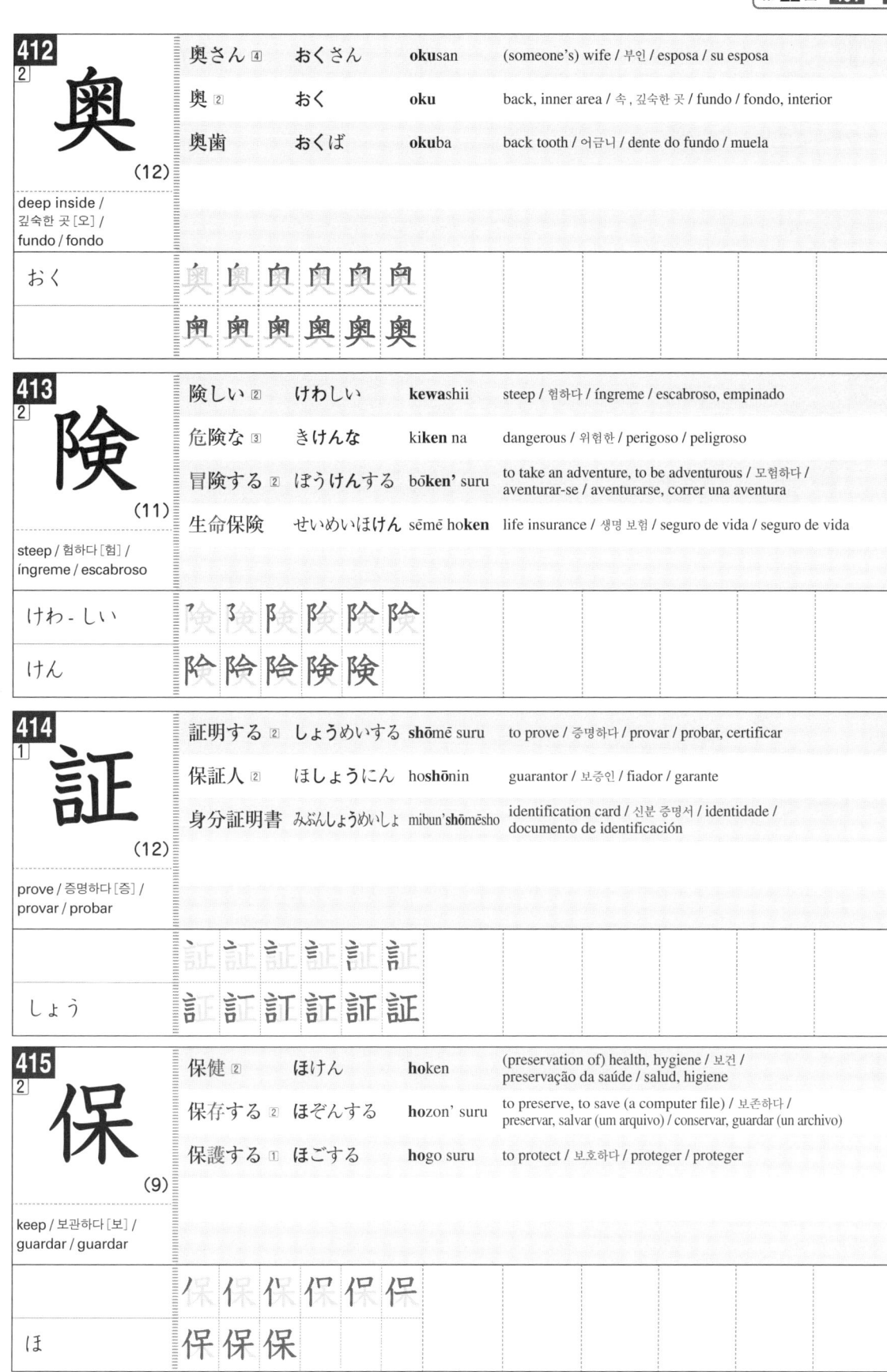

412 奥 (12)
deep inside / 깊숙한 곳 [오] / fundo / fondo

漢字	よみ	ローマ字	意味
奥さん	おくさん	okusan	(someone's) wife / 부인 / esposa / su esposa
奥	おく	oku	back, inner area / 속, 깊숙한 곳 / fundo / fondo, interior
奥歯	おくば	okuba	back tooth / 어금니 / dente do fundo / muela

おく

413 険 (11)
steep / 험하다 [험] / íngreme / escabroso

漢字	よみ	ローマ字	意味
険しい	けわしい	kewashii	steep / 험하다 / íngreme / escabroso, empinado
危険な	きけんな	kiken na	dangerous / 위험한 / perigoso / peligroso
冒険する	ぼうけんする	bōken' suru	to take an adventure, to be adventurous / 모험하다 / aventurar-se / aventurarse, correr una aventura
生命保険	せいめいほけん	sēmē hoken	life insurance / 생명 보험 / seguro de vida / seguro de vida

けわ-しい
けん

414 証 (12)
prove / 증명하다 [증] / provar / probar

漢字	よみ	ローマ字	意味
証明する	しょうめいする	shōmē suru	to prove / 증명하다 / provar / probar, certificar
保証人	ほしょうにん	hoshōnin	guarantor / 보증인 / fiador / garante
身分証明書	みぶんしょうめいしょ	mibun' shōmēsho	identification card / 신분 증명서 / identidade / documento de identificación

しょう

415 保 (9)
keep / 보관하다 [보] / guardar / guardar

漢字	よみ	ローマ字	意味
保健	ほけん	hoken	(preservation of) health, hygiene / 보건 / preservação da saúde / salud, higiene
保存する	ほぞんする	hozon' suru	to preserve, to save (a computer file) / 보존하다 / preservar, salvar (um arquivo) / conservar, guardar (un archivo)
保護する	ほごする	hogo suru	to protect / 보호하다 / proteger / proteger

ほ

#	Kanji	Word	Reading	Romaji	Meaning
416	過 (12) exceed / 지나치다 [과] / demais / exceder	(12時)過ぎ ④	(じゅうにじ)すぎ	(jūniji) sugi	past (twelve o'clock) / (12시) 이후 / passando (12h) / pasada (las doce)
		(食べ)過ぎる ③	(たべ)すぎる	(tabe)sugiru	to (eat) excessively / 과식하다 / (comer) demais / excederse (en comer)
		過ごす ②	すごす	sugosu	to spend (time) / 보내다, 지내다 / passado / pasar (el tiempo)
		過去 ②	かこ	kako	the past / 과거 / passar / pasado
417	器 (15) container / 그릇 [기] / recipiente / recipiente	楽器 ②	がっき	gakki	(musical) instrument / 악기 / instrumento musical / instrumento musical
		器用な ②	きような	kiyō na	clever, dexterous / 손재주 있는, 솜씨가 좋은 / hábil / hábil
		食器 ②	しょっき	shokki	tableware / 식기 / louça / vajilla
		容器 ②	ようき	yōki	container / 용기 / vasilha / recipiente
418	具 (8) tool / 도구 [구] / instrumento / herramienta	具合 ③	ぐあい	guai	condition / 형편, 상태 / condição / condición
		道具 ③	どうぐ	dōgu	tool, instrument / 도구 / instrument, ferramenta / herramienta, instrumento
		家具 ②	かぐ	kagu	furniture / 가구 / mobília / mueble
		具体的な ②	ぐたいてきな	gutaiteki na	specific, concrete / 구체적인 / concreto / concreto
		文房具 ②	ぶんぼうぐ	bunbōgu	writing materials / 문방구 / artigos de papelaria / artículo de escritorio
419	術 (11) skill / 기술 [술] / técnica / técnica	技術 ③	ぎじゅつ	gijutsu	skill, technique / 기술 / técnica / técnica
		美術館 ③	びじゅつかん	bijutsukan	art gallery / 미술관 / museu / museo de bellas artes
		手術する ②	しゅじゅつする	shujutsu suru	to perform an operation, to have an operation / 수술하다 / fazer uma cirúrgia, operar / operar, intervenir quirúrgicamente
		芸術家	げいじゅつか	geijutsuka	artist / 예술가 / artista / artista

第22回

練習問題 Exercise / 연습문제 / Exercícios / Ejercicios

1 適当な読み方を選んでください。

① この絵が本物であることが証明された。　② 奥歯が痛い。

　　a. ほんとう　　d. しょうめい　　a. おくは　　d. いた
　　b. ほんぶつ　　e. せいめい　　　b. おくのは　e. いった
　　c. ほんもの　　f. せいみょう　　c. おくば　　f. いだ

③ 温泉の湯が熱すぎる。　　　　　　　④ 具体的に説明する。

a. おんせ　　d. や　　g. あつ　　　a. ぐたいでき　　d. せいめい
b. おんせん　e. ゆ　　h. あたたか　b. ぐたいてき　　e. せつまい
c. おうんせん f. よ　　i. あつめ　　c. ぐだいてき　　f. せつめい

2 下線部の読み方を書いてください。

① たくさんの人に支えられて、無事に卒業することが出来た。

② 彼女は、いつも夜遅くまで研究室で実験をしていて、本当に熱心だ。

③ この日は身分証明書と写真を忘れないでください。

④ 技術が進んでいる国で、医学を勉強しています。

⑤ 今日は満席になりますので、奥の方から座ってください。

3 読んで意味を考えましょう。

① A：この店の物は夕方になると安くなりますか。
　　B：ええ。5時を過ぎるとだいたい2割引になりますよ。

② A：何か楽器を習っていますか。
　　B：ええ、ピアノを5年ぐらいですね。

③ A：一年中、山に行っているんですか。
　　B：いや、毎年暖かくなってからだから、だいたい5月ぐらいからですね。

④ A：海外旅行に行くんですが、何かいい保険を知っていますか。
　　B：ええ、私はいつもネットで申し込んでいるんですが。
　　　安いのが、いくつかありますよ。

4 ひらがなを一つ書いてください。必要がない場合は、×を書いてください。

① 冬の寒い日は、温（　）いスープが飲みたくなる。　② お疲（　）さまです。

③ 今度の休みは山で過（　）す予定です。

④ 血は止まりましたが、まだ痛（　）いです。

第22回

チャレンジ！ Challenge! / 도전해보기! / Desafio! / ¡Desafío!

1 適当な漢字を選んでください。

① データをコンピューターにほ存する。
ぞん

a.	保
b.	果
c.	証

② 飲みすぎに注意。

a.	向
b.	局
c.	過

③ 中田さんのおくさんはきような人だ。

a.	米
b.	奥
c.	姉

d.	気様
e.	器用
f.	機洋

④ 明日の日中のきおんは高いらしい。

a.	温度
b.	空温
c.	気温

⑤ つかれがかおに出る。

a.	痛
b.	疲
c.	病

d.	面
e.	頭
f.	顔

⑥ 重いかぐを運んだので、腰がいたい。
こし

a.	家具
b.	用具
c.	道具

d.	疲
e.	彼
f.	痛

2 適当な漢字を書いてください。

① このカメラは、3年のほしょうがついている。

② はいしゃに一年以上かよっているが、毎月ほけんしょうを見せない

といけない。

③ 朝、道でころんでしまったが、ちは出なかった。

④ おべんとうはあたためますか。わりばしは、ごりようですか。

⑤ インスタントラーメンをかったので、おみせのひとにおゆをもらった。

3 ひらがなを漢字やカタカナに変えて、文を書き直してください。または、
か　　　　　　　　　　　　　　　　　　　　　　　　なお
タイプをしてください。

① かれは、げーむにねっちゅうしているときは、まわりのこえがきこえないようだ。

② しゅじゅつのあと、ぐあいがわるいとおもっていたら、やっぱりねつがあった。

③ しょくじのしたくがすみましたよ。

④ えあこんがこわれていて、あたたかいくうきしかでない。

第23回 読み方と書き方を覚えよう

Let's learn reading and writing
읽는 법과 쓰는 법 배우기
Vamos aprender a ler e a escrever
Aprendamos la lectura y la escritura de los kanjis

420 糸 (6)
thread / 실[사] / fio / hilo

| 糸 ③ | いと | ito | thread, string, line / 실 / fio / hilo |
| 毛糸 ② | けいと | keito | yarn / 털실 / lã / hilo de lana |

いと

421 係 (9)
person in charge / 담당[계] / encarregado / encargado

| (案内)係 ② | あんないがかり | an'naigakari | person in charge of (guiding) / (안내)담당 / encarregado (de informação) / encargado (de guiar), guía |
| 関係 ③ | かんけい | kan'kē | relation, relationship / 관계 / relação / relación |

かかり

けい

422 機 (16)
machine / 기계[기] / máquina / máquina

飛行機 ④	ひこうき	hikōki	airplane / 비행기 / avião / avión
機会 ③	きかい	kikai	opportunity / 기회 / oportunidade / oportunidad
機械 ③	きかい	kikai	machine, machinery / 기계 / máquina / máquina
機能 ②	きのう	kinō	function / 기능 / função / función
自動販売機	じどうはんばいき	jidōhan'baiki	vending machine / 자동판매기 / máquina de vende bebidas / máquina expendedora

き

part II 420-440 Reading

109

423 関 (14) かん
relate / 관계되다 [관] / ter relação / estar relacionado

玄関	げんかん	gen'kan	front door, entrance / 현관 / entreda / vestíbulo, puerta principal
関西	かんさい	kan'sai	Kansai Region / 간사이 / Região de Kansai / Región Kansai
関心がある	かんしんがある	kan'shin ga aru	to be interested / 관심이 있다 / estar interessado / tener interés
関する	かんする	kan'suru	regarding (something) / 관한 / relacionado (a algo) / referente a, sobre
関東	かんとう	kan'tō	Kanto Region / 간토 / Região de Kanto / Región Kanto

424 交 (6) こう
mingle / 교류하다 [교] / fazer intercâmbio / intercambiar

交差点	こうさてん	kōsaten	intersection / 교차점 / crusamento / intersección
交番	こうばん	kōban	police box / 파출소 / posto policial / puesto policial
交通	こうつう	kōtsū	traffic / 교통 / trânsito / tráfico
交換する	こうかんする	kōkan suru	to exchange / 교환하다 / trocar / intercambiar

425 落 (12)
drop / 떨어지다 [락(낙)] / cair / caer

お - ちる
お - とす
らく

落ちる	おちる	ochiru	to fall / 떨어지다 / cair / caer, caerse
落とす	おとす	otosu	to drop / 떨어뜨리다 / deixar cair / dejar caer
落ち着く	おちつく	ochitsuku	to settle, to calm down / 안정되다, 진정되다 / acalmar / instalarse, establecerse
落とし物	おとしもの	otoshimono	lost article / 분실물 / artigo perdido / objetos perdidos
落第する	らくだいする	rakudai suru	to fail (an examination), to fail to enter the upper grade / 낙제하다 / repetir de ano / suspender (un examen), repetir (el año escolar)

426 路 (13) ろ
road / 도로 [로(노)] / rua / calle

| 線路 | せんろ | sen'ro | track, rail, railway / 선로 / trilho / vía del tren |
| 道路 | どうろ | dōro | road, street / 도로 / rua / camino, calle |

427 練 (14)
practice / 연습하다 [련(연)] / praticar / practicar

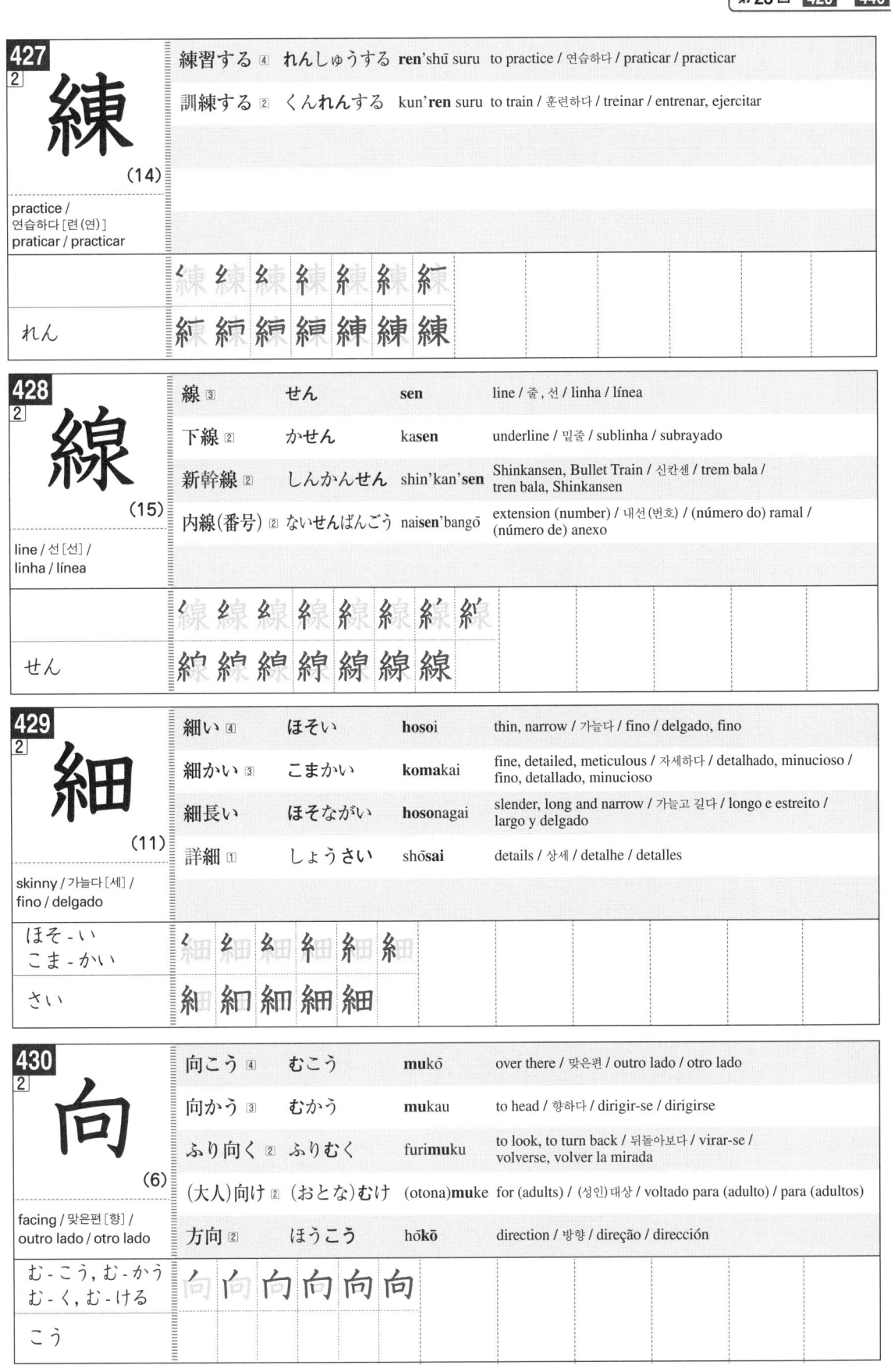

| 練習する ④ | れんしゅうする | **ren**'shū suru | to practice / 연습하다 / praticar / practicar |
| 訓練する ② | くん**れん**する | kun'**ren** suru | to train / 훈련하다 / treinar / entrenar, ejercitar |

れん

428 線 (15)
line / 선[선] / linha / línea

線 ③	せん	**sen**	line / 줄, 선 / linha / línea
下線 ②	か**せん**	ka**sen**	underline / 밑줄 / sublinha / subrayado
新幹線 ②	しんかん**せん**	shin'kan'**sen**	Shinkansen, Bullet Train / 신칸센 / trem bala / tren bala, Shinkansen
内線(番号) ②	ない**せん**ばんごう	nai**sen**'bangō	extension (number) / 내선(번호) / (número do) ramal / (número de) anexo

せん

429 細 (11)
skinny / 가늘다[세] / fino / delgado

細い ④	ほそい	**hoso**i	thin, narrow / 가늘다 / fino / delgado, fino
細かい ③	こまかい	**koma**kai	fine, detailed, meticulous / 자세하다 / detalhado, minucioso / fino, detallado, minucioso
細長い	ほそながい	**hoso**nagai	slender, long and narrow / 가늘고 길다 / longo e estreito / largo y delgado
詳細 ①	しょうさい	shō**sai**	details / 상세 / detalhe / detalles

ほそ-い
こま-かい

さい

430 向 (6)
facing / 맞은편[향] / outro lado / otro lado

向こう ④	むこう	**mu**kō	over there / 맞은편 / outro lado / otro lado
向かう ③	むかう	**mu**kau	to head / 향하다 / dirigir-se / dirigirse
ふり向く ②	ふり**mu**ku	furi**mu**ku	to look, to turn back / 뒤돌아보다 / virar-se / volverse, volver la mirada
(大人)向け ②	(おとな)**mu**ke	(otona)**mu**ke	for (adults) / (성인)대상 / voltado para (adulto) / para (adultos)
方向 ②	ほうこう	hō**kō**	direction / 방향 / direção / dirección

む-こう, む-かう
む-く, む-ける

こう

431 局 (7)
bureau / 사무국[국] / escritório / dirección general

きょく

郵便局 [4]	ゆうびんきょく	yūbin'**kyoku**	post office / 우체국 / correio / oficina de correos
結局 [2]	けっきょく	kek**kyoku**	eventually, after all / 결국 / final / finalmente, después de todo
薬局 [2]	やっきょく	yak**kyoku**	pharmacy / 약국 / farmácia / farmacia

432 営 (12)
business / 영업을 하다[영] / fazer negócios / negocio

えい

営業する [2]	えいぎょうする	**ē**gyō suru	to operate, to do business / 영업하다 / funcionar, fazer negócios / hacer negocios, dedicarse a los negocios
営業時間 [2]	えいぎょうじかん	**ē**gyō jikan	business hours / 영업시간 / horário comércial / horario de atención
経営する [2]	けいえいする	k**ēē** suru	to run, to manage / 경영하다 / administrar / administrar, dirigir
民営化する	みんえいかする	min'**ē**ka suru	to privatize / 민영화하다 / privatizar / privatizar

433 点 (9)
point / 점[점] / ponto / punto

てん

点 [3]	てん	**ten**	point / 점 / ponto / punto
点数 [2]	てんすう	**ten**sū	point, grade, score / 점수 / pontos, nota / puntos, nota
終点 [2]	しゅうてん	shū**ten**	terminal / 종점 / ponto final / terminal
要点 [2]	ようてん	yō**ten**	point, gist / 요점 / ponto essencial / punto esencial, quid

434 呼 (8)
call / 부르다[호] / chamar / llamar

よ-ぶ / こ

呼ぶ [4]	よぶ	**yo**bu	to call (someone) / 부르다 / chamar / llamar
呼吸する [2]	こきゅうする	ko**kyū** suru	to breathe / 호흡하다 / respirar / respirar

第23回 420〜440

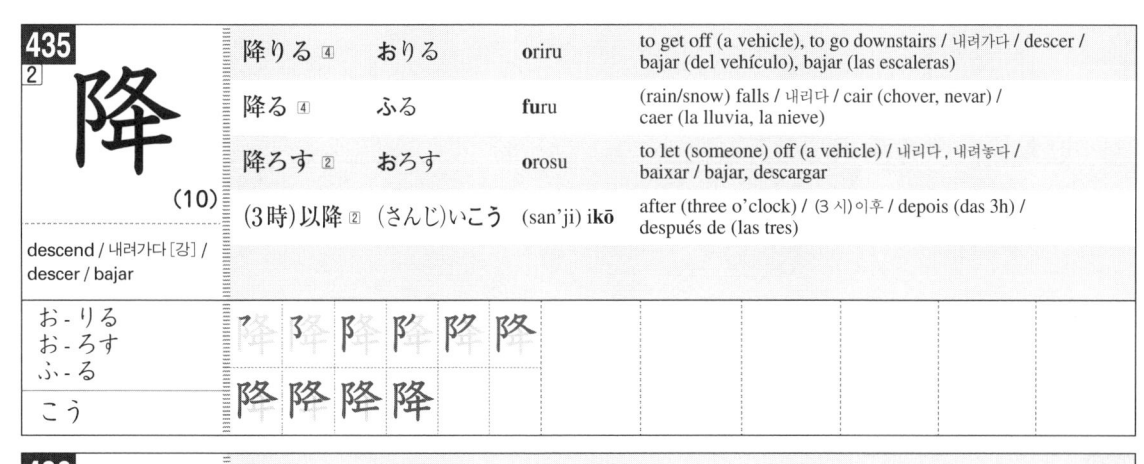

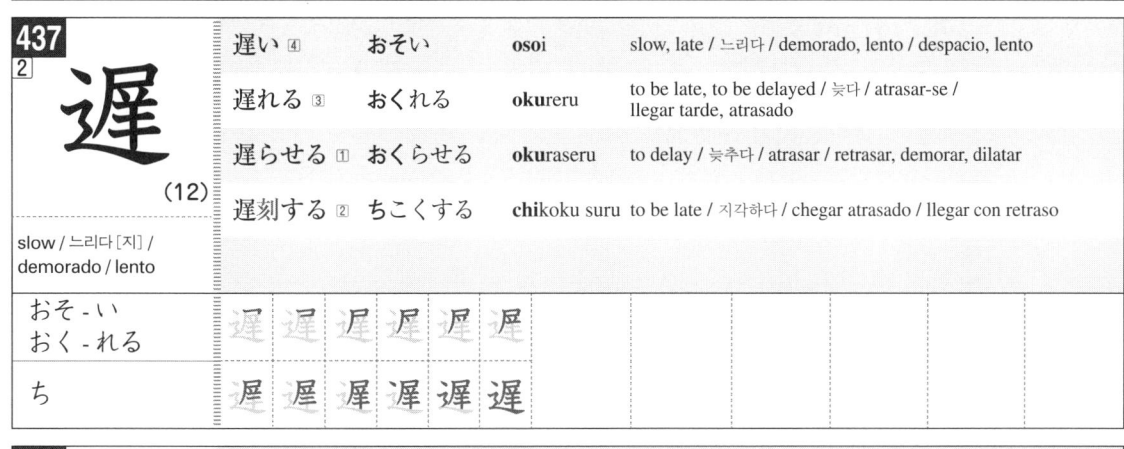

435 降 (10)

descend / 내려가다[강] / descer / bajar

漢字	ふりがな	ローマ字	意味
降りる ④	おりる	oriru	to get off (a vehicle), to go downstairs / 내려가다 / descer / bajar (del vehículo), bajar (las escaleras)
降る ④	ふる	furu	(rain/snow) falls / 내리다 / cair (chover, nevar) / caer (la lluvia, la nieve)
降ろす ②	おろす	orosu	to let (someone) off (a vehicle) / 내리다, 내려놓다 / baixar / bajar, descargar
(3時)以降 ②	(さんじ)いこう	(san'ji) ikō	after (three o'clock) / (3시)이후 / depois (das 3h) / después de (las tres)

お-りる / お-ろす / ふ-る / こう

436 速 (10)

quick / 빠르다[속] / rápido / rápido

漢字	ふりがな	ローマ字	意味
速い ④	はやい	hayai	fast, speedy / 빠르다 / rápido / rápido, veloz
早速	さっそく	sassoku	immediately / 즉시 / rapidamente / inmediatamente
速達	そくたつ	sokutatsu	express delivery / 속달 / serviço postal expresso / correo urgente
高速道路	こうそくどうろ	kōsoku dōro	highway / 고속도로 / auto-estrada / autopista

はや-い / そく

437 遅 (12)

slow / 느리다[지] / demorado / lento

漢字	ふりがな	ローマ字	意味
遅い ④	おそい	osoi	slow, late / 느리다 / demorado, lento / despacio, lento
遅れる ③	おくれる	okureru	to be late, to be delayed / 늦다 / atrasar-se / llegar tarde, atrasado
遅らせる ①	おくらせる	okuraseru	to delay / 늦추다 / atrasar / retrasar, demorar, dilatar
遅刻する ②	ちこくする	chikoku suru	to be late / 지각하다 / chegar atrasado / llegar con retraso

おそ-い / おく-れる / ち

438 美 (9)

beautiful / 아름답다[미] / bonito / hermoso

漢字	ふりがな	ローマ字	意味
美しい ③	うつくしい	utsukushii	beautiful, lovely / 아름답다 / bonito, lindo / hermoso, bello
美人 ②	びじん	bijin	pretty woman, beauty / 미인 / mulher bonita / mujer hermosa
美容院 ①	びよういん	biyōin	beauty salon, hairdresser's / 미용원, 미용실 / salão de beleza / salón de belleza

うつく-しい / び

439 由 (5)

reason / 이유[유] / razão / razón

ゆう
ゆ

自由 ③	じゆう	jiyū	freedom / 자유 / liberdade / libertad
理由 ③	りゆう	riyū	reason / 이유 / razão / razón
経由する ②	けいゆ	keyu	to go by way of (somewhere) / 경유하다 / via / pasar por
体の不自由な ②	からだのふじゆうな	karada no fujiyū na	physically challenged / 몸이 부자유스러운 / deficiente / discapacitado
自由席	じゆうせき	jiyūseki	non-reserved seat / 자유석 / assento não reservado / asiento no reservado

440 油 (8)

oil / 기름[유] / óleo / aceite

あぶら
ゆ

油 ②	あぶら	abura	oil, grease / 기름 / óleo / aceite, grasa
しょう油 ④	しょうゆ	shōyu	soy sauce / 간장 / molho de soja / salsa de soja
石油 ②	せきゆ	sekiyu	oil, petroleum / 석유 / petróleo / petróleo

第23回

練習問題 Exercise / 연습문제 / Exercícios / Ejercicios

① 適当な読み方を選んでください。

① 自由席は指定席より安い。
a. じゆせき　d. ゆびていせき
b. じようせき　e. していせき
c. じゆうせき　f. してえせき

② 線路に物を落とさないで下さい。
a. どうろ　d. お
b. みち　e. わ
c. せんろ　f. こ

③ 郵便局の前に交番がある。
a. じょう　d. こおばん
b. きょく　e. こうばん
c. しょ　f. こばん

④ 台風のため、電車が20分遅れている。
a. たいふうん　d. おく
b. たいふん　e. おそ
c. たいふう　f. はや

② 下線部の読み方を書いてください。

① 南米の文化のどのような点に関心を持っているかをお聞かせください。

② 一階まで来たら、私の内線番号を押してください。

③ 近くに来る機会があったら、ご連絡ください。

④ 一つの前の駅で降りて、会社まで歩くようにしている。

⑤ 石油が高くなったので、ドライブに行くことも減った。

③ 読んで意味を考えましょう。

① A：ねえ、川口さん、いつもどこの美容院に行っている？
B：あの、駅前に大きい交差点があるよね。あの近く。

② A：ピアノはどのぐらい練習していますか。
B：週に2、3回ですね。

③ A：どんなお仕事をなさっていますか。
B：コンピューター関係の会社で、営業をしています。

④ A：これを中国まで送りたいんですが、一番速いのだと、いつ着きますか。
B：そうですね、速達でも、3日はかかると思います。

④ ひらがなを一つ書いてください。必要がない場合は、×を書いてください。

① 心の美（　）い人になりたい。
② 今からそちらに向（　）います。
③ 朝から雨が降（　）ている。
④ 係の人を呼（　）で下さい。
⑤ このあたりは細（　）い道が多くて、運転が難しい。

第23回

チャレンジ！ Challenge! / 도전해보기! / Desafio! / ¡Desafío!

1 適当な漢字を選んでください。

① 兄は足がはやいが、私はおそい。

	はやい		おそい
a.	速	d.	遅
b.	早	e.	通
c.	道	f.	洋

② また会うきかいを作りましょう。

a.	気会
b.	器会
c.	機会

③ かんさいで育ちました。

a.	関西
b.	開西
c.	連西

④ この町はこうつうの便が良い。

a.	校通
b.	交通
c.	行通

⑤ あぶらぽい料理が食べたい。

a.	由
b.	油
c.	果

⑥ 子どもむけの本を借りる。

a.	用け
b.	向け
c.	行け

2 適当な漢字を書いてください。

① うつくしい体のせんを保つために、1日30分ヨガをしている。

② 60てんいじょうなら、単位がもらえます。

③ 前の会社をやめたりゆうについて、簡単に話していただけますか。

④ せんろに物がおちたので、駅員さんをよんで、ひろってもらった。

⑤ サッカークラブで私は、れんしゅうメニューをかんがえるかかりでした。

3 ひらがなを漢字やカタカナに変えて、文を書き直してください。または、タイプをしてください。

① ほそかわさんは、もんだいがあってもぱにっくしないで、いつもおちついている。

② じぶんでばっぐをつくりたくて、ぬのといとをかった。

③ しゅうてんでおりて、みなみぐちにいてください。わたしもそこにいきますから。

④ なつは、れすとらんやでぱーとのえいぎょうじかんがながくなります。

⑤ てれびきょくをたずねるかんこうきゃくがふえています。

第24回 読み方と書き方を覚えよう

Let's learn reading and writing
읽는 법과 쓰는 법 배우기
Vamos aprender a ler e a escrever
Aprendamos la lectura y la escritura de los kanjis

441 商 (11)
commerce / 장사하다[상] / comércio / comercio

商売する ②	しょうばいする	shōbai suru	to do business / 장사하다 / comerciar / dedicarse al comercio, comerciar
商品 ②	しょうひん	shōhin	merchandise / 상품 / produto / mercancía, artículo
商学部	しょうがくぶ	shōgakubu	Department of Commercial Science / 상학부, 상업학부 / Departamento de Comércio / Facultad de Comercio

しょう

442 部 (11)
department / 부서[부] / departamento / departamento

全部 ④	ぜんぶ	zen'bu	all, whole / 전부 / tudo / todo
部長 ③	ぶちょう	buchō	department chief / 부장 / chefe de departamento / jefe de departamento
一部 ②	いちぶ	ichibu	part, portion / 일부 / uma parte / parte, porción
部品 ②	ぶひん	buhin	(machinery) part / 부품 / peça / pieza (de repuesto)
部屋 ④	へや※	heya※	room / 방 / quarto / cuarto, habitación

ぶ

443 経 (11)
pass through / 지나다[경] / passar / transcurrir

(3年)経つ ②	さんねんたつ	san'nen tatsu	(three years) pass / (3 년)지나다 / passar (três anos) / transcurrir (3 años)
経済 ③	けいざい	kēzai	economy / 경제 / economia / economía
経験する ③	けいけんする	kēken' suru	to experience / 경험하다 / fazer experiência / experimentar
経営 ②	けいえい	kēē	business administration / 경영 / administração / administración

た-つ
けい

part II 441-461 Reading

444 / 済 (11) / done / 끝나다[제] / feito / hecho	済む ③	すむ	**su**mu	to be done / 끝나다 / estar feito, terminar / estar hecho, terminar(se)
	返済する ①	へんさいする	hen'**sai** suru	to repay, to pay off / 갚다 / pagar uma dívida / devolver, cancelar
	経済的な	けいざいてきな	kē**zai**teki na	economical, financial / 경제적인 / econômico, financeiro / económico

す-む	済済済済済済
さい / ざい	済済済済済

445 / 払 (5) / pay / 지불하다[불] / pagar / pagar	払う ③	はらう	**hara**u	to pay / 지불하다 / pagar / pagar
	払い戻す ②	はらいもどす	**hara**imodosu	to refund / 환불하다 / reembolsar / reembolsar
	酔っ払う	よっぱらう	yop**para**u	to become drunk / 취하다 / ficar bêbado / embriagarse

はら-う	払払払払払

446 / 治 (8) / cure / 낫다[치] / curar / curar	治る ③	なおる	**nao**ru	to heal, to recover / 낫다 / curar, sarar / curarse
	治す ②	なおす	**nao**su	to cure / 고치다 / curar, sarar / curar
	政治 ③	せいじ	sē**ji**	politics / 정치 / política / política
	治安(がいい) ①	ちあん(がいい)	**chi**an (ga ii)	security (is maintained) / 치안(이 좋다) / segurança pública / (se mantiene la) seguridad pública

なお-る / なお-す	治治治治治治
じ / ち	治治

447 / 消 (10) / extinguish / 끄다[소] / apagar / apagar	消える ④	きえる	**ki**eru	(light) goes off, to disappear / 없어지다, 사라지다 / apagar-se, desaparecer / apagarse, desaparecer
	消す ④	けす	**ke**su	to turn off (light), to delete, to erase / 끄다 / apagar, desligar / apagar, borrar, suprimir
	消費する ②	しょうひする	**shō**hi suru	to consume / 소비하다 / consumir / consumir
	消防車 ②	しょうぼうしゃ	**shō**bōsha	fire engine, fire truck / 소방차 / carro de bombeiro / camión de bomberos
	消化する ②	しょうかする	**shō**ka suru	to digest / 소화하다 / fazer digestão / digerir

き-える / け-す	消消消消消消
しょう	消消消消

448 期 (12)

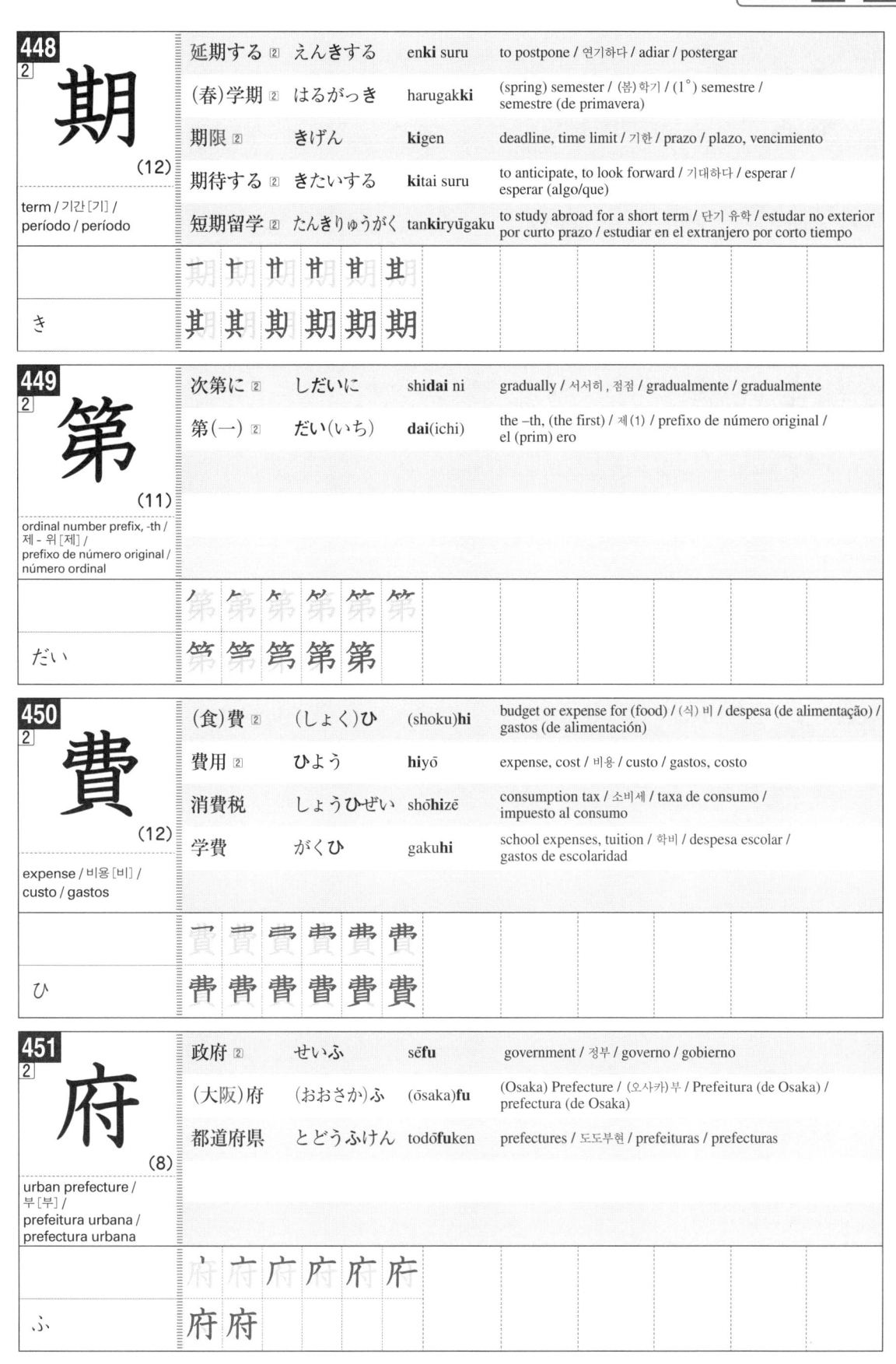

term / 기간[기] / período / período

き

延期する	えんきする	en**ki** suru	to postpone / 연기하다 / adiar / postergar
(春)学期	はるがっき	haruga**kki**	(spring) semester / (봄)학기 / (1°) semestre / semestre (de primavera)
期限	きげん	**ki**gen	deadline, time limit / 기한 / prazo / plazo, vencimiento
期待する	きたいする	**ki**tai suru	to anticipate, to look forward / 기대하다 / esperar / esperar (algo/que)
短期留学	たんきりゅうがく	tan**ki**ryūgaku	to study abroad for a short term / 단기 유학 / estudar no exterior por curto prazo / estudiar en el extranjero por corto tiempo

449 第 (11)

ordinal number prefix, -th / 제 - 위[제] / prefixo de número original / número ordinal

だい

| 次第に | しだいに | shi**dai** ni | gradually / 서서히, 점점 / gradualmente / gradualmente |
| 第(一) | だい(いち) | **dai**(ichi) | the –th, (the first) / 제(1) / prefixo de número original / el (prim) ero |

450 費 (12)

expense / 비용[비] / custo / gastos

ひ

(食)費	(しょく)ひ	(shoku)**hi**	budget or expense for (food) / (식) 비 / despesa (de alimentação) / gastos (de alimentación)
費用	ひよう	**hi**yō	expense, cost / 비용 / custo / gastos, costo
消費税	しょうひぜい	shō**hi**zē	consumption tax / 소비세 / taxa de consumo / impuesto al consumo
学費	がくひ	gaku**hi**	school expenses, tuition / 학비 / despesa escolar / gastos de escolaridad

451 府 (8)

urban prefecture / 부[부] / prefeitura urbana / prefectura urbana

ふ

政府	せいふ	sē**fu**	government / 정부 / governo / gobierno
(大阪)府	(おおさか)ふ	(ōsaka)**fu**	(Osaka) Prefecture / (오사카)부 / Prefeitura (de Osaka) / prefectura (de Osaka)
都道府県	とどうふけん	todō**fu**ken	prefectures / 도도부현 / prefeituras / prefecturas

452 数 (13)

count / 세다[수] / contar / contar

数 [2]	かず	kazu	number, figure / 수 / número / número
数える [2]	かぞえる	kazoeru	to count (something) / 세다 / contar / contar
数学 [3]	すうがく	sūgaku	mathematics / 수학 / matemática / matemáticas
回数券 [2]	かいすうけん	kaisūken	commuter ticket, book of tickets / 회수권 / bilhete com desconto / tickets de abono (bus/metro)
手数料	てすうりょう	tesūryō	service charge, handling charge / 수수료 / remuneração / comisión por servicios

かず / かぞ-える
すう

453 故 (9)

incident / 사고[고] / acidente / incidente

故障する [3]	こしょうする	koshō suru	(something) breaks / 고장나다 / enguiçar, dar defeito / averiarse
故郷 [2]	こきょう	kokyō	one's hometown / 고향 / terra natal / pueblo natal
交通事故	こうつうじこ	kōtsū jiko	traffic accident / 교통사고 / acidente de trânsito / accidente de tráfico

こ

454 政 (9)

politics / 정치[정] / política / política

政治 [3]	せいじ	sēji	politics / 정치 / política / política
政党 [2]	せいとう	sētō	political party / 정당 / partido político / partido político
政策 [1]	せいさく	sēsaku	policy / 정책 / política / política
政治家	せいじか	sējika	politician / 정치가 / político / político

せい

455 驚 (22)

surprise / 놀라다[경] / assustar / sorprenderse

| 驚く [3] | おどろく | odoroku | to be surprised, to be shocked / 놀라다 / assustar-se, admirar-se / sorprenderse, estar sorprendido, asustarse |
| 驚かす [2] | おどろかす | odorokasu | to surprise / 놀라게 하다 / assustar, surpreender / sorprender, asustar |

おどろ-く / おどろ-かす

120

#	Kanji	Word	Reading (kana)	Reading (romaji)	Meaning
456	良 (7) good / 좋다[(양)] / boa / bueno	良い ④	よい・いい	yoi/ii	good, fine / 좋다 / boa / bueno, fino
		仲良し ②	なかよし	nakayoshi	close, good or intimate friend / 단짝 / amigos próximo / buen amigo
		不良品	ふりょうひん	furyōhin	defective product / 불량품 / produto de baixa qualidade / artículo defectuoso
		良心的な (医者)	りょうしんてきな (いしゃ)	ryōshin'teki na (isha)	conscientious (doctor) / 양심적인(의사) / (médico) consciente / (médico) con principios

よ-い / い-い
りょう

#	Kanji	Word	Reading (kana)	Reading (romaji)	Meaning
457	歴 (14) personal history / 자신의 역사[력(역)] / história pessoal / historia personal	歴史 ③	れきし	rekishi	history / 역사 / história / historia
		学歴 ①	がくれき	gakureki	academic background / 학력 / formação acadêmica / historial académico
		履歴書	りれきしょ	rirekisho	resume, curriculum vitae / 이력서 / currículo / curriculum vitae
		職歴	しょくれき	shokureki	professional career / 직력, 직업상의 경력 / experiências profissionais / historial laboral

れき

#	Kanji	Word	Reading (kana)	Reading (romaji)	Meaning
458	農 (13) farming / 농업[농] / agricultura / agricultura	農家 ②	のうか	nōka	farmer, farmhouse / 농가 / casa de lavrador, agricultor / agricultor, família de agricultores
		農業 ②	のうぎょう	nōgyō	agriculture / 농업 / agricultura / agricultura
		農薬 ②	のうやく	nōyaku	agricultural chemicals / 농약 / agrotóxicos / pesticidas

のう

#	Kanji	Word	Reading (kana)	Reading (romaji)	Meaning
459	原 (10) beginning, field / 원점, 들판[원] / origem, campo / principio, campo	原田さん	はらださん	harada san	Mr./Ms Harada / 하라다 씨 / Sr./Sra. Harada / Sr./Sra. Harada
		原因 ③	げんいん	gen'in	cause / 원인 / causa / causa
		原料 ②	げんりょう	gen'ryō	raw material, material / 원료 / matéria-prima / materia prima
		原爆 (=原子爆弾) ①	げんばく (=げんしばくだん)	gen'baku (=gen'shibakudan)	nuclear bomb / 원폭(원자폭탄) / bomba atômica / bomba nuclear

はら
げん

460 願 (19)

wish / 소원[원] / desejo / deseo

(お)願い ②	おねがい	o**negai**	favour to ask, wish / 부탁 / favor / favor, petición, deseo
願う ②	ねがう	**nega**u	to wish, to desire / 원하다 / desejar / desear
願書 ①	がんしょ	**gan**'sho	application (form) / 원서 / requerimento / solicitud

ねが-う
がん

461 史 (5)

history / 역사[사] / história / historia

歴史 ③	れきし	reki**shi**	history / 역사 / história / historia
(日本)史 ②	(にほん)し	(nihon')**shi**	(Japanese) history / (일본) 사 / história (do Japão) / historia (del Japón)

し

第24回

練習問題 Exercise / 연습문제 / Exercícios / Ejercicios

1 適当な読み方を選んでください。

① 夕方は車の事故が多い。
a. ゆがた　d. ちご
b. ゆかた　e. ぢこ
c. ゆうがた　f. じこ

② 車の一部を直した。
a. いちふ　d. なお
b. いちぶ　e. かえ
c. いちへ　f. もど

③ いい返事を期待する。
a. へんじ　d. きたい
b. へんじい　e. ぎたい
c. へむじ　f. きだい

④ 農業は大切な産業の一つだ。
a. のうか　d. せいさん
b. のおぎょう　e. さんぎょう
c. のうぎょう　f. せいぎょう

2 下線部の読み方を書いてください。

① 大阪と京都は「県」じゃなくて「府」です。

② 海外留学には、どのぐらい費用がかかりますか。

③ 驚いたんですが、野村さんのお父さんは政治家だそうですね。

④ 商学部も、経済学部も人気が高い。

⑤ 雨は朝強かったが、次第に弱くなった。

3 読んで意味を考えましょう。

① A：カードで払えますか。
　B：はい。
　A：あー、良かった。
　B：お支払い回数は何回になさいますか。
　A：じゃあ、2回でお願いします。

② A：具合はいかがですか。
　B：おかげ様で、だいぶ良くなりました。

③ A：原田さん、好きな教科とか嫌いな教科とかありますか。
　B：そうですね、好きなのは歴史で、嫌いなのは数学です。

4 ひらがなを一つ書いてください。必要がない場合は、×を書いてください。

① 手伝いをお願（　）いする。
② 作品のスケールに驚（　）た。
③ 薬で風邪が治（　）ました。
④ 子どもの数を数（　）る。
⑤ 風で火が消（　）てしまった。

第24回

チャレンジ！
Challenge! / 도전해보기! / Desafio! / ¡Desafío!

1 適当な漢字を選んでください。

① この商品のげんりょうは石油だ。
- a. 原料
- b. 料原
- c. 原科

② 家賃は、普通まえばらいだ。
- a. 前台い
- b. 前払い
- c. 前広い

③ けががなおってきた。
- a. 治
- b. 直
- c. 正

④ 電気をけし わすれる。
- a. 消
- b. 海
- c. 期
- d. 忙
- e. 忘
- f. 急

⑤ この映画はランキングだいいちいだ。
- a. 弟一位
- b. 第一立
- c. 第一位

⑥ 日本に来て5年たった。
- a. 経
- b. 験
- c. 伝

2 適当な漢字を書いてください。

① 日本はなんでもてすうりょうがたかい。

② れきしの本を読んでからりょこうをするとたのしい。

③ 中学生のときのともだちにばったりあって、とてもおどろいた。

④ この町は、車のじこも少なくちあんもよい。

⑤ しょうひんの安全かくにんがすんでいる。

3 ひらがなを漢字やカタカナに変えて、文を書き直してください。または、タイプをしてください。

① ほてるのへやはきたいしていたよりちいさかった。

② このみせでは、のうやくをつかわずにそだてたふる一つだけうっています。

③ でもをして、せいふのやりかたにはんたいする。

④ りょうしんにおねがいして、がくひをだしてもらった。

第25回 読み方と書き方を覚えよう

Let's learn reading and writing
읽는 법과 쓰는 법 배우기
Vamos aprender a ler e a escrever
Aprendamos la lectura y la escritura de los kanjis

462 深 (11)

deep / 깊다[심] / fundo / profundo

ふか-い
ふか-まる
ふか-める
しん

深い ③	ふかい	**fuka**i	deep / 깊다 / fundo / profundo
深まる ②	ふかまる	**fuka**maru	(something) deepens / 깊어지다 / aumentar / profundizarse, agravarse
深める ①	ふかめる	**fuka**meru	to deepen or to broaden (something) / 깊게 하다 / aprofundar / profundizar
深刻な ②	しんこくな	**shin**'koku na	serious, grave / 심각한 / sério / serio, grave
深夜 ②	しんや	**shin**'ya	midnight / 심야 / madrugado / medianoche

463 残 (10)

leftover / 나머지[잔] / restante / resto

のこ-る
のこ-す
ざん

残る ③	のこる	**noko**ru	to remain, to be left / 남다 / ficar, restar / quedarse, permanecer
残す ②	のこす	**noko**su	to leave (something) / 남기다 / deixar / dejar
残り ②	のこり	**noko**ri	rest, remainder / 나머지 / restante / resto, residuo
残業する	ざんぎょうする	**zan**'gyō suru	to work overtime / 잔업하다 / fazer horas-extras / hacer horas extras

464 念 (8)

mind / 심정[념(염)] / sentimento / mente

ねん

残念な ③	ざんねんな	zan'**nen**' na	regrettable / 유감스러운 / desapontado / lamentable
記念する ②	きねんする	ki**nen**' suru	to commemorate / 기념하다 / comemorar / conmemorar
概念 ①	がいねん	gai**nen**	concept / 개념 / concepção / concepto
念のため	ねんのため	**nen**' no tame	(just) in case, just to make sure / 만약을 위해서 / pelo seguro / por si acaso

465 泳 (8)
swim / 헤엄치다[영] / nadar / nadar
およ-ぐ / えい

泳ぐ ④	およぐ	**oyo**gu	to swim / 헤엄치다 / nadar / nadar
泳ぎ ②	およぎ	**oyo**gi	swim / 헤엄치기 / natação / natación
水泳をする ③	すいえいする	**suiē** suru	to swim / 수영을 하다 / fazer a natação / nadar

466 非 (8)
not / - 지 않다[비] / não / no
ひ

是非 ③	ぜひ	**ze**hi	by all means, at all costs / 반드시 / com certeza / pase lo que pase, a toda costa
非常に ③	ひじょうに	**hi**jō ni	very, terribly / 매우 / muito / muy, sumamente
非常識な	ひじょうしきな	**hi**jōshiki na	absurd, preposterous / 비상식적인 / absurdo / sin sentido común, insensato
非常口	ひじょうぐち	**hi**jōguchi	emergency exit / 비상구 / saída de emergência / salida de emergencia

467 悲 (12)
sad / 슬프다[비] / triste / triste
かな-しい / かな-しむ / ひ

悲しい ③	かなしい	**kana**shii	sad / 슬프다 / triste / triste
悲しむ ②	かなしむ	**kana**shimu	to grieve / 슬퍼하다 / entristecer-se / entristecerse
悲惨な ①	ひさんな	**hi**san na	miserable, tragic / 비참한 / tragédia / trágico, miserable

468 常 (11)
usual / 항상[상] / sempre / usual
つね / じょう

常に ②	つねに	**tsune** ni	always / 항상 / sempre / siempre
異常な ②	いじょうな	ijō na	unusual, abnormal / 이상한 / anormal / inusual, anormal
常識 ②	じょうしき	**jō**shiki	common sense, common knowledge / 상식 / senso comum / sentido común
日常の ②	にちじょうの	nichi**jō** no	daily, ordinary / 일상의 / diário / cotidiano, ordinario
通常の ①	つうじょうの	tsū**jō** no	normal, regular / 보통의 / normal, regular / normal, ordinario

126

第25回 462〜481

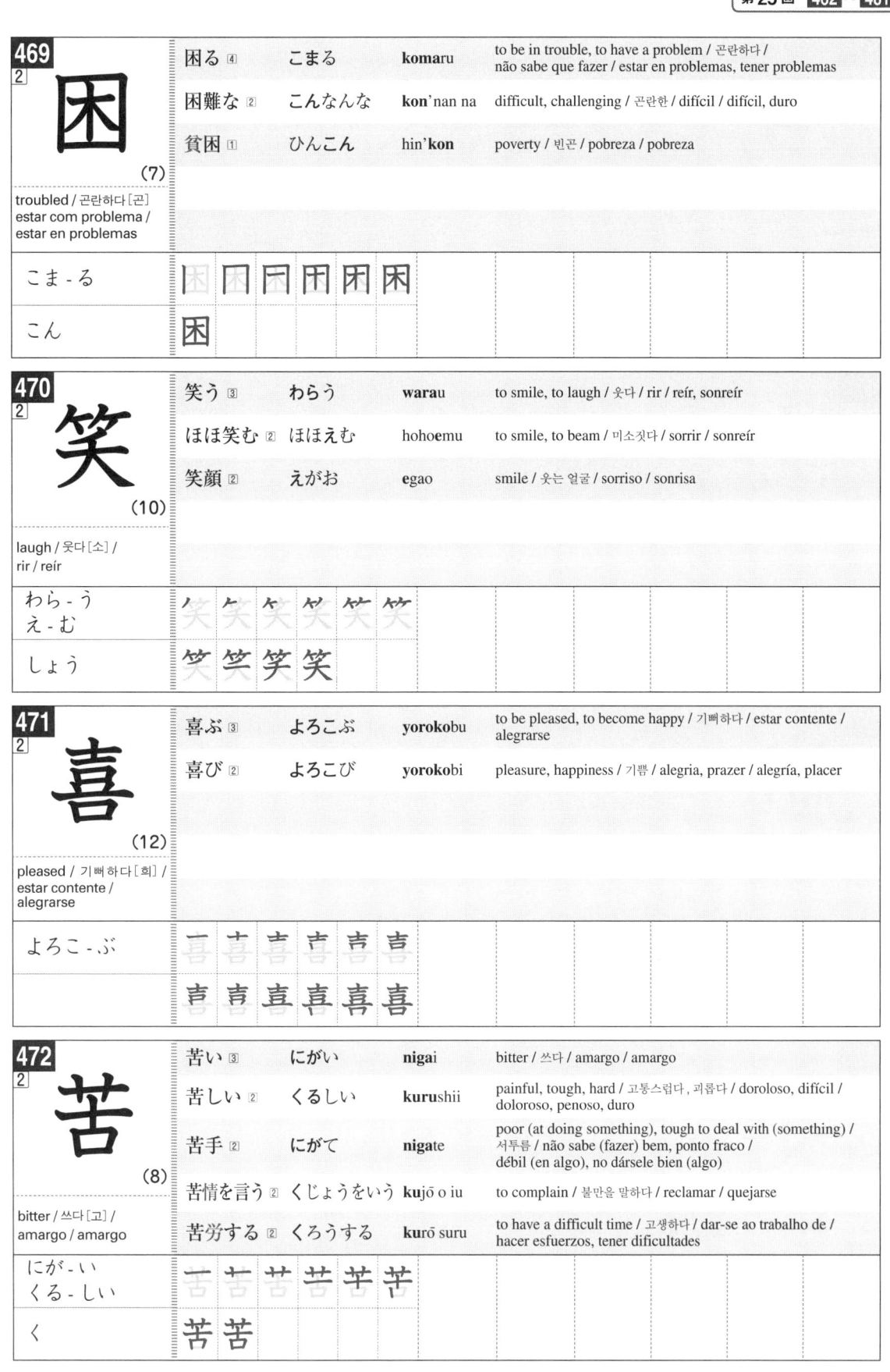

469 困 (7)
troubled / 곤란하다[곤] / estar com problema / estar en problemas

困る	こまる	**koma**ru	to be in trouble, to have a problem / 곤란하다 / não sabe que fazer / estar en problemas, tener problemas
困難な	こんなんな	**kon**'nan na	difficult, challenging / 곤란한 / difícil / difícil, duro
貧困	ひんこん	hin'**kon**	poverty / 빈곤 / pobreza / pobreza

こま-る
こん

470 笑 (10)
laugh / 웃다[소] / rir / reír

笑う	わらう	**wara**u	to smile, to laugh / 웃다 / rir / reír, sonreír
ほほ笑む	ほほえむ	hoho**e**mu	to smile, to beam / 미소짓다 / sorrir / sonreír
笑顔	えがお	**e**gao	smile / 웃는 얼굴 / sorriso / sonrisa

わら-う
え-む
しょう

471 喜 (12)
pleased / 기뻐하다[희] / estar contente / alegrarse

| 喜ぶ | よろこぶ | **yoroko**bu | to be pleased, to become happy / 기뻐하다 / estar contente / alegrarse |
| 喜び | よろこび | **yoroko**bi | pleasure, happiness / 기쁨 / alegria, prazer / alegría, placer |

よろこ-ぶ

472 苦 (8)
bitter / 쓰다[고] / amargo / amargo

苦い	にがい	**niga**i	bitter / 쓰다 / amargo / amargo
苦しい	くるしい	**kuru**shii	painful, tough, hard / 고통스럽다, 괴롭다 / doloroso, difícil / doloroso, penoso, duro
苦手	にがて	**niga**te	poor (at doing something), tough to deal with (something) / 서투름 / não sabe (fazer) bem, ponto fraco / débil (en algo), no dársele bien (algo)
苦情を言う	くじょうをいう	**ku**jō o iu	to complain / 불만을 말하다 / reclamar / quejarse
苦労する	くろうする	**kurō** suru	to have a difficult time / 고생하다 / dar-se ao trabalho de / hacer esfuerzos, tener dificultades

にが-い
くる-しい
く

473 活 (9)
active / 활기차게 [활] / animado / activo
くん: かつ

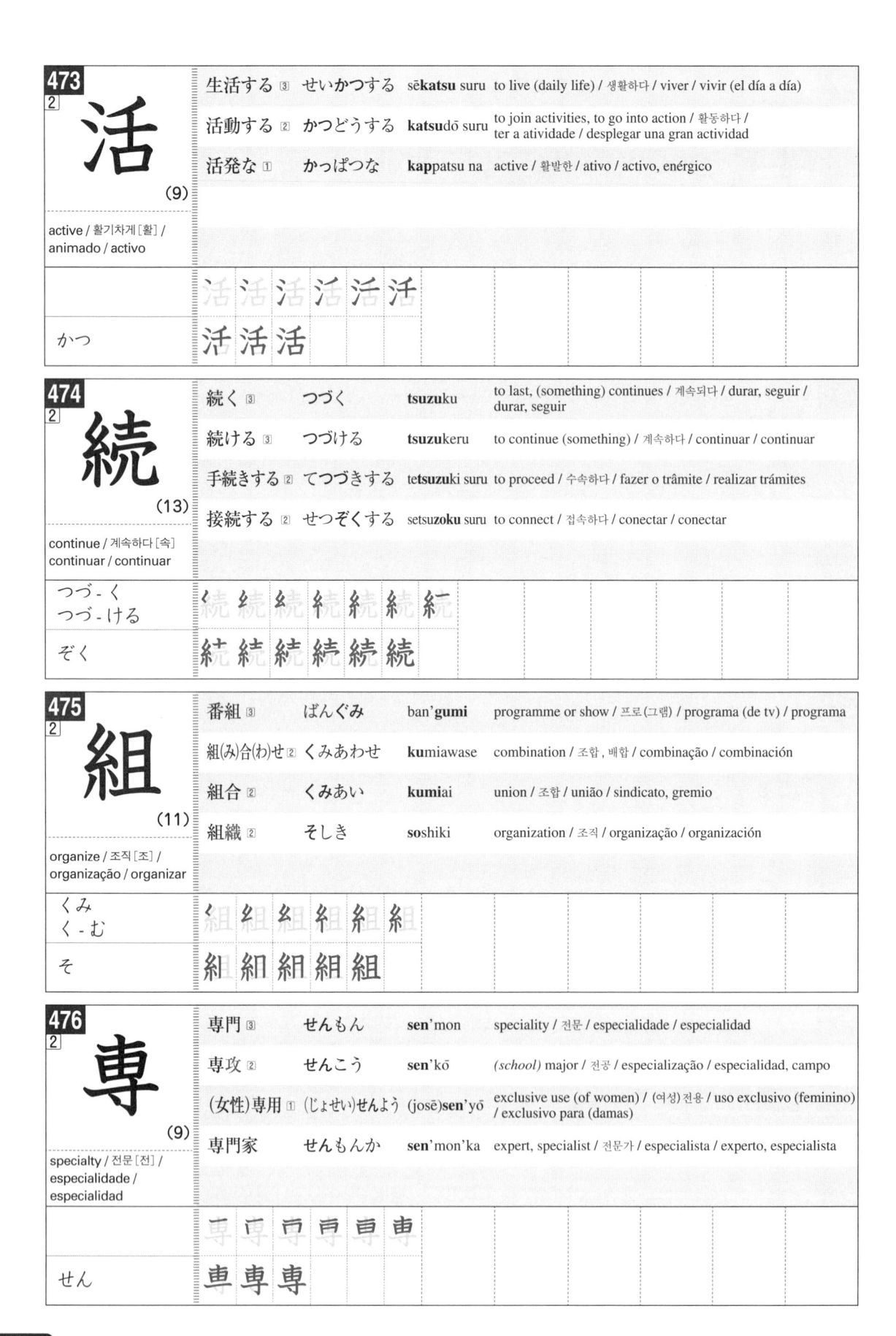

生活する ③	せいかつする	sēkatsu suru	to live (daily life) / 생활하다 / viver / vivir (el día a día)
活動する ⓪	かつどうする	katsudō suru	to join activities, to go into action / 활동하다 / ter a atividade / desplegar una gran actividad
活発な ⓪	かっぱつな	kappatsu na	active / 활발한 / ativo / activo, enérgico

474 続 (13)
continue / 계속하다 [속] / continuar / continuar
つづ-く / つづ-ける / ぞく

続く ⓪	つづく	tsuzuku	to last, (something) continues / 계속되다 / durar, seguir / durar, seguir
続ける ⓪	つづける	tsuzukeru	to continue (something) / 계속하다 / continuar / continuar
手続きする ②	てつづきする	tetsuzuki suru	to proceed / 수속하다 / fazer o trâmite / realizar trámites
接続する ⓪	せつぞくする	setsuzoku suru	to connect / 접속하다 / conectar / conectar

475 組 (11)
organize / 조직 [조] / organização / organizar
くみ / く-む / そ

番組 ⓪	ばんぐみ	ban'gumi	programme or show / 프로(그램) / programa (de tv) / programa
組(み)合(わ)せ	くみあわせ	kumiawase	combination / 조합, 배합 / combinação / combinación
組合 ⓪	くみあい	kumiai	union / 조합 / união / sindicato, gremio
組織 ②	そしき	soshiki	organization / 조직 / organização / organización

476 専 (9)
specialty / 전문 [전] / especialidade / especialidad
せん

専門 ⓪	せんもん	sen'mon	speciality / 전문 / especialidade / especialidad
専攻 ⓪	せんこう	sen'kō	(school) major / 전공 / especialização / especialidad, campo
(女性)専用 ⓪	(じょせい)せんよう	(josē)sen'yō	exclusive use (of women) / (여성)전용 / uso exclusivo (feminino) / exclusivo para (damas)
専門家 ⓪	せんもんか	sen'mon'ka	expert, specialist / 전문가 / especialista / experto, especialista

第25回 462〜481

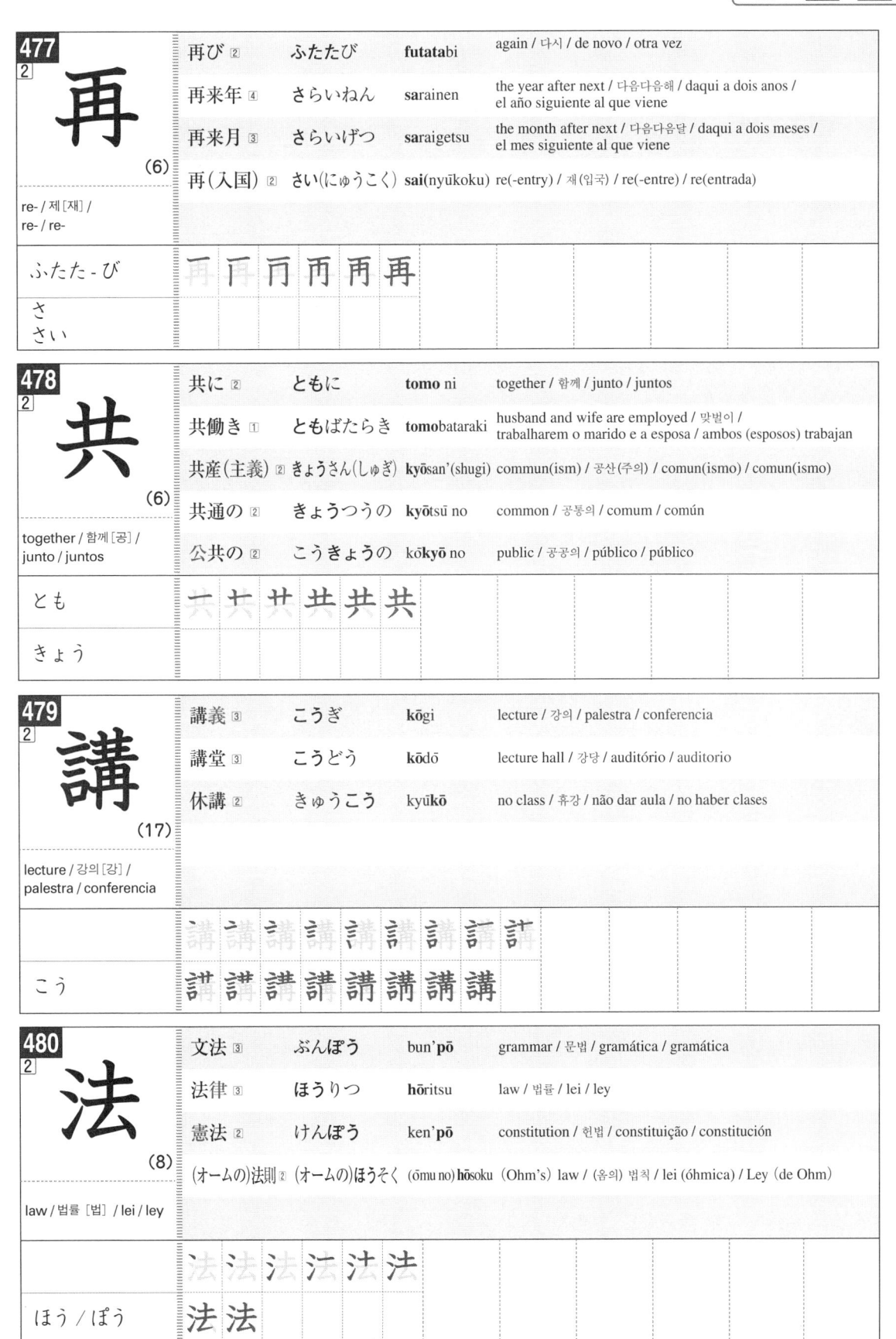

477 再 (6)
re- / 제[재] / re- / re-
ふたた-び / さい

再び	ふたたび	**futata**bi	again / 다시 / de novo / otra vez
再来年	さらいねん	**sa**rainen	the year after next / 다다음해 / daqui a dois anos / el año siguiente al que viene
再来月	さらいげつ	**sa**raigetsu	the month after next / 다다음달 / daqui a dois meses / el mes siguiente al que viene
再(入国)	さい(にゅうこく)	**sai**(nyūkoku)	re(-entry) / 재(입국) / re(-entre) / re(entrada)

478 共 (6)
together / 함께[공] / junto / juntos
とも / きょう

共に	ともに	**tomo** ni	together / 함께 / junto / juntos
共働き	ともばたらき	**tomo**bataraki	husband and wife are employed / 맞벌이 / trabalharem o marido e a esposa / ambos (esposos) trabajan
共産(主義)	きょうさん(しゅぎ)	**kyō**san'(shugi)	commun(ism) / 공산(주의) / comun(ismo) / comun(ismo)
共通の	きょうつうの	**kyō**tsū no	common / 공통의 / comum / común
公共の	こうきょうの	kō**kyō** no	public / 공공의 / público / público

479 講 (17)
lecture / 강의[강] / palestra / conferencia
こう

講義	こうぎ	**kō**gi	lecture / 강의 / palestra / conferencia
講堂	こうどう	**kō**dō	lecture hall / 강당 / auditório / auditorio
休講	きゅうこう	kyū**kō**	no class / 휴강 / não dar aula / no haber clases

480 法 (8)
law / 법률[법] / lei / ley
ほう / ぽう

文法	ぶんぽう	bun'**pō**	grammar / 문법 / gramática / gramática
法律	ほうりつ	**hō**ritsu	law / 법률 / lei / ley
憲法	けんぽう	ken'**pō**	constitution / 헌법 / constituição / constitución
(オームの)法則	(オームの)ほうそく	(ōmu no) **hō**soku	(Ohm's) law / (옴의) 법칙 / lei (óhmica) / Ley (de Ohm)

481 議 (20)

discuss / 논의(의) / discutir / discutir

会議 [3]	かいぎ	kaigi	meeting, conference / 회의 / reunião / reunión, conferencia
議論する [2]	ぎろんする	giron suru	to discuss, to argue / 논의하다 / discutir / discutir, debatir
不思議な [2]	ふしぎな	fushigi na	mysterious, strange / 이상한 / misterioso, estranho / extraño, misterioso

ぎ

第25回

練習問題 Exercise / 연습문제 / Exercícios / Ejercicios

1. 適当な読み方を選んでください。

   ① 文法の本を買いたい。
   a. ぶんぽ
   b. ふんぽう
   c. ぶんぽう

   ② この歯ブラシは子ども専用だ。
   a. は
   b. ほ
   c. はは
   d. せんもん
   e. せんよう
   f. せんこう

   ③ 左右のくつ下を間違えて、笑われた。
   a. ちが
   b. ちがい
   c. まちが
   d. わら
   e. われ
   f. わり

   ④ 再来週、講堂で入学式が行われる。
   a. さいらいしゅう
   b. さらいしゅう
   c. さらいしゅ
   d. どうこう
   e. ぎどう
   f. こうどう

2. 下線部の読み方を書いてください。

   ① 念のため、連絡先をお知らせください。

   ② 水泳が苦手なので、公共プールで練習をする。

   ③ 連休中は通常の営業時間と違います。

   ④ このネクタイとこのワイシャツは、色の組み合わせが良い。

   ⑤ この映画の続きが気になります。

3. 読んで意味を考えましょう。

   ① A：ああ、おなかいっぱい。
      B：無理しないで、残してもいいですよ。

   ② A：平田さんはどこにいるか知ってる？
      B：今、会議中ですよ。

   ③ A：好きなテレビ番組ありますか。
      B：私は音楽番組が好きですね。

   ④ A：石田さん、石田さんも明日の飲み会に来られますか。
      B：あ、すみません。非常に残念なんですが、行けそうにありません。

4. ひらがなを一つ書いてください。必要がない場合は、×を書いてください。

   ① このプールは深（　）いので、困（　）る。

   ② この野菜は、生で食べると苦（　）い。

   ③ 有名歌手が活動を再開すると聞いて、ファンが喜（　）だ。

   ④ 大切な時計をなくしてしまって、本当に悲（　）い。

第25回

チャレンジ！ Challenge! / 도전해보기！/ Desafio! / ¡Desafío!

1 適当な漢字を選んでください。

① そつぎょう きねんに写真をとった。 ② 弟の大学ごうかくを心からよろこんだ。

a. 卒業	d. 思念	a. 合通	d. 喜
b. 人業	e. 覚念	b. 合格	e. 嬉
c. 支業	f. 記念	c. 通試	f. 楽

③ 忙しいにちじょうせいかつを送っている。 ④ こんなんな問題をのりこえる。

a. 通常生活	a. 因難	d. 乗
b. 日常生活	b. 国難	e. 来
c. 平常生活	c. 困難	f. 米

⑤ 有名なコーチにおよぎをならった。 ⑥ せんもんかにそうだんする。

a. 冷	d. 学	a. 専問家	d. 会談
b. 氷	e. 習	b. 専門家	e. 相談
c. 泳	f. 覚	c. 専門手	f. 面談

2 適当な漢字を書いてください。

① テニススクールの入会のてつづきをすませる。

② さらいげつまでに、かつどうほうこくしょをメンバーに送らないといけない。

③ わたしは、つねにパソコンをもちあるいている。

④ 私たちふうふはともばたらきなので、いえのことは週末にやります。

⑤ くみあいと会社は、給料についてはなしあいをはじめた。

3 ひらがなを漢字やカタカナに変えて、文を書き直してください。または、タイプをしてください。

① てれびをみつづけて、めがつかれた。　② わらいすぎて、くるしい。

③ このほんから、ひじょうにふかいかなしみがつたわってくる。

④ かいぎがすぐおわらなかったので、ぜんいんじゅうじまでかいしゃにのこった。

⑤ ぶんぽうのくらすが、せんせいのつごうできゅうこうになった。

第26回 読み方と書き方を覚えよう

Let's learn reading and writing
읽는 법과 쓰는 법 배우기
Vamos aprender a ler e a escrever
Aprendamos la lectura y la escritura de los kanjis

482 調 (15)
check / 조사하다 [조] / checar / revisar

調べる ③	しらべる	shiraberu	to check, to look into / 조사하다 / checar, verificar / revisar, averiguar, investigar
強調する ②	きょうちょうする	kyōchō suru	to emphasize / 강조하다 / enfatizar / enfatizar
調整する ②	ちょうせいする	chōsē suru	to adjust / 조정하다 / ajustar / regular, coordinar
調査する ②	ちょうさする	chōsa suru	to investigate, to examine / 조사하다 / investigar, examinar / investigar, hacer una encuesta
調子 ②	ちょうし	chōshi	condition / 상태 / condição / condición

しら-べる
ちょう

483 協 (8)
co-operate / 협력하다 [협] / cooperar / cooperar

協力する ②	きょうりょく	kyōryoku	to cooperate / 협력하다 / cooperar / cooperar
妥協する ①	だきょうする	dakyō suru	to compromise / 타협하다 / fazer um compromisso / transigir, hacer concesiones

きょう

484 横 (15)
side / 옆 [횡] / lado / lado

横 ④	よこ	yoko	side, width, beside / 옆 / lado / costado, lado, ancho
横切る ②	よこぎる	yokogiru	to cross (a street) / 가로지르다, 횡단하다 / atravessar (a rua) / cruzar, atravesar
横断歩道 ②	おうだんほどう	ōdan'hodō	pedestrian crossing / 횡단보도 / faixa de segurança / paso de peatones

よこ
おう

485 焼 (12) — burn / 굽다[소] / assar / asar

焼く ③	やく	**yaku**	to burn (something), to grill/roast/bake/cook (food) / 굽다 / assar, queimar / asar, quemar
焼ける ③	やける	**yakeru**	(something) burns, (food) is grilled/roasted/baked/cooked / 타다 / queimar-se / quemarse, asarse, tostarse
日焼けする ①	ひやけする	hi**yake** suru	to be tanned / 햇볕에 타다 / bronzear-se / broncearse
焼き鳥	やきとり	**yaki**tori	skewered grilled chicken on a stick / 꼬치구이 / espetinho de frango / brochetas o broquetas de pollo

や-く / や-ける

486 備 (12) — prepare / 대비[비] / preparar / preparar

備える ②	そなえる	**sona**eru	to prepare, to furnish / 갖추다 / providenciar, prover / prepararse, proveerse
準備する ③	じゅんびする	jun'**bi** suru	to prepare / 준비하다 / preparar / preparar
設備 ②	せつび	setsu**bi**	facility / 설비 / equipamento / equipo, instalaciones
予備校	よびこう	yo**bi**kō	(private) cram school for university entrance examinations / 학원 / curso preparatório para vestibular / escuela preparatoria

そな-わる / そな-える / び

487 準 (13) — standard / 기준[준] / padrão / norma

基準 ②	きじゅん	ki**jun**	standard, basis / 기준 / padrão / norma, criterio, base
標準 ②	ひょうじゅん	hyō**jun**	standard, average / 표준 / norma / estándar, promedio
準急 ①	じゅんきゅう	**jun'**kyū	local express train / 준급(준급행 열차) / semi-expresso / tren semi-expreso
準決勝	じゅんけっしょう	**jun'**kesshō	semi-final / 준결승 / semi-final / semifinal

じゅん

488 難 (18) — difficult / 어렵다[난] / difícil / difícil

難しい ④	むずかしい	**muzuka**shii	difficult, hard / 어렵다 / difícil / difícil, duro
有難い ②	ありがたい	ari**gata**i	grateful, appreciative / 고맙다 / agradecido / agradecido
困難な ②	こんなんな	kon'**nan'** na	difficult, challenging / 곤란한 / difícil / difícil, duro
難民	なんみん	**nan'**min	refugee / 난민 / refugiado / refugiado

むずか-しい / かた-い / なん

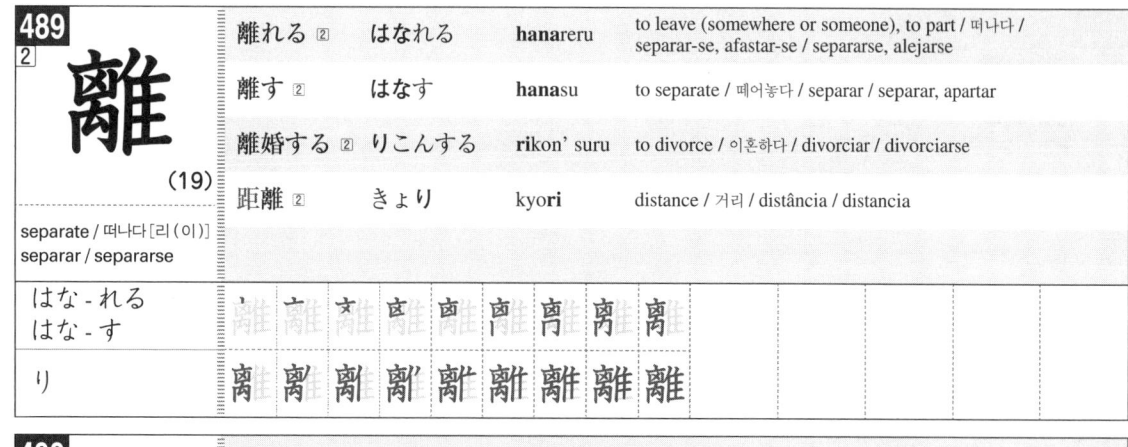

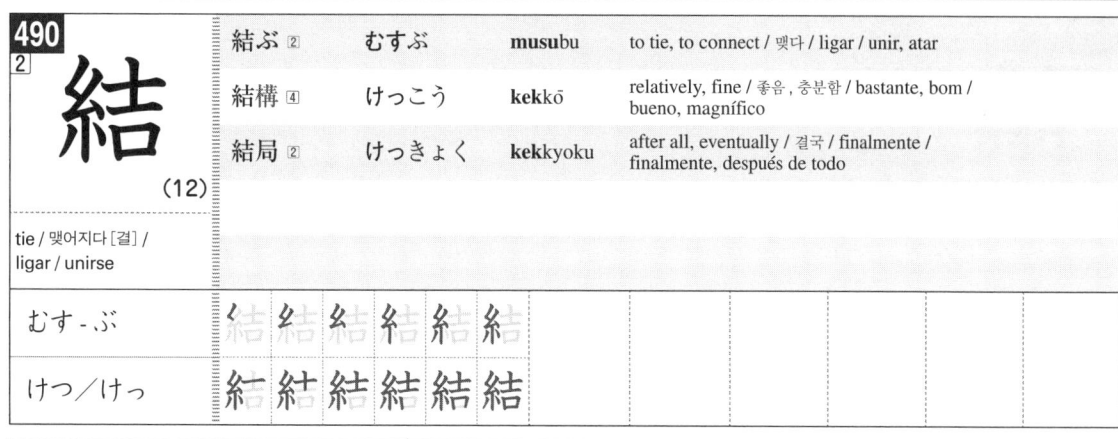

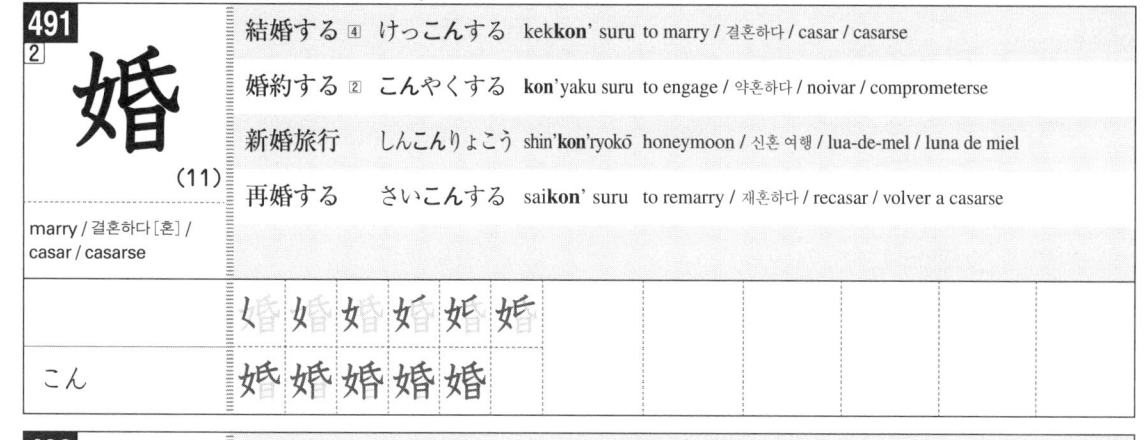

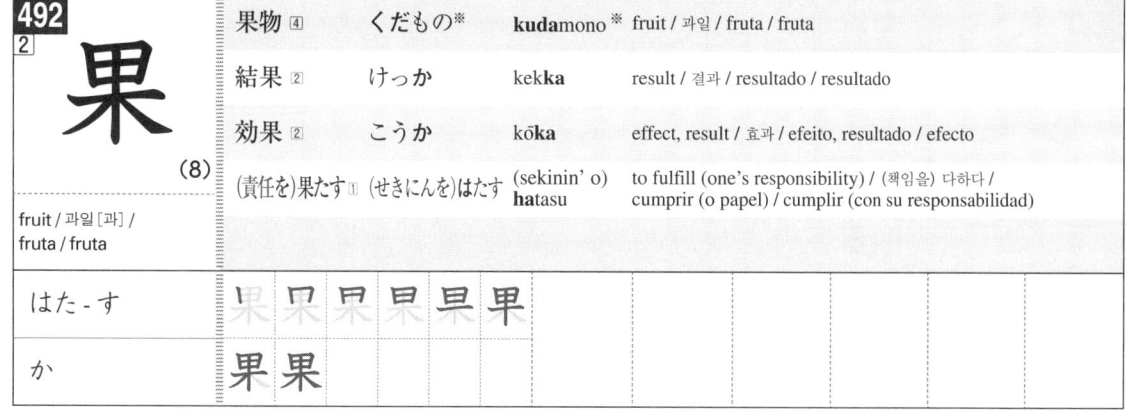

#	Kanji	Word	Reading	Romaji	Meaning
489 (19) separate / 떠나다 [리(이)] / separar / separarse	離	離れる ②	はなれる	**hana**reru	to leave (somewhere or someone), to part / 떠나다 / separar-se, afastar-se / separarse, alejarse
		離す ②	はなす	**hana**su	to separate / 떼어놓다 / separar / separar, apartar
		離婚する ②	りこんする	**ri**kon' suru	to divorce / 이혼하다 / divorciar / divorciarse
		距離 ②	きょり	kyo**ri**	distance / 거리 / distância / distancia

はな-れる / はな-す
り

490 (12) tie / 맺어지다 [결] / ligar / unirse	結	結ぶ ②	むすぶ	**musu**bu	to tie, to connect / 맺다 / ligar / unir, atar
	---	---	---	---	---
		結構 ④	けっこう	**kek**kō	relatively, fine / 좋음, 충분함 / bastante, bom / bueno, magnífico
		結局 ②	けっきょく	**kek**kyoku	after all, eventually / 결국 / finalmente / finalmente, después de todo

むす-ぶ
けつ／けっ

491 (11) marry / 결혼하다 [혼] / casar / casarse	婚	結婚する ④	けっこんする	kek**kon'** suru	to marry / 결혼하다 / casar / casarse
	---	---	---	---	---
		婚約する ②	こんやくする	**kon'**yaku suru	to engage / 약혼하다 / noivar / comprometerse
		新婚旅行	しんこんりょこう	shin'**kon'**ryokō	honeymoon / 신혼 여행 / lua-de-mel / luna de miel
		再婚する	さいこんする	sai**kon'** suru	to remarry / 재혼하다 / recasar / volver a casarse

こん

492 (8) fruit / 과일 [과] / fruta / fruta	果	果物 ④	くだもの※	**kuda**mono※	fruit / 과일 / fruta / fruta
	---	---	---	---	---
		結果 ②	けっか	kek**ka**	result / 결과 / resultado / resultado
		効果 ②	こうか	kō**ka**	effect, result / 효과 / efeito, resultado / efecto
		(責任を)果たす ①	(せきにんを)はたす	(sekinin' o) **ha**tasu	to fulfill (one's responsibility) / (책임을) 다하다 / cumprir (o papel) / cumplir (con su responsabilidad)

はた-す
か

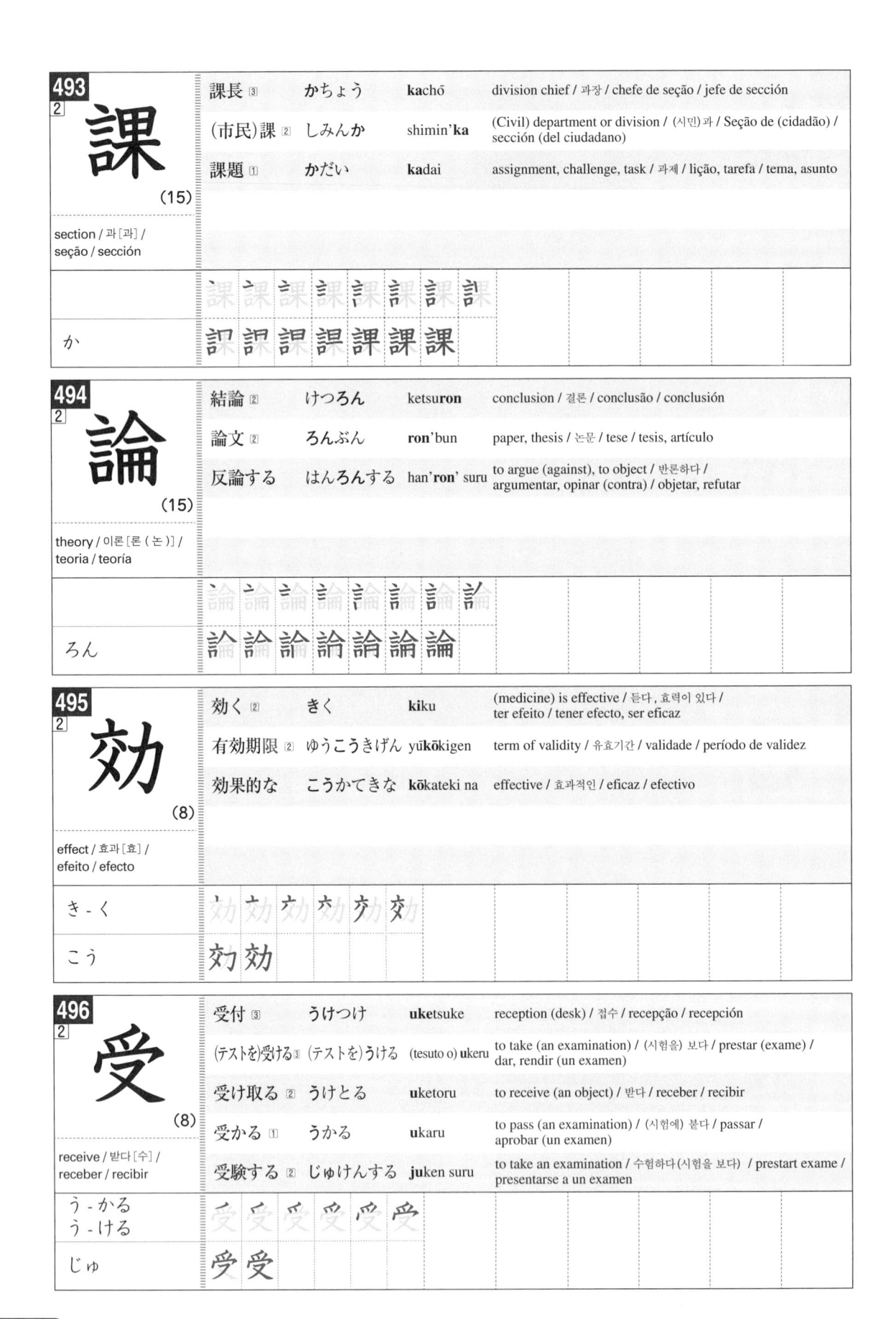

#	Kanji	Compound	Reading (kana)	Reading (romaji)	Meaning
493	課 (15) section / 과[과] / seção / sección	課長 ③	かちょう	kachō	division chief / 과장 / chefe de seção / jefe de sección
		(市民)課 ②	しみんか	shimin'ka	(Civil) department or division / (시민)과 / Seção de (cidadão) / sección (del ciudadano)
		課題 ①	かだい	kadai	assignment, challenge, task / 과제 / lição, tarefa / tema, asunto

か

494	論 (15) theory / 이론[론(논)] / teoria / teoría	結論 ②	けつろん	ketsuron	conclusion / 결론 / conclusão / conclusión
		論文 ②	ろんぶん	ron'bun	paper, thesis / 논문 / tese / tesis, artículo
		反論する	はんろんする	han'ron' suru	to argue (against), to object / 반론하다 / argumentar, opinar (contra) / objetar, refutar

ろん

495	効 (8) effect / 효과[효] / efeito / efecto	効く ②	きく	kiku	(medicine) is effective / 듣다, 효력이 있다 / ter efeito / tener efecto, ser eficaz
		有効期限 ②	ゆうこうきげん	yūkōkigen	term of validity / 유효기간 / validade / período de validez
		効果的な	こうかてきな	kōkateki na	effective / 효과적인 / eficaz / efectivo

き-く
こう

496	受 (8) receive / 받다[수] / receber / recibir	受付 ③	うけつけ	uketsuke	reception (desk) / 접수 / recepção / recepción
		(テストを)受ける ③	(テストを)うける	(tesuto o) ukeru	to take (an examination) / (시험을) 보다 / prestar (exame) / dar, rendir (un examen)
		受け取る ②	うけとる	uketoru	to receive (an object) / 받다 / receber / recibir
		受かる ①	うかる	ukaru	to pass (an examination) / (시험에) 붙다 / passar / aprobar (un examen)
		受験する ②	じゅけんする	juken suru	to take an examination / 수험하다(시험을 보다) / prestart exame / presentarse a un examen

う-かる
う-ける
じゅ

497 設 (11)

set up / 설치하다 [설] / instalar / instalar

せつ / せっ

建設する ②	けんせつする	ken'**setsu** suru	to build, to construct / 건설하다 / construir / construir
施設 ①	しせつ	shi**setsu**	facility / 시설 / instalação / instalaciones
設定する ①	せっていする	**set**tē suru	to set (up) / 설정하다 / configurar, instalar / configurar, establecer

498 取 (8)

take / 취하다 [취] / tomar / tomar

と‐る

取る ④	とる	**to**ru	to take / 취하다, 잡다 / tomar / tomar
取り換える ③	とりかえる	**to**rikaeru	to exchange / 바꾸다 / trocar / cambiar, intercambiar
取り消す ②	とりけす	**to**rikesu	to cancel / 취소하다 / cancelar / cancelar, anular

499 最 (12)

most / 가장 [최] / o melhor / más

もっと‐も
さい

最も ②	もっとも	**motto**mo	the most / 가장 / o melhor / el más
最近 ③	さいきん	**sai**kin	recently / 최근 / recente / recientemente
最初 ③	さいしょ	**sai**sho	at the beginning, first / 최초 / começo / principio, comienzo
最後 ③	さいご	**sai**go	at last, end / 최후 / último / fin, final
最高 ②	さいこう	**sai**kō	the best, the highest / 최고 / ótimo / el más alto, máximo

500 寝 (13)

sleep / 자다 [침] / dormir / dormir

ね‐る
しん

寝る ④	ねる	**ne**ru	to go to sleep, to sleep / 자다 / dormir / dormir, acostarse
寝坊する ③	ねぼうする	**ne**bō suru	to oversleep / 늦잠자다 / acordar tarde / quedarse dormido
昼寝する ②	ひるねする	hiru**ne** suru	to nap / 낮잠자다 / fazer a sesta, tirar um cochilo / dormir la siesta
寝不足	ねぶそく	**ne**busoku	lack of sleep / 수면 부족 / falta de dormir / falta de sueño
寝室	しんしつ	**shin**'shitsu	bedroom / 침실 / quarto / dormitorio

第26回

練習問題

1 適当な読み方を選んでください。

① 発表の準備をする。
　a. はつぴょう　d. ずんび
　b. ぱっぴょう　e. ずび
　c. はっぴょう　f. じゅんび

② 受付で手続きをする。
　a. うけるづけ　d. てつず
　b. じゅづけ　　e. てつづ
　c. うけつけ　　f. てづつ

③ 早く結論を出しましょう。
　a. けつろん　d. だ
　b. けっろん　e. で
　c. かつろん　f. でだ

④ パソコンの設定に時間がかかる。
　a. せってい
　b. さってい
　c. せつてい

2 下線部の読み方を書いてください。

① 夏は日焼けに注意しましょう。

② 教育に関して、難しい課題がこの国にはたくさんある。

③ 今日は昼寝をしなかったので眠い。

④ 最近、日本では、遅く結婚する人が増えている。

⑤ 他社と協力して商品を生産する。

3 読んで意味を考えましょう。

① A：新車の調子は良いですか。
　　B：ええ、期待以上ですよ。

② A：準急はこの駅にとまりますか。
　　B：ええ、でも一時間に一本しかありませんよ。

③ A：今日の試合の結果、知ってる？
　　B：うん、3対0で勝ったよ。

④ A：横山課長は今日来ていますか。
　　B：ああ、今週一週間休みを取っていますよ。

4 ひらがなを一つ書いてください。必要がない場合は、×を書いてください。

① 国を離(　)て、生活するのは難(　)しい。

② 疲れたので、横になっていたら寝(　)てしまった。

③ 薬の効果を調(　)る。

④ 大切な時計をなくしてしまって、本当に悲(　)い。

⑤ 入社のための面接試験を受(　)る。

チャレンジ！ Challenge! / 도전해보기! / Desafio! / ¡Desafío!

1 適当な漢字を選んでください。

① この<u>みち</u>は、東京と横浜を<u>むすん</u>でいる。　② 先月<u>こんやく</u>した。

<u>みち</u>:
a. 通
b. 道
c. 路

<u>むすん</u>:
d. 結
e. 連
f. 絡

<u>こんやく</u>:
a. 結約
b. 婚約
c. 婚決

③ <u>よやく</u>を<u>とりけす</u>。　④ 大学の<u>しけん</u>に<u>うかる</u>。

<u>よやく</u>:
a. 約束
b. 前約
c. 予約

<u>とりけす</u>:
d. 取り消す
e. 最り消す
f. 支り消す

<u>しけん</u>:
a. 資格
b. 宿題
c. 試験

<u>うかる</u>:
d. 取
e. 受
f. 通

⑤ <u>やさい</u>を少し<u>やいて</u>食べるとおいしい。　⑥ 近年、<u>りこん</u>が、<u>ふえて</u>いる。

<u>やさい</u>:
a. 野菜
b. 白菜
c. 野物

<u>やいて</u>:
d. 談
e. 焼
f. 温

<u>りこん</u>:
a. 返婚
b. 別婚
c. 離婚

<u>ふえて</u>:
d. 減
e. 増
f. 加

2 適当な漢字を書いてください。

① <u>さいきん</u>、試合に負けることが多くて、<u>いい</u> <u>けっか</u>を出せない。

② <u>よこ</u>になったが、<u>あつくて</u>ねられなかった。

③ 携帯電話の<u>りょうきん</u> <u>せってい</u>をかえる。

④ エネルギーを、<u>こうかてき</u>に <u>つかう</u>。

⑤ <u>けっこんしき</u>の<u>じゅんび</u>に、半年かかった。

3 ひらがなを漢字やカタカナに変えて、文を書き直してください。または、タイプをしてください。

① みなさまのごきょうりょくをおねがいいたします。

② すぽーつじむのでんわばんごうをしらべる。

③ しょうひんかするには、むずかしいかだいがやまのようにある。

④ ろんぶんのかきかたをならう。

⑤ きのう、ゆうびんきょくのひとからにもつをうけとった。

1-500 漢字音訓リスト · Kanji 1-500 On-Kun List · 1-500 한자 음훈 리스트 ·
**Lista das leituras Kun-yomi (leitura japonesa) e On-yomi (leitura oriunda da china) dos kanjis de 1 a 500 ·
Lista de la lectura On-yomi y Kun-yomi de los kanjis del 1 al 500**

『ストーリーで覚える漢字』の漢字500字の読みのリストです。常用漢字表にある全ての読みが全て挙げられています。小さい字は、本書には載せていない常用漢字表にある読みで、[ ] はその語例です。上段は訓読み、下段は音読みです。

This is a reading list of 500 kanji of "Learning Kanji through Stories". All of the readings introduced in the "List of Joyo Kanji" are listed. Readings in smaller characters are not introduced in this book and an example is added in the brackets. The kun-reading is noted in the upper row while the on-reading is in the lower row of each kanji.

"스토리로 배우는 한자"의 한자 500 자의 훈독과 음독의 목록입니다. 상용 한자표에 있는 모든 훈독과 음독이 전부 실려 있습니다. 작은 글자는 본서에는 실려있지 않은 상용 한자표에 있는 훈독과 음독으로 [ ]는 그 예입니다. 상단은 훈독, 하단은 음독입니다.

Trata-se de uma lista com as leituras dos 500 kanjis do livro "Aprenda Kanjis através de Estórias". Contém todas as leituras compostas da lista de Jōyō kanji (lista com os ideogramas mais usados no dia-a-dia). As letras pequenas representam a leitura da lista de Kanjis de Uso Comum, Jōyō kanji, que não fazem parte deste livro-texto. As palavras escritas entre colchetes [ ] são exemplos de como o ideograma é usado. Na primeira linha temos a forma Kun-yomi de leitura e na segunda linha temos a forma On-yomi de leitura.

Es la lista de la lectura de los 500 kanjis de "Aprenda Kanjis a través de Historias". Se han incluido todas las lecturas de la Lista de Kanjis de Uso Común. Las letras pequeñas hacen referencia a las lecturas de la Lista de Kanjis de Uso Común que no se incluyen en el libro con un ejemplo de cada kanji entre [ ]. Primero aparece la lectura On-yomi y luego la lectura Kun-yomi.

第1回

1	一	ひと-つ, ひと いち, いつ / いっ [同一]
2	二	ふた-つ, ふた [二人] に
3	三	みっ-つ, み [三日月], みつ [三つ指] さん
4	山	やま さん
5	川	かわ / がわ せん [河川]
6	目	め もく, ぼく [面目]
7	口	くち / ぐち こう, く [口調]
8	人	ひと にん, じん
9	木	き, こ [木立] もく, ぼく [土木]
10	休	やす-み, やす-む, やす-まる [休まる], やす-める [休める] きゅう
11	本	もと ほん
12	体	からだ たい, てい [体裁]
13	田	た / だ でん [田園]
14	力	ちから りょく, りき [力作]

15	男	おとこ だん, なん [長男]
16	女	おんな じょ, にょう [女房], にょ [天女]
17	安	やす-い あん

第2回

18	上	うえ, あ-がる, あ-げる, うわ [上着], かみ [川上], のぼ-る [上る] じょう, しょう [上人]
19	下	した, さ-がる, くだ-さい, しも [川下], もと [足下], さ-げる [下げる], くだ-る [下る], くだ-す [下す], お-ろす [下ろす], お-りる [お-りる] か, げ
20	中	なか じゅう, ちゅう
21	大	おお-きい, おお-いに [大いに] だい, たい
22	太	ふと-い, ふと-る たい, た [丸太]
23	小	ちい-さい, こ, お しょう
24	少	すこ-し, すく-ない しょう
25	入	はい-る, い-れる, い-る [気に入る] にゅう
26	出	で-る, だ-す しゅつ, すい [出納]
27	子	こ し, す [様子]

28	学	まな-ぶ[学ぶ] がく / がっ
29	四	よっ-つ, よん, よ[四年], よつ[四つ角] し
30	五	いつ-つ, いつ[五日] ご
31	六	むっ-つ, むい[六日], むつ[六つ切り] ろく / ろっ
32	七	なな-つ, なな, なの[七日] しち
33	八	やっ-つ, よう[八日], やつ[八つ当たり], や[八百屋] はち / はっ
34	九	ここの-つ, ここの きゅう, く
35	十	とお, と[十色] じゅう / じゅっ
36	古	ふる-い, ふる-す[使い古す] こ
第3回		
37	百	― ひゃく / びゃく / ぴゃく
38	千	ち[千々に] せん / ぜん
39	万	― まん, ばん[万全]
40	円	まる-い えん
41	日	ひ / び, か, にち / にっ, に, じつ[平日]
42	月	つき がつ, げつ
43	明	あか-るい, あ-かり[明かり], あか-るむ[明るむ], あか-らむ[明らむ], あき-らか[明らか], あ-ける[夜明け], あ-く[明く], あか-す[明かす] めい, みょう[光明]
44	立	た-つ, た-てる りつ / りっ, りゅう[建立]
45	音	おと, ね[音色] おん, いん[福音]
46	暗	くら-い あん
47	火	ひ / び, ほ[火影] か
48	水	みず すい
49	土	つち ど, と

50	国	くに こく / こっ
51	全	まった-く[全く] ぜん
52	金	かね, かな[金具] きん, こん[金色]
53	工	― く, こう
54	左	ひだり さ
55	右	みぎ う, ゆう[左右]
56	友	とも ゆう
第4回		
57	何	なに / なん か[幾何学]
58	手	て, た[手綱] しゅ
59	切	き-る, きっ, き-れる[切れる] せつ, さい[一切]
60	分	わ-かる, わ-ける, わ-かれる[分かれる], わ-かつ[分かち合う] ふん / ぷん / ぶん, ぶ[五分]
61	今	いま こん, きん[今上]
62	半	なか-ば[半ば] はん
63	止	と-まる, と-める し
64	正	ただ-しい, ただ-す[正す], まさ[正夢] しょう, せい
65	歩	ある-く, あゆ-む[歩む] ほ / ぽ, ぶ[歩合], ふ[歩]
66	足	あし, た-りる, た-す, た-る[舌足らず] そく
67	走	はし-る そう
68	起	お-きる, お-こす, お-こる[起こる] き[起床]
69	夕	ゆう せき[一朝一夕]
70	外	そと, ほか, はず-す[外す], はず-れる[外れる] がい, げ[外科]
71	多	おお-い た
72	名	な, みょう[名字] めい

73	夜	よる, よ[月夜] や
74	生	う-まれる, い-きる, い-かす[生かす], い-ける[生け捕り], う-む[生む], お-う[生い立ち], は-える[生える], は-やす[生やす], き[生糸], なま[生水] せい, じょう, しょう

第5回

75	見	み-る, み-せる, み-つかる, み-つける, み-える[見える] けん
76	元	もと[家元] げん, がん
77	先	さき せん
78	天	あま[天の川], あめ[天] てん
79	文	ふみ[恋文] ぶん, もん[天文学]
80	父	お-とう-さん, ちち ふ
81	母	お-かあ-さん, はは ぼ
82	行	い-く, おこな-う, ゆ-く[行く] こう, ぎょう[行列], あん[行脚]
83	毎	― まい
84	海	うみ かい
85	東	ひがし とう
86	西	にし せい, さい[東西]
87	南	みなみ なん, な[南無]
88	北	きた ほく / ほっ
89	耳	みみ じ
90	門	かど[門松] もん
91	聞	き-く, き-こえる ぶん, もん[前代未聞]
92	間	あいだ, ま かん, けん[人間]

第6回

93	牛	うし ぎゅう
94	午	― ご
95	年	とし ねん
96	前	まえ ぜん
97	後	うし-ろ, あと, のち[後の世], おく-れる[後れる] ご, こう
98	高	たか-い, だか[売上高], たか-まる[高まる], たか-める[高める] こう
99	銀	― ぎん
100	食	た-べる, く-う[食い物], く-らう[食らう] しょく, じき[断食]
101	飯	めし[五目飯] はん
102	飲	の-む いん
103	白	しろ-い, しろ, しら[白壁] はく, びゃく[黒白]
104	赤	あか, あか-い, あか-らむ[赤らむ], あか-らめる[赤らめる] せき, しゃく[赤銅]
105	青	あお, あお-い せい, しょう[群青]
106	言	い-う, こと[言葉] げん, ごん
107	話	はなし, はな-す わ
108	語	かた-る[物語], かた-らう[語らう] ご
109	売	う-る, う-れる[売れる] ばい
110	読	よ-む どく, とく[読本], とう[読点]
111	書	か-く しょ

第7回

112	新	あたら-しい, あらた[新た], にい[新妻] しん
113	馬	うま, ま[絵馬] ば
114	駅	― えき
115	魚	さかな, うお[魚市場] ぎょ[鮮魚]
116	米	こめ べい, まい[新米]
117	来	く-る, きた-る[来る], きた-す[来す] らい

#	漢字	読み
118	雨	あめ, あま[雨雲] / う[雨量]
119	電	— / でん
120	気	— / き, け[気配]
121	車	くるま / しゃ
122	空	そら, あ-く[空く], あ-ける[空ける], から[空手] / くう
123	社	やしろ[社] / しゃ／じゃ
124	内	うち / ない, だい[境内]
125	長	なが-い / ちょう
126	校	— / こう
127	会	あ-う / かい, え[会釈]
128	寺	てら / じ
129	待	ま-つ / たい
130	時	とき / じ

第8回

#	漢字	読み
131	持	も-つ / じ[持参]
132	特	— / とく／とっ
133	買	か-う / ばい[売買]
134	員	— / いん
135	質	— / しつ, しち[人質], ち[言質]
136	店	みせ / てん
137	開	あ-く, あ-ける, ひら-く, ひら-ける[開ける] / かい
138	閉	し-まる, し-める, と-じる, と-ざす[閉ざす] / へい
139	問	と-う, と-い[問い], とん[問屋] / もん
140	自	みずか-ら[自ら] / じ, し[自然]

#	漢字	読み
141	首	くび / しゅ
142	道	みち / どう, とう[神道]
143	週	— / しゅう
144	重	おも-い, え[一重], かさ-ねる[重ねる], かさ-なる[重なる] / じゅう, ちょう[貴重]
145	動	うご-く, うご-かす[動かす] / どう
146	働	はたら-く / どう
147	早	はや-い, はや-まる[早まる], はや-める[早める] / そう[早朝], さっ[早速]
148	花	はな / か
149	草	くさ / そう
150	茶	— / ちゃ, さ[喫茶店]

第9回

#	漢字	読み
151	転	ころ-ぶ, ころ-がる[転がる], ころ-がす[転がす], ころ-ぶ[転ぶ] / てん
152	運	はこ-ぶ / うん
153	軽	かる-い, かろ-やか[軽やか] / けい
154	朝	あさ / ちょう
155	昼	ひる / ちゅう
156	風	かぜ, かざ[風車] / ふう, ふ[風情]
157	押	お-す, お-さえる[押さえる] / おう[押収]
158	引	ひ-く, ひ-ける[引ける] / いん[引力]
159	強	つよ-い, つよ-まる[強まる], つよ-める[強める], し-いる[強いる] / きょう, ごう[強引]
160	弱	よわ-い, よわ-る[弱る], よわ-まる[弱まる], よわ-める[弱める] / じゃく
161	習	なら-う / しゅう
162	勉	— / べん

163	台	― だい, たい
164	始	はじ-まる, はじ-める し
165	市	いち し
166	姉	あね, お-ねえ-さん し
167	妹	いもうと まい
168	味	あじ, あじ-わう[味わう] み
169	好	す-き, この-む[好む] こう
第10回		
170	心	こころ しん
171	思	おも-う し
172	意	― い
173	急	いそ-ぐ きゅう
174	悪	わる-い あく / あっ, お[悪寒]
175	兄	あに, お-にい-さん きょう, けい[父兄]
176	弟	おとうと だい, で[弟子], てい[義弟]
177	親	おや, した-しい, した-しむ[親しむ] しん
178	主	おも-な, ぬし[地主] しゅ, す[坊主]
179	注	そそ-ぐ ちゅう
180	住	す-む, す-まう[住まう] じゅう
181	春	はる しゅん
182	夏	なつ か, げ[夏至]
183	秋	あき しゅう
184	冬	ふゆ とう
185	寒	さむ-い かん
186	暑	あつ-い しょ
187	晴	は-れる, は-らす[気晴らし] せい
第11回		
188	終	お-わる, お-える しゅう
189	紙	かみ し
190	低	ひく-い, ひく-める[低める], ひく-まる[低まる] てい
191	肉	― にく
192	鳥	とり ちょう
193	犬	いぬ けん[愛犬]
194	洋	― よう
195	和	やわ-らぐ[和らぐ], なご-む[和む], なご-やか[和やか] わ, お[和尚]
196	服	― ふく
197	式	― しき
198	試	ため-す, こころ-みる[試みる] し
199	験	― けん, げん[霊験]
200	近	ちか-い きん
201	遠	とお-い えん, おん[久遠]
202	送	おく-る そう
203	回	まわ-る, まわ-す かい, え[回向]
204	用	もち-いる[用いる] よう
205	通	かよ-う, とお-る, とお-す[通す] つう, つ[通夜]
206	不	― ふ, ぶ[不用心]
第12回		
207	事	こと / ごと じ, ず[好事家]
208	仕	つか-える[仕える] し, じ[給仕]
209	料	― りょう

210	理	ー り
211	有	あ-る ゆう, う[有無]
212	無	な-い む, ぶ
213	野	の や
214	黒	くろ, くろ-い こく
215	町	まち ちょう
216	村	むら そん
217	菜	な[青菜] さい
218	区	ー く
219	方	かた / がた ほう
220	旅	たび りょ
221	族	ー ぞく
222	短	みじか-い たん
223	知	し-る ち
224	死	し-ぬ し
225	医	ー い
226	者	もの しゃ
第13回		
227	都	みやこ[都] と, つ[都合]
228	京	ー きょう, けい[京阪神]
229	県	ー けん
230	民	たみ[民] みん
231	同	おな-じ どう
232	合	あ-う, あ-わせる, あ-わす[合わす] ごう, がっ, かっ[合戦]
233	答	こた-える とう

234	家	いえ, うち, や か, け[家来]
235	場	ば じょう
236	所	ところ しょ / じょ
237	世	よ[世の中] せ, せい[世紀]
238	代	か-わる, か-える[代える], よ[神代], しろ[代物] だい, たい[代謝]
239	貸	か-す たい
240	地	ー ち, じ
241	池	いけ ち[電池]
242	洗	あら-う せん
243	光	ひかり, ひか-る こう
第14回		
244	英	ー えい
245	映	うつ-る, うつ-す[映す], は-える[夕映え] えい
246	歌	うた, うた-う か
247	楽	たの-しい, たの-しむ がく, らく
248	薬	くすり やく / やっ
249	界	ー かい
250	産	う-む, う-まれる[産まれる], うぶ[産毛] さん
251	業	わざ[仕業] ぎょう, ごう[自業自得]
252	林	はやし りん
253	森	もり しん
254	物	もの ぶつ, もつ[荷物]
255	品	しな ひん
256	建	た-つ, た-てる けん, こん[建立]
257	館	ー かん

258	図	はか-る[図る] / ず, と
259	使	つか-う / し
260	便	たよ-り[便り] / べん, びん
261	借	か-りる / しゃく / しゃっ
262	作	つく-る / さく / さっ, さ
第15回		
263	広	ひろ-い, ひろ-まる[広まる], ひろ-げる[広げる], ひろ-がる[広がる], ひろ-げる[広げる] / こう
264	私	わたし, わたくし / し
265	去	さ-る[去る] / きょ, こ[過去]
266	室	むろ[室咲き] / しつ
267	屋	や / おく
268	教	おし-える, おそ-わる[教わる] / きょう
269	研	と-ぐ[研ぐ] / けん
270	発	— / はつ / はっ / ぱつ, ほっ[発作]
271	究	きわ-める[究める] / きゅう
272	着	き-る, つ-く, き-せる[着せる], つ-ける[着ける] / ちゃく
273	乗	の-る, の-せる[乗せる] / じょう
274	計	はか-る, はか-らう[計らう] / けい
275	画	— / が, かく
276	説	と-く[説く] / せつ / せっ, ぜい[遊説]
277	院	— / いん
278	病	や-む[病む], やまい[病] / びょう, へい[疾病]
279	科	— / か
280	度	たび[この度] / ど, と[法度], たく[支度]

第16回		
281	頭	あたま, かしら[頭文字] / ず, とう[頭部], と[音頭]
282	顔	かお / がん
283	声	こえ, こわ[声色] / せい, しょう[大音声]
284	題	— / だい
285	色	いろ / しき, しょく
286	漢	— / かん
287	字	あざ[大字] / じ
288	写	うつ-る, うつ-す / しゃ
289	考	かんが-える / こう
290	真	ま / しん
291	集	あつ-まる, あつ-める, つど-う[集う] / しゅう
292	曜	— / よう
293	進	すす-む, すす-める / しん
294	帰	かえ-る, かえ-す[帰す] / き
295	別	わか-れる / べつ
296	以	— / い
297	堂	— / どう
298	税	— / ぜい
299	込	こ-む, こ-める[込める] / —
300	申	もう-す / しん
第17回		
301	的	まと[的] / てき
302	約	— / やく
303	宿	やど[宿], やど-る[雨宿り], やど-す[宿す] / しゅく

304	泊	と-まる, と-める はく / ぱく		328	留	と-まる, と-める りゅう, る
305	荷	に か		329	番	― ばん
306	個	― こ, か[1個所]		330	号	― ごう
307	訪	たず-ねる, おとず-れる ほう		331	信	― しん
308	比	くら-べる ひ		332	違	ちが-う, ちが-える[間違える] い
309	階	― かい / がい		333	他	ほか た
310	化	ば-ける[化ける], ば-かす[化かす] か, け		334	両	― りょう
311	老	ふ-ける, お-いる[老いる] ろう		335	利	き-く[左利き] り
312	宅	― たく		336	平	ひら, たい-ら へい, びょう
313	若	わか-い じゃく / じゃっ, にゃく[老若]		337	成	な-る, な-す[成す] せい, じょう[成仏]
314	変	か-わる, か-える へん		338	完	― かん
315	晩	― ばん		339	打	う-つ だ[打者]
316	雲	くも うん[雲海]		340	当	あ-たる, あ-てる とう
317	育	そだ-つ, そだ-てる いく		341	静	しず-か, しず-まる[静まる], しず-める[静める], しず[静けさ], せい, じょう[静脈]
318	窓	まど そう		**第19回**		
319	園	その[園] えん		342	忘	わす-れる ぼう
320	眠	ねむ-い, ねむ-る みん		343	忙	いそが-しい ぼう
321	遊	あそ-ぶ ゆう, ゆ[遊山]		344	性	― せい, しょう[相性]
第18回				345	感	― かん
322	才	― さい		346	減	へ-る, へ-らす げん
323	身	み しん		347	泣	な-く きゅう[号泣]
324	単	― たん		348	夫	おっと ふ[漁夫], ふう
325	礼	― れい, らい[礼賛]		349	実	み[実], みの-る[実る] じつ / じっ
326	初	はじ-め, はつ, うい[初々しい], そ-める[書き初め] しょ		350	失	うしな-う しつ / しっ
327	伝	つた-わる, つた-える, つた-う[手伝] でん		351	鉄	― てつ

352	表	おもて, あらわ-す, あらわ-れる[表れる] ひょう / ぴょう
353	現	あらわ-れる, あらわ-す げん
354	覚	おぼ-える, さ-める, さ-ます かく
355	石	いし せき / せっ, しゃく[磁石], こく[石高]
356	確	たし-か, たし-かめる かく
357	認	みと-める にん
358	増	ふ-える, ふ-やす, ま-す[増す] ぞう
359	加	くわ-わる, くわ-える か
360	婦	― ふ

第20回

361	冷	つめ-たい, ひ-える, ひ-やす, さ-める[冷める], さ-ます[冷ます], ひや[冷や汗], ひや-かす[冷やかす] れい
362	欠	か-ける, か-く[欠く] けつ / けっ
363	次	つぎ, つ-ぐ[次いで] し, じ
364	資	― し
365	客	― きゃく / きゃっ, かく[旅客]
366	絡	から-む[絡む], から-まる[絡まる] らく
367	格	― かく / かっ, こう[格子]
368	連	つれ-る, つら-なる[連なる], つら-ねる[連ねる] れん
369	席	― せき
370	指	ゆび, さ-す し
371	座	すわ-る ざ
372	卒	― そつ / そっ
373	禁	― きん
374	予	あらかじ-め[予め] よ

375	決	き-まる, き-める けつ / けっ
376	定	さだ-まる[定まる], さだ-める[定める], さだ-か[定か] てい, じょう
377	辞	や-める じ
378	報	むく-いる[報いる] ほう / ぽう
379	告	つ-げる[告げる] こく

第21回

380	応	― おう
381	必	かなら-ず ひつ
382	付	つ-く, つ-ける ふ / ぷ
383	対	― たい, つい[一対]
384	要	い-る よう
385	価	あたい[価] か
386	酒	さけ, さか[酒屋] しゅ
387	配	くば-る はい / ぱい
388	記	しる-す[記す] き
389	反	そ-る[反る], そ-らす[反らす] はん
390	返	か-える, か-えす へん
391	接	つ-ぐ[接ぐ] せつ
392	案	― あん
393	直	なお-る, なお-す, ただ-ちに[直ちに] ちょく, じき
394	置	お-く ち
395	位	くらい[位] い
396	面	おも, おもて[細面], つら[鼻面] めん
397	談	― だん
398	相	あい そう, しょう

399	様	さま / よう
340	求	もと-める / きゅう

第22回

401	血	ち / けつ
402	温	あたた-かい, あたた-まる, あたた-める, ぬる-い[温い] / おん
403	暖	あたた-かい, あたた-まる, あたた-める / だん
404	湯	ゆ / とう
405	熱	あつ-い / ねつ／ねっ
406	割	わり, わ-れる, わ-る, さ-く[割く] / かつ[割愛]
407	支	ささ-える / し
408	疲	つか-れる, つか-らす[疲らす] / ひ
409	彼	かれ, かの[彼女] / ひ[彼岸]
410	痛	いた-い, いた-む, いた-める[痛める] / つう
411	歯	は／ば / し
412	奥	おく / おう[奥義]
413	険	けわ-しい / けん
414	証	— / しょう
415	保	たも-つ[保つ] / ほ
416	過	す-ぎる, す-ごす, あやま-ち[過ち], あやま-つ[過つ] / か
417	器	うつわ[器] / き
418	具	— / ぐ
419	術	— / じゅつ

第23回

420	糸	いと / し[製糸]
421	係	かかり, かか-る[係る] / けい
422	機	はた[機織り] / き
423	関	せき[関取] / かん
424	交	ま-ざる[交ざる], ま-じる[交じる], ま-ぜる[交ぜる], まじ-わる[交わる], まじ-える[交える], か-わす[交わす] / こう
425	落	お-ちる, お-とす / らく
426	路	じ[旅路] / ろ
427	練	ね-る[練る] / れん
428	線	— / せん
429	細	ほそ-い, こま-かい, ほそ-る[細る], こま-か[細か] / さい
430	向	む-こう, む-かう, む-く, む-ける / こう
431	局	— / きょく
432	営	いとな-む[営む] / えい
433	点	— / てん
434	呼	よ-ぶ / こ
435	降	お-りる, お-ろす, ふ-る / こう
436	速	はや-い, はや-める[速める], すみや-か[速やか] / そく
437	遅	おそ-い, おく-れる, おく-らす[遅らす] / ち
438	美	うつく-しい / び
439	由	よし[〜の由] / ゆう, ゆ, ゆい[由緒]
440	油	あぶら / ゆ

第24回

441	商	あきな-う[商う], あきな-い[商い] / しょう
442	部	— / ぶ
443	経	た-つ, へ-る[経る] / けい, きょう[お経]

444	済	す-む, す-ます[済ます] さい／ざい
445	払	はら-う ふつ[払拭]
446	治	なお-る, なお-す, おさ-まる[治まる], おさ-める[治める] じ, ち
447	消	き-える, け-す しょう
448	期	— き, ご[この期に及んで]
449	第	— だい
450	費	つい-やす[費やす], つい-える[費える] ひ
451	府	— ふ
452	数	かず, かぞ-える すう
453	故	ゆえ[故に] こ
454	政	まつりごと[政] せい, しょう[摂政]
455	驚	おどろ-く, おどろ-かす きょう[驚異]
456	良	よ-い, い-い りょう
457	歴	— れき
458	農	— のう
459	原	はら げん
460	願	ねが-う がん
461	史	— し

第25回

462	深	ふか-い, ふか-まる, ふか-める しん
463	残	のこ-る, のこ-す ざん
464	念	— ねん
465	泳	およ-ぐ えい
466	非	— ひ
467	悲	かな-しい, かな-しむ ひ
468	常	つね, とこ[常夏] じょう
469	困	こま-る こん
470	笑	わら-う, え-む しょう
471	喜	よろこ-ぶ き[喜劇]
472	苦	にが-い, くる-しい, くる-しむ[苦しむ], くる-しめる[苦しめる] く
473	活	— かつ
474	続	つづ-く, つづ-ける ぞく
475	組	くみ, く-む そ
476	専	もっぱ-ら[専ら] せん
477	再	ふたた-び さ, さい
478	共	とも きょう
479	講	— こう
480	法	— ほう／ぽう, はっ[御法度]
481	議	— ぎ

第26回

482	調	しら-べる, ととの-う[調う], ととの-える[調える] ちょう
483	協	— きょう
484	横	よこ おう
485	焼	や-く, や-ける しょう[全焼]
486	備	そな-える, そな-わる び
487	準	— じゅん
488	難	むずか-しい, かた-い なん
489	離	はな-れる, はな-す り
490	結	むす-ぶ, ゆ-う[結う], ゆ-わえる[結わえる] けつ

491	婚	ー
		こん
492	果	はた-す, はて[最果て], はて-る[果てる]
		か
493	課	ー
		か
494	論	ー
		ろん
495	効	き-く
		こう
496	受	う-かる, う-ける
		じゅ
497	設	もう-ける[設ける]
		せっ
498	取	と-る
		しゅ[取材]
499	最	もっと-も
		さい
500	寝	ね-る, ね-かす[寝かす]
		しん

『ストーリーで覚える漢字』と他の漢字リストとの比較
Comparison between the kanji of "Learning Kanji through Stories" and other kanji compilation lists
'스토리로 배우는 한자'와 다른 한자 리스트와의 비교 · Comparação entre "Aprenda Kanjis através de Estórias" e outras listas de kanjis · Comparación de "Aprenda Kanjis a través de Historias" con otras listas de kanjis

1. 学年別漢字配当表

小学校の1年生から6年生までで習う漢字のリストです。小さい字の漢字は、『ストーリーで覚える漢字』に含まれない漢字です。

Kanji Guideline for Grade 1 to Grade 6
This is a list of kanji introduced from Grade 1 to Grade 6. Smaller kanji are not listed among the 500 kanji in "Learning Kanji through Stories".

학년별 한자 배당표
초등학교 1 학년부터 6 학년까지 배우는 한자 리스트입니다. 작은 글자의 한자는 "스토리로 배우는 한자" 에 포함되지 않는 한자입니다.

Lista de kanjis de cada série escolar
Trata-se da lista de kanjis aprendidos entre a 1ª série e 6ª série da escola japonesa. Os kanjis que não fazem parte do material " Aprenda Kanjis através de Estórias " foram escritos em letra pequena.

Lista de Kanjis por Año Escolar
Es la lista de los kanjis que se aprenden desde el 1er grado hasta el 6to grado de primaria. Los kanjis en letras pequeñas hacen referencia a aquellos que no han sido incluidos en " Aprenda Kanjis a través de Historias".

第一学年	一 右 雨 円 王★ 音 下 火 花 貝★ 学 気 九 休 玉★ 金 空 月 犬 見 口 校 左 三 山 子 四 糸 字 耳 七 車 手 十 出 女 小 上 森 人 水 正 生 青 夕 石 赤 千 川 先 早 草 足 村 大 男 竹★ 中 虫★ 町 天 田 土 二 日 入 年 白 八 百 文 木 本 名 目 立 力 林 六 五　　(80字)
第二学年	引 羽★ 雲 園 遠 何 科 夏 家 歌 画 回 会 海 絵 外 角 楽 活 間 丸 岩 顔 汽 記 帰 弓★ 牛★ 魚 京 強 教 近 兄 形 計 元 言 原 戸 古 午 後 語 工 公 広 交 光 考 行 高 黄★ 合 谷 国 黒 今 才 細 作 算 止 市 矢★ 姉 思 紙 寺 自 時 室 社 弱 首 秋 週 春 書 少 場 色 食 心 新 親 図 数 西 声 星 晴 切 雪 船 線 前 組 走 多 太 体 台 地 池 知 茶 昼 長 鳥 朝 直 通 弟 店 点 電 刀★ 冬 当 東 答 頭 同 道 読 内 南 肉 馬 売 買 麦 半 番 父 風 分 聞 米 歩 母 方 北 毎 妹 万 明 鳴 毛 門 夜 野 友 用 曜 来 里 理 話　　(160字)
第三学年	悪 安 暗 医 委 意 育 員 院 飲 運 泳 駅 央★ 横 屋 温 化 荷 界 階 寒 感 漢 館 岸 起 期 客 究 急 級 宮 球 去 向 橋 業 曲 局 銀 区 苦 具 君 係 軽 血 決 研 県 庫 湖 幸★ 港 号 根 祭 皿★ 仕 死 使 始 指 歯 詩 次 事 持 式 実 写 者 主 守 取 酒 受 州 拾 終 習 集 住 重 宿 所 暑 助 昭 消 商 章 勝 乗 植 申 身 神 真 深 進 世 整 昔★ 全 相

152

第三学年	送 想 息 速 族 他 打 対 待 代 第 題 炭 短 談 着 注 柱 丁 帳 調 追 定 庭 笛 鉄 転 都 度 投 豆 ★ 島 湯 登 等 動 童 農 波 配 倍 箱 畑 発 反 坂 板 皮 ★ 悲 美 鼻 筆 氷 表 秒 病 品 負 部 服 福 物 平 返 勉 放 味 命 面 問 役 薬 由 油 有 遊 予 羊 ★ 洋 葉 陽 様 落 流 旅 両 緑 礼 列 練 路 和 開 (200字)
第四学年	愛 案 以 衣 位 囲 胃 印 英 栄 塩 億 加 果 貨 課 芽 改 械 害 各 ★ 覚 完 官 管 関 観 願 希 季 紀 喜 旗 器 機 議 求 泣 救 給 挙 漁 共 協 鏡 競 極 訓 軍 郡 径 型 景 芸 欠 結 建 健 験 固 功 好 候 航 康 告 差 菜 最 材 昨 札 刷 殺 察 参 産 散 残 士 ★ 氏 ★ 史 司 試 児 治 辞 失 借 種 周 ★ 祝 順 初 松 笑 唱 焼 象 照 賞 臣 信 成 省 清 静 席 積 折 節 説 浅 戦 選 然 争 ★ 倉 巣 束 側 続 卒 孫 帯 隊 達 単 置 仲 貯 兆 腸 低 底 停 的 典 伝 徒 努 灯 堂 働 特 得 毒 熱 念 敗 梅 博 飯 飛 費 必 票 標 不 夫 付 府 副 粉 兵 別 辺 変 便 包 法 望 牧 末 満 未 ★ 脈 民 無 約 勇 要 養 浴 利 陸 良 料 量 輪 類 令 冷 例 歴 連 老 労 録 街 (200字)
第五学年	圧 移 因 永 営 衛 易 益 液 演 応 往 桜 恩 可 ★ 仮 価 河 過 賀 解 格 確 額 刊 幹 慣 眼 基 寄 規 技 義 逆 久 旧 居 許 境 均 禁 句 群 経 潔 件 券 険 検 限 現 減 故 個 護 効 厚 耕 鉱 構 興 講 混 査 再 災 妻 採 際 在 財 罪 雑 酸 賛 支 志 枝 師 資 飼 示 ★ 似 識 質 舎 謝 授 修 述 術 準 序 招 承 証 条 状 常 情 織 職 制 性 政 勢 精 製 税 責 績 接 設 舌 絶 銭 祖 素 総 造 像 増 則 測 属 率 損 退 貸 態 団 断 築 張 提 程 適 敵 統 銅 導 徳 独 任 燃 能 破 犯 判 版 比 肥 非 備 俵 評 貧 布 婦 富 武 復 複 仏 編 弁 保 墓 報 豊 防 貿 暴 務 夢 迷 綿 輸 余 預 容 略 留 領 快 (185字)
第六学年	異 遺 域 宇 映 延 沿 我 灰 拡 革 閣 割 株 干 巻 看 簡 危 机 貴 疑 吸 供 胸 郷 勤 筋 系 敬 警 劇 激 穴 絹 権 憲 源 厳 己 呼 誤 后 孝 皇 紅 降 鋼 刻 穀 骨 困 砂 座 済 裁 策 冊 蚕 至 私 姿 視 詞 誌 磁 射 捨 尺 若 樹 収 宗 就 衆 従 縦 縮 熟 純 処 署 諸 除 将 傷 障 城 蒸 針 仁 垂 推 寸 ★ 盛 聖 誠 宣 専 泉 洗 染 善 奏 窓 創 装 層 操 蔵 臓 存 尊 宅 担 探 誕 段 暖 値 宙 忠 著 庁 頂 潮 賃 痛 展 討 党 糖 届 難 乳 認 納 脳 派 拝 背 肺 俳 班 晩 否 批 秘 腹 奮 並 陛 閉 片 補 暮 宝 訪 亡 忘 棒 枚 幕 密 盟 模 訳 郵 優 幼 欲 翌 乱 卵 覧 裏 律 臨 朗 論 揮 (181字)

2. 『Basic Kanji Book 500』(凡人社)

『Basic Kanji Book 500』vol.1, vol.2 の 500 字の漢字のうち、『ストーリーで覚える漢字』で取り上げていない漢字は以下の 31 字です。

These thirty one kanji, which are either listed in volume 1 or volume 2 of "Basic Kanji Book 500", are not included in "Learning Kanji through Stories".

"Basic Kanji Book 500" vol.1, vol.2 의 한자 중에서 "스토리로 배우는 한자"에서 다루고 있지 않은 한자는 이하의 31 자 입니다.

Os kanjis não inclusos no material "Aprenda Kanjis através de Estórias" dentre 500 kanjis de "Basic Kanji Book 500" vol.1, vol.2 são os 31 ideogramas seguintes.

De los 500 kanjis del Volumen 1 y 2 del "Basic Kanji Book 500", aquellos que no han sido incluidos en "Aprenda Kanjis a través de Historias" son los 31 kanjis siguientes.

畑	岩	竹	渡	島	涼	選	適	形	折	投	流	到	雑	誌	情
曲	脱	並	簡	港	飛	放	橋	退	類	得	移	較	賛	制	(31字)

3. 『日本語学習のためのよく使う順漢字 2100』(三省堂)

『日本語学習のためのよく使う順漢字 2100』の第 1 位〜第 500 位までの漢字のリストです。1 行目左から順に、第 1 位の漢字(日)、第 2 位(一)、第 3 位(大)となっていて、第 500 位(満)まであります。小さい字の漢字は、『ストーリーで覚える漢字』に含まれない漢字で、115 字あります。

This is a list of the 500 most frequently used kanji based on "KANJI 2100 Listed according to Frequency and Familiarity". The list is read from left to right and top to bottom. The most frequently used kanji, for instance, is "日", the second "一", the third "大" and all the way to the 500th which is "満". The one hundred and fifteen kanji written in smaller font are not included in "Learning Kanji through Stories".

"일본어 학습을 위해서 자주 사용하는 한자 순 2100"의 제 1 위〜제 500 위까지의 한자 리스트입니다. 첫째 줄 왼쪽부터 순서대로 제 1 위의 한자(日), 제 2 위(一), 제 3 위(大)로 되어 있고, 제 500 위(満)까지 있습니다. 작은 글자의 한자는 "스토리로 배우는 한자"에 포함되지 않은 한자로 115 자가 있습니다.

É a lista de 1 a 500 kanjis que consistem no material "2100 KANJIS Listada de acordo com Frequência e Familiaridade". Da primeira linha à esquerda, o kanji mais utilizado é o (日), segundo colocado (一) e terceiro colocado (大) continuará até 500 colocado (満). Os 115 kanjis escritos em letra pequena não fazem partes do material "Aprenda Kanjis através de Estórias".

Es la lista de los kanjis del 1 al 500 de "2100 Kanjis según su Frecuencia de Uso y Familiaridad". Aparecen de izquierda a derecha desde la primera línea el primer kanji (日), el segundo (一), el tercero (大) y así sucesivamente hasta llegar al kanji Nº 500 (満). Los 115 kanjis que aparecen en letras pequeñas no han sido incluidos en "Aprenda Kanjis a través de Historias".

日	一	大	年	中	会	人	本	月	長	国	出	上	十	生	子	分	東
三	行	同	今	高	金	時	手	見	市	力	米	自	前	円	合	立	内
二	事	村	者	地	京	間	田	体	学	下	目	五	後	新	明	方	部
女	八	心	四	民	対	主	正	代	言	九	小	思	七	山	実	入	回
場	野	開	万	全	定	家	北	六	問	話	文	動	度	県	水	安	氏★
和	政	保	表	道	相	意	発	不	党	法	川	世	名	首	百	現	私
取	気	作	広	海	化	知	木	区	公	用	来	先	外	所	千	決	当
最	数	業	持	教	車	書	受	朝	組	近	強	連	士	村	平	男	物	交	進	口
的	品	要	真	原	成	都	組	近	記	調	理	使	信	議	島	工	指	止
町	員	空	向	直	重	勝	有	点	光	美	協	反	神	石	電	計	改	多
付	約	性	治	共	命	産	加	通	続	天	戦	売	聞	南	足	午	考	関
死	元	語	各★	無	井	団	第	題	求	食	集	夜	特	初	右	少	宮
利	楽	選	期	昨	早	身	役	左	可★	面	以	予	式	半	友	次	感	引

変	愛	夫	起	制	別	府	説	運	終	何	告	係	白	親	住	音	店	権
位	父	価	英	再	優	総	応	春	台	谷	省	示★	声	赤	急	解	支	林	投
始	太	古	得	建	情	森	母	官	報	在	院	設	両	結	参	様	機	戸	件
頭	料	画	良	字	青	風	打	松	局	着	形	常	好	認	横	流	秋	乗
若	席	線	算	紙	与	活	基	税	守	必	統	夏	黒	増	清	確	側	資	返
歌	任	番	銀	収	買	土★	際	竹	経	済	仕	比	根	由	科	伝	答	例
室	葉	界	切	論	門	藤	労	個	火	岡	放	派	休	害	王	星	走	望	写	置
医	佐	案	西	査	歩	客	花	格	送	歳	昭	末	果	務	委	屋	失	想	職	馬
色	究	味	辺	器	校	企	差	億	判	助	存	営	他	去	庁	談	商	能	健	深
育	号	消	研	香	技	状	州	達	軍	沢	待	吉	久	渡	検	彼	演	帰	過	追	図
転	容	幸★	減	負	旅	洋	義	防	悪	景	周	訪	浜	丸	史	兵	費	読	落
術	血	賞	割	残	病	配	武	単	課	完	球	江	整	雨	玉	製	造	習	注
呼	勢	族	系	財	夕	独	退	型	橋	顔	富	崎	福	芸	規	等	短	満

※ 右上に★が付いている漢字は、『ストーリーで覚える漢字』で「部品」としているもので、単独でも漢字として成り立ちます。★の漢字は、[ストーリーで意味を覚えよう]には挙げられていますが、[読み方と書き方を覚えよう]、及び、練習問題では取り上げられていません。

The kanji with a ★ is introduced as "a kanji part" in "Learning Kanji through Stories" which can also be used by itself as a complete kanji. These kanji are only in "Let's memorize kanji with its story" but not in "Let's learn reading and writing" or "Exercises".

오른쪽 위에 ★이 붙어 있는 한자는 "스토리로 배우는 한자"에서 '부품'으로 다루고 있는 것으로 단독으로도 한자로서 성립합니다. ★의 한자는 [스토리로 의미를 배우기]에는 담고 있지만, [읽는 법과 쓰는 법 배우기] 및 연습문제에서는 다루고 있지 않습니다.

Kanjis com ★ representam a parte do kanji no material "Aprenda Kanjis através de Estórias" e são utilizados sozinhos, também. Kanjis com ★ estão inseridos no "Vamos aprender os significados dos kanjis através das estórias", mas não incluídos na parte "Vamos aprender a ler e a escrever".

Los kanjis que llevan ★ en la parte superior derecha hacen referencia a una parte o radical de los kanjis que pueden constituir un kanji por sí mismo en "Aprenda Kanjis a través de Historias". Los kanjis con ★ han sido incluidos en la sección "Aprendamos los significados a través de historias" más no así en "Aprendamos la lectura y la escritura de los kanjis" como tampoco en los ejercicios.

読み方索引・Reading Index・읽는 법 색인・Índice das leituras・Índice de lecturas

あ

あい	相	398	p.66 (vol.2)
あいだ	間	92	p.85 (vol.1)
あ-う	会う	127	p.100 (vol.1)
あ-う	合う	232	p.194 (vol.1)
あお	青	105	p.91 (vol.1)
あか	赤	104	p.91 (vol.1)
あ-がる	上がる	18	p.57 (vol.1)
あか-るい	明るい	43	p.67 (vol.1)
あき	秋	183	p.174 (vol.1)
あく	悪	174	p.172 (vol.1)
あ-く	開く	137	p.105 (vol.1)
あ-ける	開ける	137	p.105 (vol.1)
あ-げる	上げる	18	p.57 (vol.1)
あさ	朝	154	p.164 (vol.1)
あし	足	66	p.75 (vol.1)
あじ	味	168	p.167 (vol.1)
あそ-ぶ	遊ぶ	321	p.37 (vol.2)
あたた-かい	温かい	402	p.102 (vol.2)
あたた-かい	暖かい	403	p.102 (vol.2)
あたた-まる	温まる	402	p.102 (vol.2)
あたた-まる	暖まる	403	p.102 (vol.2)
あたた-める	温める	402	p.102 (vol.2)
あたた-める	暖める	403	p.102 (vol.2)
あたま	頭	281	p.215 (vol.1)
あたら-しい	新しい	112	p.96 (vol.1)
あ-たる	当たる	340	p.45 (vol.2)
あっ	悪	174	⇒あく (vol.1)
あつ-い	暑い	186	p.175 (vol.1)
あつ-い	熱い	405	p.103 (vol.2)
あつ-まる	集まる	291	p.217 (vol.1)
あつ-める	集める	291	p.217 (vol.1)
あ-てる	当てる	340	p.45 (vol.2)
あと	後	97	p.89 (vol.1)
あに	兄	175	p.172 (vol.1)
あね	姉	166	p.167 (vol.1)
あぶら	油	440	p.114 (vol.2)
あめ	雨	118	p.97 (vol.1)
あら-う	洗う	242	p.198 (vol.1)
あらわ-す	表す	352	p.50 (vol.2)
あらわ-す	現す	353	p.51 (vol.2)
あらわ-れる	現れる	353	p.51 (vol.2)
あ-る	有る	211	p.186 (vol.1)
ある-く	歩く	65	p.75 (vol.1)
あ-わせる	合わせる	232	p.194 (vol.1)
あん	安	17	p.54 (vol.1)
あん	暗	46	p.68 (vol.1)
あん	案	392	p.65 (vol.2)

い

い	意	172	p.171 (vol.1)
い	医	225	p.190 (vol.1)
い	以	296	p.219 (vol.1)
い	違	332	p.42 (vol.2)
い	位	395	p.66 (vol.2)
い-い	良い	456	p.121 (vol.2)
い-う	言う	106	p.91 (vol.1)
いえ	家	234	p.195 (vol.1)
い-きる	生きる	74	p.78 (vol.1)
い-く	行く	82	p.83 (vol.1)
いく	育	317	p.36 (vol.2)
いけ	池	241	p.197 (vol.1)
いし	石	355	p.51 (vol.2)
いそが-しい	忙しい	343	p.48 (vol.2)
いそ-ぐ	急ぐ	173	p.172 (vol.1)
いた-い	痛い	410	p.104 (vol.2)
いた-む	痛む	410	p.104 (vol.2)

いち	一	1	p.50 (vol.1)
いち	市	165	p.167 (vol.1)
いつ - つ	五つ	30	p.60 (vol.1)
いと	糸	420	p.109 (vol.2)
いぬ	犬	193	p.179 (vol.1)
いま	今	61	p.74 (vol.1)
いもうと	妹	167	p.167 (vol.1)
い - る	要る	384	p.63 (vol.2)
い - れる	入れる	25	p.59 (vol.1)
いろ	色	285	p.216 (vol.1)
いん	飲	102	p.90 (vol.1)
いん	員	134	p.105 (vol.1)
いん	院	277	p.212 (vol.1)

———— う ————

う	右	55	p.70 (vol.1)
うえ	上	18	p.57 (vol.1)
う - かる	受かる	496	p.136 (vol.2)
う - ける	受ける	496	p.136 (vol.2)
うご - く	動く	145	p.108 (vol.1)
うし	牛	93	p.88 (vol.1)
うしな - う	失う	350	p.50 (vol.2)
うし - ろ	後ろ	97	p.89 (vol.1)
うた	歌	246	p.201 (vol.1)
うた - う	歌う	246	p.201 (vol.1)
うち	内	124	p.99 (vol.1)
うち	家	234	p.195 (vol.1)
う - つ	打つ	339	p.45 (vol.2)
うつく - しい	美しい	438	p.113 (vol.2)
うつ - す	写す	288	p.217 (vol.1)
うつ - る	映る	245	p.201 (vol.1)
うつ - る	写る	288	p.217 (vol.1)
うま	馬	113	p.96 (vol.1)
う - まれる	生まれる	74	p.78 (vol.1)
うみ	海	84	p.83 (vol.1)
う - む	産む	250	p.202 (vol.1)
う - る	売る	109	p.92 (vol.1)
うん	運	152	p.163 (vol.1)

———— え ————

えい	英	244	p.201 (vol.1)
えい	映	245	p.201 (vol.1)
えい	営	432	p.112 (vol.2)
えい	泳	465	p.126 (vol.2)
えき	駅	114	p.96 (vol.1)
え - む	笑む	470	p.127 (vol.2)
えん	円	40	p.66 (vol.1)
えん	遠	201	p.181 (vol.1)
えん	園	319	p.36 (vol.2)

———— お ————

おう	応	380	p.62 (vol.2)
おう	横	484	p.133 (vol.2)
お - える	終える	188	p.178 (vol.1)
おお - い	多い	71	p.77 (vol.1)
おお - きい	大きい	21	p.58 (vol.1)
お - かあ - さん	お母さん	81	p.82 (vol.1)
お - きる	起きる	68	p.76 (vol.1)
おく	屋	267	p.209 (vol.1)
お - く	置く	394	p.65 (vol.2)
おく	奥	412	p.105 (vol.2)
おく - る	送る	202	p.181 (vol.1)
おく - れる	遅れる	437	p.113 (vol.2)
お - こす	起こす	68	p.76 (vol.1)
おこな - う	行う	82	p.83 (vol.1)
おし - える	教える	268	p.209 (vol.1)
お - す	押す	157	p.165 (vol.1)
おそ - い	遅い	437	p.113 (vol.2)
お - ちる	落ちる	425	p.110 (vol.2)
おっと	夫	348	p.49 (vol.2)
おと	音	45	p.68 (vol.1)
お - とう - さん	お父さん	80	p.82 (vol.1)
おとうと	弟	176	p.172 (vol.1)

おとこ	男	15	p.54 (vol.1)
お-とす	落とす	425	p.110 (vol.2)
おとず-れる	訪れる	307	p.33 (vol.2)
おどろ-かす	驚かす	455	p.120 (vol.2)
おどろ-く	驚く	455	p.120 (vol.2)
おな-じ	同じ	231	p.194 (vol.1)
お-にい-さん	お兄さん	175	p.172 (vol.1)
お-ねえ-さん	お姉さん	166	p.167 (vol.1)
おぼ-える	覚える	354	p.51 (vol.2)
おも	面	396	p.66 (vol.2)
おも-い	重い	144	p.107 (vol.1)
おも-う	思う	171	p.171 (vol.1)
おもて	表	352	p.50 (vol.2)
おも-な	主な	178	p.173 (vol.1)
おや	親	177	p.173 (vol.1)
およ-ぐ	泳ぐ	465	p.126 (vol.2)
お-りる	降りる	435	p.113 (vol.2)
お-ろす	降ろす	435	p.113 (vol.2)
お-わる	終わる	188	p.178 (vol.1)
おん	音	45	p.68 (vol.1)
おん	温	402	p.102 (vol.2)
おんな	女	16	p.54 (vol.1)

―――― か ――――

か	下	19	p.57 (vol.1)
か	日	41	p.66 (vol.1)
か	火	47	p.68 (vol.1)
か	花	148	p.108 (vol.1)
か	夏	182	p.174 (vol.1)
か	家	234	p.195 (vol.1)
か	歌	246	p.201 (vol.1)
か	科	279	p.212 (vol.1)
か	荷	305	p.33 (vol.2)
か	化	310	p.34 (vol.2)
か	加	359	p.52 (vol.2)
か	価	385	p.63 (vol.2)
か	過	416	p.106 (vol.2)
か	果	492	p.135 (vol.2)
か	課	493	p.136 (vol.2)
が	画	275	p.211 (vol.1)
かい	海	84	p.83 (vol.1)
かい	会	127	p.100 (vol.1)
かい	開	137	p.105 (vol.1)
かい	回	203	p.182 (vol.1)
かい	界	249	p.202 (vol.1)
かい	階	309	p.34 (vol.2)
がい	外	70	p.76 (vol.1)
がい	階	309	⇒かい (vol.2)
か-う	買う	133	p.104 (vol.1)
かえ-す	返す	390	p.64 (vol.2)
か-える	変える	314	p.35 (vol.2)
かえ-る	帰る	294	p.218 (vol.1)
かえ-る	返る	390	p.64 (vol.2)
かお	顔	282	p.215 (vol.1)
かかり	係	421	p.109 (vol.2)
か-く	書く	111	p.93 (vol.1)
かく	画	275	p.211 (vol.1)
かく	覚	354	p.51 (vol.2)
かく	確	356	p.51 (vol.2)
かく	格	367	p.56 (vol.2)
がく	学	28	p.60 (vol.1)
がく	楽	247	p.202 (vol.1)
か-ける	欠ける	362	p.55 (vol.2)
か-す	貸す	239	p.197 (vol.1)
かず	数	452	p.120 (vol.2)
かぜ	風	156	p.164 (vol.1)
かぞ-える	数える	452	p.120 (vol.2)
かた	方	219	p.188 (vol.1)
がた	方	219	⇒かた (vol.1)
かた-い	難い	488	p.134 (vol.2)
かつ	活	473	p.128 (vol.2)

かっ	格	367	⇒かく (vol.2)
がつ	月	42	p.67 (vol.1)
がっ	学	28	⇒がく (vol.1)
がっ	合	232	p.194 (vol.1)
かな-しい	悲しい	467	p.126 (vol.2)
かな-しむ	悲しむ	467	p.126 (vol.2)
かなら-ず	必ず	381	p.62 (vol.2)
かね	金	52	p.69 (vol.1)
かみ	紙	189	p.178 (vol.1)
かよ-う	通う	205	p.182 (vol.1)
からだ	体	12	p.53 (vol.1)
か-りる	借りる	261	p.205 (vol.1)
かる-い	軽い	153	p.163 (vol.1)
かれ	彼	409	p.104 (vol.2)
かわ	川	5	p.51 (vol.1)
がわ	川	5	⇒かわ (vol.1)
か-わる	代わる	238	p.196 (vol.1)
か-わる	変わる	314	p.35 (vol.2)
かん	間	92	p.85 (vol.1)
かん	寒	185	p.175 (vol.1)
かん	館	257	p.204 (vol.1)
かん	漢	286	p.216 (vol.1)
かん	完	338	p.44 (vol.2)
かん	感	345	p.49 (vol.2)
かん	関	423	p.110 (vol.2)
がん	元	76	p.81 (vol.1)
がん	顔	282	p.215 (vol.1)
がん	願	460	p.122 (vol.2)
かんが-える	考える	289	p.217 (vol.1)

──── き ────

き	木	9	p.52 (vol.1)
き	気	120	p.98 (vol.1)
き	帰	294	p.218 (vol.1)
き	記	388	p.64 (vol.2)
き	器	417	p.106 (vol.2)
き	機	422	p.109 (vol.2)
き	期	448	p.119 (vol.2)
ぎ	議	481	p.130 (vol.2)
き-える	消える	447	p.118 (vol.2)
き-く	聞く	91	p.85 (vol.1)
き-く	効く	495	p.136 (vol.2)
き-こえる	聞こえる	91	p.85 (vol.1)
きた	北	88	p.84 (vol.1)
きっ	切	59	p.73 (vol.1)
き-まる	決まる	375	p.58 (vol.2)
き-める	決める	375	p.58 (vol.2)
きゃく	客	365	p.56 (vol.2)
きゃっ	客	365	⇒きゃく (vol.2)
きゅう	休	10	p.52 (vol.1)
きゅう	九	34	p.61 (vol.1)
きゅう	急	173	p.172 (vol.1)
きゅう	究	271	p.210 (vol.1)
きゅう	求	400	p.67 (vol.2)
ぎゅう	牛	93	p.88 (vol.1)
きょ	去	265	p.208 (vol.1)
きょう	強	159	p.165 (vol.1)
きょう	兄	175	p.172 (vol.1)
きょう	京	228	p.193 (vol.1)
きょう	教	268	p.209 (vol.1)
きょう	共	478	p.129 (vol.2)
きょう	協	483	p.133 (vol.2)
ぎょう	業	251	p.203 (vol.1)
きょく	局	431	p.112 (vol.2)
き-る	切る	59	p.73 (vol.1)
き-る	着る	272	p.210 (vol.1)
きん	金	52	p.69 (vol.1)
きん	近	200	p.181 (vol.1)
きん	禁	373	p.58 (vol.2)
ぎん	銀	99	p.90 (vol.1)

ーーー く ーーー

く	九	34	p.61 (vol.1)
く	工	53	p.70 (vol.1)
く	区	218	p.188 (vol.1)
く	苦	472	p.127 (vol.2)
ぐ	具	418	p.106 (vol.2)
くう	空	122	p.99 (vol.1)
くさ	草	149	p.109 (vol.1)
くすり	薬	248	p.202 (vol.1)
くだ-さい	下さい	19	p.57 (vol.1)
くち	口	7	p.51 (vol.1)
ぐち	口	7	⇒くち (vol.1)
くに	国	50	p.69 (vol.1)
くば-る	配	387	p.64 (vol.2)
くび	首	141	p.106 (vol.1)
くみ	組	475	p.128 (vol.2)
く-む	組む	475	p.128 (vol.2)
くも	雲	316	p.36 (vol.2)
くら-い	暗い	46	p.68 (vol.1)
くら-べる	比べる	308	p.34 (vol.2)
く-る	来る	117	p.97 (vol.1)
くる-しい	苦	472	p.127 (vol.2)
くるま	車	121	p.98 (vol.1)
くろ	黒	214	p.187 (vol.1)
くわ-える	加える	359	p.52 (vol.2)
くわ-わる	加わる	359	p.52 (vol.2)

ーーー け ーーー

け	化	310	p.34 (vol.2)
げ	下	19	p.57 (vol.1)
けい	軽	153	p.163 (vol.1)
けい	計	274	p.211 (vol.1)
けい	係	421	p.109 (vol.2)
けい	経	443	p.117 (vol.2)
け-す	消す	447	p.118 (vol.2)
けつ	欠	362	p.55 (vol.2)
けつ	決	375	p.58 (vol.2)
けつ	血	401	p.102 (vol.2)
けつ	結	490	p.135 (vol.2)
けっ	欠	362	⇒けつ (vol.2)
けっ	決	375	⇒けつ (vol.2)
けっ	結	490	⇒けつ (vol.2)
げつ	月	42	p.67 (vol.1)
けわ-しい	険しい	413	p.105 (vol.2)
けん	見	75	p.81 (vol.1)
けん	験	199	p.181 (vol.1)
けん	県	229	p.193 (vol.1)
けん	建	256	p.204 (vol.1)
けん	研	269	p.209 (vol.1)
けん	険	413	p.105 (vol.2)
げん	元	76	p.81 (vol.1)
げん	言	106	p.91 (vol.1)
げん	減	346	p.49 (vol.2)
げん	現	353	p.51 (vol.2)
げん	原	459	p.121 (vol.2)

ーーー こ ーーー

こ	小	23	p.58 (vol.1)
こ	子	27	p.59 (vol.1)
こ	古	36	p.62 (vol.1)
こ	個	306	p.33 (vol.2)
こ	呼	434	p.112 (vol.2)
こ	故	453	p.120 (vol.2)
ご	五	30	p.60 (vol.1)
ご	午	94	p.88 (vol.1)
ご	後	97	p.89 (vol.1)
ご	語	108	p.92 (vol.1)
こう	口	7	p.51 (vol.1)
こう	工	53	p.70 (vol.1)
こう	行	82	p.83 (vol.1)
こう	後	97	p.89 (vol.1)
こう	高	98	p.89 (vol.1)

こう	校	126	p.100 (vol.1)
こう	好	169	p.168 (vol.1)
こう	光	243	p.198 (vol.1)
こう	広	263	p.208 (vol.1)
こう	考	289	p.217 (vol.1)
こう	交	424	p.110 (vol.2)
こう	向	430	p.111 (vol.2)
こう	降	435	p.113 (vol.2)
こう	講	479	p.129 (vol.2)
こう	効	495	p.136 (vol.2)
ごう	合	232	p.194 (vol.1)
ごう	号	330	p.42 (vol.2)
こえ	声	283	p.215 (vol.1)
こく	国	50	p.69 (vol.1)
こく	黒	214	p.187 (vol.1)
こく	告	379	p.59 (vol.2)
ここの-つ	九つ	34	p.61 (vol.1)
こころ	心	170	p.171 (vol.1)
こた-える	答える	233	p.195 (vol.1)
こっ	国	50	⇒こく (vol.1)
こと	事	207	p.185 (vol.1)
ごと	事	207	⇒こと (vol.1)
こま-かい	細かい	429	p.111 (vol.2)
こま-る	困る	469	p.127 (vol.2)
こ-む	込む	299	p.219 (vol.1)
こめ	米	116	p.97 (vol.1)
ころ-ぶ	転ぶ	151	p.163 (vol.1)
こん	今	61	p.74 (vol.1)
こん	困	469	p.127 (vol.2)
こん	婚	491	p.135 (vol.2)
ごん	言	106	p.91 (vol.1)

———— さ ————

さ	左	54	p.70 (vol.1)
さ	作	262	p.205 (vol.1)
さ	再	477	p.129 (vol.2)
ざ	座	371	p.57 (vol.2)
さい	菜	217	p.187 (vol.1)
さい	才	322	p.40 (vol.2)
さい	細	429	p.111 (vol.2)
さい	済	444	p.118 (vol.2)
さい	再	477	p.129 (vol.2)
さい	最	499	p.137 (vol.2)
ざい	済	444	⇒さい (vol.2)
さかな	魚	115	p.97 (vol.1)
さ-がる	下がる	19	p.57 (vol.1)
さき	先	77	p.81 (vol.1)
さく	作	262	p.205 (vol.1)
さけ	酒	386	p.63 (vol.2)
ささ-える	支える	407	p.103 (vol.2)
さ-す	指す	370	p.57 (vol.2)
さっ	作	262	⇒さく (vol.1)
さま	様	399	p.67 (vol.2)
さ-ます	覚ます	354	p.51 (vol.2)
さむ-い	寒い	185	p.175 (vol.1)
さ-める	覚める	354	p.51 (vol.2)
さん	三	3	p.50 (vol.1)
さん	山	4	p.51 (vol.1)
さん	産	250	p.202 (vol.1)
ざん	残	463	p.125 (vol.2)

———— し ————

し	子	27	p.59 (vol.1)
し	四	29	p.60 (vol.1)
し	止	63	p.75 (vol.1)
し	始	164	p.166 (vol.1)
し	市	165	p.167 (vol.1)
し	姉	166	p.167 (vol.1)
し	思	171	p.171 (vol.1)
し	紙	189	p.178 (vol.1)
し	試	198	p.180 (vol.1)
し	仕	208	p.185 (vol.1)

し	死	224	p.189 (vol.1)		し-める	閉める	138	p.106 (vol.1)
し	使	259	p.205 (vol.1)		しゃ	車	121	p.98 (vol.1)
し	私	264	p.208 (vol.1)		しゃ	社	123	p.99 (vol.1)
し	次	363	p.55 (vol.2)		しゃ	者	226	p.190 (vol.1)
し	資	364	p.56 (vol.2)		しゃ	写	288	p.217 (vol.1)
し	指	370	p.57 (vol.2)		じゃ	社	123	⇒しゃ (vol.1)
し	支	407	p.103 (vol.2)		しゃく	借	261	p.205 (vol.1)
し	歯	411	p.104 (vol.2)		じゃく	弱	160	p.165 (vol.1)
し	史	461	p.122 (vol.2)		じゃく	若	313	p.35 (vol.2)
じ	耳	89	p.84 (vol.1)		しゃっ	借	261	⇒しゃく (vol.1)
じ	寺	128	p.100 (vol.1)		じゃっ	若	313	⇒じゃく (vol.2)
じ	時	130	p.101 (vol.1)		しゅ	手	58	p.73 (vol.1)
じ	自	140	p.106 (vol.1)		しゅ	首	141	p.106 (vol.1)
じ	事	207	p.185 (vol.1)		しゅ	主	178	p.173 (vol.1)
じ	地	240	p.197 (vol.1)		しゅ	酒	386	p.63 (vol.2)
じ	字	287	p.216 (vol.1)		じゅ	受	496	p.136 (vol.2)
じ	次	363	p.55 (vol.2)		しゅう	週	143	p.107 (vol.1)
じ	辞	377	p.59 (vol.2)		しゅう	習	161	p.166 (vol.1)
じ	治	446	p.118 (vol.2)		しゅう	秋	183	p.174 (vol.1)
しき	式	197	p.180 (vol.1)		しゅう	終	188	p.178 (vol.1)
しき	色	285	p.216 (vol.1)		しゅう	集	291	p.217 (vol.1)
じき	直	393	p.65 (vol.2)		じゅう	中	20	p.57 (vol.1)
しず-か	静か	341	p.45 (vol.2)		じゅう	十	35	p.62 (vol.1)
した	下	19	p.57 (vol.1)		じゅう	重	144	p.107 (vol.1)
した-しい	親しい	177	p.173 (vol.1)		じゅう	住	180	p.174 (vol.1)
しち	七	32	p.61 (vol.1)		しゅく	宿	303	p.32 (vol.2)
じつ	実	349	p.50 (vol.1)		しゅつ	出	26	p.59 (vol.1)
しつ	質	135	p.105 (vol.1)		じゅつ	術	419	p.106 (vol.2)
しつ	室	266	p.209 (vol.1)		じゅっ	十	35	⇒じゅう (vol.1)
しつ	失	350	p.50 (vol.2)		しゅん	春	181	p.174 (vol.1)
しっ	失	350	⇒しつ (vol.2)		じゅん	準	487	p.134 (vol.2)
じっ	実	349	⇒じつ (vol.2)		しょ	書	111	p.93 (vol.1)
しな	品	255	p.204 (vol.1)		しょ	暑	186	p.175 (vol.1)
し-ぬ	死ぬ	224	p.189 (vol.1)		しょ	所	236	p.196 (vol.1)
し-まる	閉まる	138	p.106 (vol.1)		しょ	初	326	p.41 (vol.2)

じょ	女	16	p.54 (vol.1)
しょう	小	23	p.58 (vol.1)
しょう	少	24	p.59 (vol.1)
しょう	正	64	p.75 (vol.1)
しょう	生	74	p.78 (vol.1)
しょう	相	398	p.66 (vol.2)
しょう	証	414	p.105 (vol.2)
しょう	商	441	p.117 (vol.2)
しょう	消	447	p.118 (vol.2)
しょう	笑	470	p.127 (vol.2)
じょう	上	18	p.57 (vol.1)
じょう	生	74	p.78 (vol.1)
じょう	場	235	p.195 (vol.1)
じょう	乗	273	p.211 (vol.1)
じょう	定	376	p.59 (vol.2)
じょう	常	468	p.126 (vol.2)
しょく	食	100	p.90 (vol.1)
しょく	色	285	p.216 (vol.1)
しら-べる	調べる	482	p.133 (vol.2)
し-る	知る	223	p.189 (vol.1)
しろ	白	103	p.91 (vol.1)
しん	新	112	p.96 (vol.1)
しん	心	170	p.171 (vol.1)
しん	親	177	p.173 (vol.1)
しん	森	253	p.203 (vol.1)
しん	真	290	p.217 (vol.1)
しん	進	293	p.218 (vol.1)
しん	申	300	p.220 (vol.1)
しん	身	323	p.40 (vol.2)
しん	信	331	p.42 (vol.2)
しん	深	462	p.125 (vol.2)
しん	寝	500	p.137 (vol.2)
じん	人	8	p.52 (vol.1)

——— す ———

ず	図	258	p.204 (vol.1)
ず	頭	281	p.215 (vol.1)
すい	水	48	p.68 (vol.1)
すう	数	452	p.120 (vol.2)
す-き	好き	169	p.168 (vol.1)
す-ぎる	過ぎる	416	p.106 (vol.2)
すこ-し	少し	24	p.59 (vol.1)
す-ごす	過ごす	416	p.106 (vol.2)
すく-ない	少ない	24	p.59 (vol.1)
すす-む	進む	293	p.218 (vol.1)
すす-める	進める	293	p.218 (vol.1)
す-む	住む	180	p.174 (vol.1)
す-む	済む	444	p.118 (vol.2)
すわ-る	座る	371	p.57 (vol.2)

——— せ ———

せ	世	237	p.196 (vol.1)
せい	正	64	p.75 (vol.1)
せい	生	74	p.78 (vol.1)
せい	西	86	p.84 (vol.1)
せい	青	105	p.91 (vol.1)
せい	晴	187	p.175 (vol.1)
せい	声	283	p.215 (vol.1)
せい	成	337	p.44 (vol.2)
せい	静	341	p.45 (vol.2)
せい	性	344	p.48 (vol.2)
せい	政	454	p.120 (vol.2)
ぜい	税	298	p.219 (vol.1)
せき	赤	104	p.91 (vol.1)
せき	石	355	p.51 (vol.2)
せき	席	369	p.57 (vol.2)
せつ	切	59	p.73 (vol.1)
せつ	説	276	p.211 (vol.1)
せつ	接	391	p.65 (vol.2)
せつ	設	497	p.137 (vol.2)
せっ	説	276	⇒せつ (vol.1)
せっ	石	355	⇒せき (vol.2)

せっ	設	497	⇒せつ (vol.2)
せん	千	38	p.65 (vol.1)
せん	先	77	p.81 (vol.1)
せん	洗	242	p.198 (vol.1)
せん	線	428	p.111 (vol.2)
せん	専	476	p.128 (vol.2)
ぜん	千	38	⇒せん (vol.1)
ぜん	全	51	p.69 (vol.1)
ぜん	前	96	p.89 (vol.1)

——— そ ———

そ	組	475	p.128 (vol.2)
そう	走	67	p.76 (vol.1)
そう	草	149	p.109 (vol.1)
そう	送	202	p.181 (vol.1)
そう	窓	318	p.36 (vol.2)
そう	相	398	p.66 (vol.2)
ぞう	増	358	p.52 (vol.2)
そく	足	66	p.75 (vol.1)
そく	速	436	p.113 (vol.2)
ぞく	族	221	p.189 (vol.1)
ぞく	続	474	p.128 (vol.2)
そそ-ぐ	注ぐ	179	p.173 (vol.1)
そだ-つ	育つ	317	p.36 (vol.2)
そだ-てる	育てる	317	p.36 (vol.2)
そつ	卒	372	p.58 (vol.2)
そっ	卒	372	⇒そつ (vol.2)
そと	外	70	p.76 (vol.1)
そな-える	備える	486	p.134 (vol.2)
そな-わる	備わる	486	p.134 (vol.2)
そら	空	122	p.99 (vol.1)
そん	村	216	p.187 (vol.1)

——— た ———

た	田	13	p.53 (vol.1)
た	多	71	p.77 (vol.1)
た	他	333	p.43 (vol.2)
だ	田	13	⇒た (vol.1)
たい	体	12	p.53 (vol.1)
たい	大	21	p.58 (vol.1)
たい	太	22	p.58 (vol.1)
たい	待	129	p.101 (vol.1)
たい	台	163	p.166 (vol.1)
たい	貸	239	p.197 (vol.1)
たい	対	383	p.63 (vol.2)
だい	大	21	p.58 (vol.1)
だい	台	163	p.166 (vol.1)
だい	弟	176	p.172 (vol.1)
だい	代	238	p.196 (vol.1)
だい	題	284	p.216 (vol.1)
だい	第	449	p.119 (vol.2)
たい-ら	平ら	336	p.44 (vol.2)
たか-い	高い	98	p.89 (vol.1)
たく	宅	312	p.35 (vol.2)
たし-か	確か	356	p.51 (vol.2)
たし-かめる	確かめる	356	p.51 (vol.2)
た-す	足す	66	p.75 (vol.1)
だ-す	出す	26	p.59 (vol.1)
たず-ねる	訪ねる	307	p.33 (vol.2)
ただ-しい	正しい	64	p.75 (vol.1)
た-つ	立つ	44	p.67 (vol.1)
た-つ	建つ	256	p.204 (vol.1)
た-つ	経つ	443	p.117 (vol.2)
た-てる	立てる	44	p.67 (vol.1)
た-てる	建てる	256	p.204 (vol.1)
たの-しい	楽しい	247	p.202 (vol.1)
たの-しむ	楽しむ	247	p.202 (vol.1)
たび	旅	220	p.188 (vol.1)
た-べる	食べる	100	p.90 (vol.1)
ため-す	試す	198	p.180 (vol.1)
た-りる	足りる	66	p.75 (vol.1)
たん	短	222	p.189 (vol.1)

たん	単	324	p.40 (vol.2)
だん	男	15	p.54 (vol.1)
だん	談	397	p.66 (vol.2)
だん	暖	403	p.102 (vol.2)

——— ち ———

ち	知	223	p.189 (vol.1)
ち	地	240	p.197 (vol.1)
ち	置	394	p.65 (vol.2)
ち	血	401	p.102 (vol.2)
ち	遅	437	p.113 (vol.2)
ち	治	446	p.118 (vol.2)
ちい-さい	小さい	23	p.58 (vol.1)
ちか-い	近い	200	p.181 (vol.1)
ちが-う	違う	332	p.42 (vol.2)
ちから	力	14	p.53 (vol.1)
ちち	父	80	p.82 (vol.1)
ちゃ	茶	150	p.109 (vol.1)
ちゃく	着	272	p.210 (vol.1)
ちゅう	中	20	p.57 (vol.1)
ちゅう	昼	155	p.164 (vol.1)
ちゅう	注	179	p.173 (vol.1)
ちょう	長	125	p.100 (vol.1)
ちょう	朝	154	p.164 (vol.1)
ちょう	鳥	192	p.179 (vol.1)
ちょう	町	215	p.187 (vol.1)
ちょう	調	482	p.133 (vol.2)
ちょく	直	393	p.65 (vol.2)

——— つ ———

つう	通	205	p.182 (vol.1)
つう	痛	410	p.104 (vol.2)
つか-う	使う	259	p.205 (vol.1)
つか-れる	疲れる	408	p.104 (vol.2)
つき	月	42	p.67 (vol.1)
つぎ	次	363	p.55 (vol.2)
つ-く	着く	272	p.210 (vol.1)
つ-く	付く	382	p.62 (vol.2)
つく-る	作る	262	p.205 (vol.1)
つ-ける	付ける	382	p.62 (vol.2)
つた-える	伝える	327	p.41 (vol.2)
つた-わる	伝わる	327	p.41 (vol.2)
つち	土	49	p.69 (vol.1)
つづ-く	続く	474	p.128 (vol.2)
つづ-ける	続ける	474	p.128 (vol.2)
つね	常	468	p.126 (vol.2)
つめ-たい	冷たい	361	p.55 (vol.2)
つよ-い	強い	159	p.165 (vol.1)
つ-れる	連れる	368	p.57 (vol.2)

——— て ———

て	手	58	p.73 (vol.1)
てい	低	190	p.178 (vol.1)
てい	定	376	p.59 (vol.2)
てき	的	301	p.32 (vol.2)
てつ	鉄	351	p.50 (vol.2)
てら	寺	128	p.100 (vol.1)
で-る	出る	26	p.59 (vol.1)
てん	天	78	p.82 (vol.1)
てん	店	136	p.105 (vol.1)
てん	転	151	p.163 (vol.1)
てん	点	433	p.112 (vol.2)
でん	電	119	p.98 (vol.1)
でん	伝	327	p.41 (vol.2)

——— と ———

と	土	49	p.69 (vol.1)
と	都	227	p.193 (vol.1)
と	図	258	p.204 (vol.1)
ど	土	49	p.69 (vol.1)
ど	度	280	p.212 (vol.1)
とう	東	85	p.83 (vol.1)
と-う	問う	139	p.106 (vol.1)
とう	冬	184	p.175 (vol.1)

165

とう	答	233	p.195 (vol.1)
とう	当	340	p.45 (vol.2)
とう	湯	404	p.103 (vol.2)
どう	道	142	p.107 (vol.1)
どう	動	145	p.108 (vol.1)
どう	働	146	p.108 (vol.1)
どう	同	231	p.194 (vol.1)
どう	堂	297	p.219 (vol.1)
とお	十	35	p.62 (vol.1)
とお-い	遠い	201	p.181 (vol.1)
とお-る	通る	205	p.182 (vol.1)
とき	時	130	p.101 (vol.1)
とく	特	132	p.104 (vol.1)
どく	読	110	p.92 (vol.1)
ところ	所	236	p.196 (vol.1)
とし	年	95	p.88 (vol.1)
と-じる	閉じる	138	p.106 (vol.1)
とっ	特	132	⇒とく (vol.1)
と-まる	止まる	63	p.75 (vol.1)
と-まる	泊まる	304	p.33 (vol.2)
と-まる	留まる	328	p.41 (vol.2)
と-める	止める	63	p.75 (vol.1)
と-める	泊める	304	p.33 (vol.2)
と-める	留める	328	p.41 (vol.2)
とも	友	56	p.70 (vol.1)
とも	共	478	p.129 (vol.2)
とり	鳥	192	p.179 (vol.1)
と-る	取る	498	p.137 (vol.2)

———— な ————

な	名	72	p.77 (vol.1)
ない	内	124	p.99 (vol.1)
な-い	無い	212	p.186 (vol.1)
なお-す	直す	393	p.65 (vol.2)
なお-す	治す	446	p.118 (vol.2)
なお-る	直る	393	p.65 (vol.2)
なお-る	治る	446	p.118 (vol.2)
なか	中	20	p.57 (vol.1)
なが-い	長い	125	p.100 (vol.1)
な-く	泣く	347	p.49 (vol.2)
なつ	夏	182	p.174 (vol.1)
なな-つ	七つ	32	p.61 (vol.1)
なに	何	57	p.73 (vol.1)
なら-う	習う	161	p.166 (vol.1)
な-る	成る	337	p.44 (vol.2)
なん	何	57	⇒なに (vol.1)
なん	南	87	p.84 (vol.1)
なん	難	488	p.134 (vol.2)

———— に ————

に	二	2	p.50 (vol.1)
に	日	41	p.66 (vol.1)
に	荷	305	p.33 (vol.2)
にが-い	苦い	472	p.127 (vol.2)
にく	肉	191	p.179 (vol.1)
にし	西	86	p.84 (vol.1)
にち	日	41	p.66 (vol.1)
にっ	日	41	⇒にち (vol.1)
にゅう	入	25	p.59 (vol.1)
にん	人	8	p.52 (vol.1)
にん	認	357	p.52 (vol.2)

———— ね ————

ねが-う	願う	460	p.122 (vol.2)
ねつ	熱	405	p.103 (vol.2)
ねっ	熱	405	⇒ねつ (vol.2)
ねむ-い	眠い	320	p.37 (vol.2)
ねむ-る	眠る	320	p.37 (vol.2)
ね-る	寝る	500	p.137 (vol.2)
ねん	年	95	p.88 (vol.1)
ねん	念	464	p.125 (vol.2)

———— の ————

の	野	213	p.186 (vol.1)

のう	農	458	p.121 (vol.2)
のこ-す	残す	463	p.125 (vol.2)
のこ-る	残る	463	p.125 (vol.2)
の-む	飲む	102	p.90 (vol.1)
の-る	乗る	273	p.211 (vol.1)

───── は ─────

は	歯	411	p.104 (vol.2)
ば	馬	113	p.96 (vol.1)
ば	場	235	p.195 (vol.1)
ば	歯	411	⇒は (vol.2)
はい	配	387	p.64 (vol.2)
ばい	売	109	p.92 (vol.1)
ぱい	配	387	⇒はい (vol.2)
はい-る	入る	25	p.59 (vol.1)
はか-る	計る	274	p.211 (vol.1)
はく	白	103	p.91 (vol.1)
はく	泊	304	p.33 (vol.2)
ぱく	泊	304	⇒はく (vol.2)
はこ-ぶ	運ぶ	152	p.163 (vol.1)
はじ-まる	始まる	164	p.166 (vol.1)
はじ-め	初め	326	p.41 (vol.2)
はじ-める	始める	164	p.166 (vol.1)
はし-る	走る	67	p.76 (vol.1)
はた-す	果す	492	p.135 (vol.2)
はたら-く	働く	146	p.108 (vol.1)
はち	八	33	p.61 (vol.1)
はつ	発	270	p.210 (vol.1)
はつ	初	326	p.41 (vol.2)
はっ	八	33	⇒はち (vol.1)
はっ	発	270	⇒はつ (vol.1)
ぱつ	発	270	⇒はつ (vol.1)
はな	花	148	p.108 (vol.1)
はなし	話	107	p.92 (vol.1)
はな-す	話す	107	p.92 (vol.1)
はな-す	離す	489	p.135 (vol.2)
はな-れる	離れる	489	p.135 (vol.2)
はは	母	81	p.82 (vol.1)
はや-い	早い	147	p.108 (vol.1)
はや-い	速い	436	p.113 (vol.2)
はやし	林	252	p.203 (vol.1)
はら	原	459	p.121 (vol.2)
はら-う	払う	445	p.118 (vol.2)
はる	春	181	p.174 (vol.1)
は-れる	晴れる	187	p.175 (vol.1)
はん	半	62	p.74 (vol.1)
はん	飯	101	p.90 (vol.1)
はん	反	389	p.64 (vol.2)
ばん	晩	315	p.35 (vol.2)
ばん	番	329	p.42 (vol.2)

───── ひ ─────

ひ	日	41	p.66 (vol.1)
ひ	火	47	p.68 (vol.1)
ひ	比	308	p.34 (vol.2)
ひ	疲	408	p.104 (vol.2)
ひ	費	450	p.119 (vol.2)
ひ	非	466	p.126 (vol.2)
ひ	悲	467	p.126 (vol.2)
び	日	41	⇒ひ (vol.1)
び	火	47	⇒ひ (vol.1)
び	美	438	p.113 (vol.2)
び	備	486	p.134 (vol.2)
ひ-える	冷える	361	p.55 (vol.2)
ひがし	東	85	p.83 (vol.1)
ひかり	光	243	p.198 (vol.1)
ひか-る	光る	243	p.198 (vol.1)
ひ-く	引く	158	p.165 (vol.1)
ひく-い	低い	190	p.178 (vol.1)
ひだり	左	54	p.70 (vol.1)
ひつ	必	381	p.62 (vol.2)
ひと	人	8	p.52 (vol.1)

ひと-つ	一つ	1	p.50 (vol.1)
ひゃく	百	37	p.65 (vol.1)
びゃく	百	37	⇒ひゃく (vol.1)
ぴゃく	百	37	⇒ひゃく (vol.1)
ひ-やす	冷	361	p.55 (vol.2)
ひょう	表	352	p.50 (vol.2)
びょう	病	278	p.212 (vol.1)
びょう	平	336	p.44 (vol.2)
ぴょう	表	352	⇒ひょう (vol.2)
ひら	平	336	p.44 (vol.2)
ひら-く	開く	137	p.105 (vol.1)
ひる	昼	155	p.164 (vol.1)
ひろ-い	広い	263	p.208 (vol.1)
ひん	品	255	p.204 (vol.1)
びん	便	260	p.205 (vol.1)

―――― ふ ――――

ふ	父	80	p.82 (vol.1)
ふ	不	206	p.182 (vol.1)
ふ	婦	360	p.52 (vol.2)
ふ	府	451	p.119 (vol.2)
ぶ	無	212	p.186 (vol.1)
ぶ	部	442	p.117 (vol.2)
ふ	付	382	p.62 (vol.2)
ぷ	付	382	⇒ふ (vol.2)
ふう	風	156	p.164 (vol.1)
ふう	夫	348	p.49 (vol.2)
ふ-える	増える	358	p.52 (vol.2)
ふか-い	深い	462	p.125 (vol.2)
ふか-まる	深まる	462	p.125 (vol.2)
ふか-める	深める	462	p.125 (vol.2)
ふく	服	196	p.180 (vol.1)
ふ-ける	老ける	311	p.34 (vol.2)
ふたた-び	再び	477	p.129 (vol.2)
ふた-つ	二つ	2	p.50 (vol.1)
ぶつ	物	254	p.203 (vol.1)
ふと-い	太い	22	p.58 (vol.1)
ふと-る	太る	22	p.58 (vol.1)
ふ-やす	増やす	358	p.52 (vol.2)
ふゆ	冬	184	p.175 (vol.1)
ふ-る	降る	435	p.113 (vol.2)
ふる-い	古い	36	p.62 (vol.1)
ふん	分	60	p.74 (vol.1)
ぶん	分	60	⇒ふん (vol.1)
ぶん	文	79	p.82 (vol.1)
ぶん	聞	91	p.85 (vol.1)
ぷん	分	60	⇒ふん (vol.1)

―――― へ ――――

へい	閉	138	p.106 (vol.1)
へい	平	336	p.44 (vol.2)
べい	米	116	p.97 (vol.1)
べつ	別	295	p.218 (vol.1)
へ-らす	減らす	346	p.49 (vol.2)
へ-る	減る	346	p.49 (vol.2)
へん	変	314	p.35 (vol.2)
へん	返	390	p.64 (vol.2)
べん	勉	162	p.166 (vol.1)
べん	便	260	p.205 (vol.1)

―――― ほ ――――

ほ	歩	65	p.75 (vol.1)
ほ	保	415	p.105 (vol.2)
ぼ	母	81	p.82 (vol.1)
ぽ	歩	65	⇒ほ (vol.1)
ほう	方	219	p.188 (vol.1)
ほう	訪	307	p.33 (vol.2)
ぽう	報	378	⇒ほう (vol.2)
ぽう	法	480	⇒ほう (vol.2)
ぼう	忘	342	p.48 (vol.2)
ぼう	忙	343	p.48 (vol.2)
ほう	報	378	p.59 (vol.2)
ほう	法	480	p.129 (vol.2)

ほか	外	70	p.76 (vol.1)
ほか	他	333	p.43 (vol.2)
ほく	北	88	p.84 (vol.1)
ほそ-い	細い	429	p.111 (vol.2)
ほっ	北	88	⇒ほく (vol.1)
ほん	本	11	p.53 (vol.1)

──── ま ────

ま	間	92	p.85 (vol.1)
ま	真	290	p.217 (vol.1)
まい	毎	83	p.83 (vol.1)
まい	妹	167	p.167 (vol.1)
まえ	前	96	p.89 (vol.1)
まち	町	215	p.187 (vol.1)
ま-つ	待つ	129	p.101 (vol.1)
まど	窓	318	p.36 (vol.2)
まる-い	円い	40	p.66 (vol.1)
まわ-す	回す	203	p.182 (vol.1)
まわ-る	回る	203	p.182 (vol.1)
まん	万	39	p.65 (vol.1)

──── み ────

み	味	168	p.167 (vol.1)
み	身	323	p.40 (vol.2)
みぎ	右	55	p.70 (vol.1)
みじか-い	短い	222	p.189 (vol.1)
みず	水	48	p.68 (vol.1)
みせ	店	136	p.105 (vol.1)
み-せる	見せる	75	p.81 (vol.1)
みち	道	142	p.107 (vol.1)
み-つかる	見つかる	75	p.81 (vol.1)
み-つける	見つける	75	p.81 (vol.1)
みっ-つ	三つ	3	p.50 (vol.1)
みと-める	認める	357	p.52 (vol.2)
みなみ	南	87	p.84 (vol.1)
みみ	耳	89	p.84 (vol.1)
み-る	見る	75	p.81 (vol.1)

みん	民	230	p.194 (vol.1)
みん	眠	320	p.37 (vol.2)

──── む ────

む	無	212	p.186 (vol.1)
む-かう	向かう	430	p.111 (vol.2)
む-く	向く	430	p.111 (vol.2)
む-ける	向ける	430	p.111 (vol.2)
む-こう	向こう	430	p.111 (vol.2)
むずか-しい	難しい	488	p.134 (vol.2)
むす-ぶ	結ぶ	490	p.135 (vol.2)
むっ-つ	六つ	31	p.61 (vol.1)
むら	村	216	p.187 (vol.1)

──── め ────

め	目	6	p.51 (vol.1)
めい	明	43	p.67 (vol.1)
めい	名	72	p.77 (vol.1)
めん	面	396	p.66 (vol.2)

──── も ────

もう-す	申す	300	p.220 (vol.1)
もく	目	6	p.51 (vol.1)
もく	木	9	p.52 (vol.1)
も-つ	持つ	131	p.104 (vol.1)
もっと-も	最も	499	p.137 (vol.2)
もと	本	11	p.53 (vol.1)
もと-める	求める	400	p.67 (vol.2)
もの	者	226	p.190 (vol.1)
もの	物	254	p.203 (vol.1)
もり	森	253	p.203 (vol.1)
もん	門	90	p.85 (vol.1)
もん	問	139	p.106 (vol.1)

──── や ────

や	夜	73	p.77 (vol.1)
や	野	213	p.186 (vol.1)
や	家	234	p.195 (vol.1)
や	屋	267	p.209 (vol.1)

やく	薬	248	p.202 (vol.1)
やく	約	302	p.32 (vol.2)
や-く	焼く	485	p.134 (vol.2)
や-ける	焼ける	485	p.134 (vol.2)
やす-い	安い	17	p.54 (vol.1)
やす-み	休み	10	p.52 (vol.1)
やす-む	休む	10	p.52 (vol.1)
やっ	薬	248	⇒やく (vol.1)
やっ-つ	八つ	33	p.61 (vol.1)
やま	山	4	p.51 (vol.1)
や-める	辞める	377	p.59 (vol.2)

———— ゆ ————

ゆ	湯	404	p.103 (vol.2)
ゆ	由	439	p.114 (vol.2)
ゆ	油	440	p.114 (vol.2)
ゆう	友	56	p.70 (vol.1)
ゆう	夕	69	p.76 (vol.1)
ゆう	有	211	p.186 (vol.1)
ゆう	遊	321	p.37 (vol.2)
ゆう	由	439	p.114 (vol.2)
ゆび	指	370	p.57 (vol.2)

———— よ ————

よ	予	374	p.58 (vol.2)
よ-い	良い	456	p.121 (vol.2)
よう	洋	194	p.179 (vol.1)
よう	用	204	p.182 (vol.1)
よう	曜	292	p.218 (vol.1)
よう	要	384	p.63 (vol.2)
よう	様	399	p.67 (vol.2)
よこ	横	484	p.133 (vol.2)
よっ-つ	四つ	29	p.60 (vol.1)
よ-ぶ	呼ぶ	434	p.112 (vol.2)
よ-む	読む	110	p.92 (vol.1)
よる	夜	73	p.77 (vol.1)
よろこ-ぶ	喜ぶ	471	p.127 (vol.2)
よわ-い	弱い	160	p.165 (vol.1)
よん	四	29	p.60 (vol.1)

———— ら ————

らい	来	117	p.97 (vol.1)
らく	楽	247	p.202 (vol.1)
らく	絡	366	p.56 (vol.2)
らく	落	425	p.110 (vol.2)

———— り ————

り	理	210	p.186 (vol.1)
り	利	335	p.43 (vol.2)
り	離	489	p.135 (vol.2)
りつ	立	44	p.67 (vol.1)
りっ	立	44	⇒りつ (vol.1)
りゅう	留	328	p.41 (vol.2)
りょ	旅	220	p.188 (vol.1)
りょう	料	209	p.185 (vol.1)
りょう	両	334	p.43 (vol.2)
りょう	良	456	p.121 (vol.2)
りょく	力	14	p.53 (vol.1)
りん	林	252	p.203 (vol.1)

———— る ————

る	留	328	p.41 (vol.2)

———— れ ————

れい	礼	325	p.41 (vol.2)
れい	冷	361	p.55 (vol.2)
れき	歴	457	p.121 (vol.2)
れん	連	368	p.57 (vol.2)
れん	練	427	p.111 (vol.2)

———— ろ ————

ろ	路	426	p.110 (vol.2)
ろう	老	311	p.34 (vol.2)
ろく	六	31	p.61 (vol.1)
ろっ	六	31	⇒ろく (vol.1)
ろん	論	494	p.136 (vol.2)

―――― わ ――――

わ	話	107	p.92 (vol.1)
わ	和	195	p.180 (vol.1)
わか-い	若い	313	p.35 (vol.2)
わ-かる	分かる	60	p.74 (vol.1)
わか-れる	別れる	295	p.218 (vol.1)
わ-ける	分ける	60	p.74 (vol.1)
わす-れる	忘れる	342	p.48 (vol.2)
わたくし	私	264	p.208 (vol.1)
わたし	私	264	p.208 (vol.1)
わら-う	笑	470	p.127 (vol.2)
わり	割	406	p.103 (vol.2)
わ-る	割る	406	p.103 (vol.2)
わる-い	悪い	174	p.172 (vol.1)
わ-れる	割れる	406	p.103 (vol.2)

Definition Index — English

A

acknowledge	認	357	(vol.2)
active	活	473	(vol.2)
actual	現	353	(vol.2)
add	加	359	(vol.2)
advance	進	293	(vol.1)
again	又	★71	p.73 (vol.2)
ahead	先	77	(vol.1)
alcoholic drink	酒	386	(vol.2)
all	全	51	(vol.1)
answer	答	233	(vol.1)
arrive	着	272	(vol.1)
arrow	矢	★51	p.136 (vol.1)
ask a question	質	135	(vol.1)
asset	資	364	(vol.2)
attach	付	382	(vol.2)
autumn	秋	183	(vol.1)
ax	斤	☆24	p.37 (vol.1)

B

bad	悪	174	(vol.1)
baggage	荷	305	(vol.2)
bamboo	竹	★53	p.140 (vol.1)
battle	争	★62	p.11 (vol.2)
bean	豆	★52	p.136 (vol.1)
beautiful	美	438	(vol.2)
become	成	337	(vol.2)
before	前	96	(vol.1)
beforehand	予	374	(vol.2)
beginning	原	459	(vol.2)
behind	後	97	(vol.1)
believe	信	331	(vol.2)
between	間	92	(vol.1)
big	大	21	(vol.1)
big cover	冂	☆34	p.46 (vol.1)

bird	鳥	192	(vol.1)
birth	産	250	(vol.1)
bitter	苦	472	(vol.2)
black	黒	214	(vol.1)
blood	血	401	(vol.2)
blue	青	105	(vol.1)
body	体	12	(vol.1)
body	身	323	(vol.2)
book	本	11	(vol.1)
borrow	借	261	(vol.1)
both	両	334	(vol.2)
bow	弓	★39	p.116 (vol.1)
bright	明	43	(vol.1)
bug	虫	★38	p.115 (vol.1)
build	建	256	(vol.1)
building	館	257	(vol.1)
bureau	局	431	(vol.2)
burn	焼	485	(vol.2)
business	営	432	(vol.2)
busy	忙	343	(vol.2)
buy	買	133	(vol.1)

C

call	呼	434	(vol.2)
can	可	★9	p.18 (vol.1)
candle	主	★44	p.123 (vol.1)
cannot skip	頁	★60	p.157 (vol.1)
capital	京	228	(vol.1)
car	車	★36	p.114 (vol.1)
car	車	121	(vol.1)
carry	運	152	(vol.1)
center	央	★56	p.145 (vol.1)
ceremony	式	197	(vol.1)
certain	確	356	(vol.2)
change	変	314	(vol.2)
character	字	287	(vol.1)
check	調	482	(vol.2)

child	子	27	(vol.1)
citizen	民	230	(vol.1)
city	市	165	(vol.1)
close	閉	138	(vol.1)
clothes	服	196	(vol.1)
cloud	雲	316	(vol.2)
cold	寒	185	(vol.1)
cold	冷	361	(vol.2)
collect	集	291	(vol.1)
colour	色	285	(vol.1)
come	来	117	(vol.1)
comfort	安	17	(vol.1)
commerce	商	441	(vol.2)
company	社	123	(vol.1)
compare	比	308	(vol.2)
complete	完	338	(vol.2)
connect	絡	366	(vol.2)
consider	考	289	(vol.1)
contact	接	391	(vol.2)
container	器	417	(vol.2)
continue	続	474	(vol.2)
convenient	便	260	(vol.1)
convey	伝	327	(vol.2)
cooperate	協	483	(vol.2)
copy	写	288	(vol.1)
correct	正	64	(vol.1)
count	計	274	(vol.1)
count	数	452	(vol.2)
country	国	50	(vol.1)
cow	牛	93	(vol.1)
cow	牛	★30 p.43	(vol.1)
craft	工	53	(vol.1)
cry	泣	347	(vol.2)
cure	治	446	(vol.2)
cut	切	59	(vol.1)

D

dark	暗	46	(vol.1)
day	日	41	(vol.1)
day	日	★4 p.13	(vol.1)
day of the week	曜	292	(vol.1)
daytime	昼	155	(vol.1)
dead	亡	★63 p.14	(vol.2)
decide	決	375	(vol.2)
decrease	減	346	(vol.2)
deep	深	462	(vol.2)
deep inside	奥	412	(vol.2)
degree	度	280	(vol.1)
department	部	442	(vol.2)
descend	降	435	(vol.2)
different	違	332	(vol.2)
difficult	難	488	(vol.2)
direction	方	219	(vol.1)
direction	方	★50 p.135	(vol.1)
discharge	発	270	(vol.1)
discuss	議	481	(vol.2)
distribute	配	387	(vol.2)
divide	分	60	(vol.1)
division	科	279	(vol.1)
doctor	医	225	(vol.1)
dog	犬	193	(vol.1)
done	済	444	(vol.2)
door	門	90	(vol.1)
down	下	19	(vol.1)
drink	飲	102	(vol.1)
drop	落	425	(vol.2)
duration	間	92	(vol.1)

E

each	各	★66 p.21	(vol.2)
ear	耳	89	(vol.1)
early	早	147	(vol.1)
East	東	85	(vol.1)

eat	食	☆20	p.32 (vol.1)		few	少	24	(vol.1)
eat	食	100	(vol.1)		field	野	213	(vol.1)
effect	効	495	(vol.2)		field	原	459	(vol.2)
eight	八	33	(vol.1)		field	厂	☆73	p.87 (vol.2)
elder brother	兄	175	(vol.1)		fine weather	晴	187	(vol.1)
elder sister	姉	166	(vol.1)		finger	指	370	(vol.2)
electricity	電	119	(vol.1)		fire	火	47	(vol.1)
employee	員	134	(vol.1)		first time	初	326	(vol.2)
empty	空	122	(vol.1)		fish	魚	115	(vol.1)
end	終	188	(vol.1)		fit	合	232	(vol.1)
endeavour	勉	162	(vol.1)		five	五	30	(vol.1)
England	英	244	(vol.1)		fix	定	376	(vol.2)
enter	入	25	(vol.1)		flag	𠂉	☆14	p.26 (vol.1)
essential	本	11	(vol.1)		flat	平	336	(vol.2)
etiquette	礼	325	(vol.2)		floor	階	309	(vol.2)
evening	夕	69	(vol.1)		flower	花	148	(vol.1)
every	毎	83	(vol.1)		forest	森	253	(vol.1)
examine	験	199	(vol.1)		forget	忘	342	(vol.2)
exceed	過	416	(vol.2)		four	四	29	(vol.1)
expense	費	450	(vol.2)		friend	友	56	(vol.1)
explain	説	276	(vol.1)		from	以	296	(vol.1)
express	表	352	(vol.2)		front	前	96	(vol.1)
extinguish	消	447	(vol.2)		fruit	果	492	(vol.2)
eye	目	6	(vol.1)					

——— F ———

——— G ———

face	顔	282	(vol.1)		gate	門	90	(vol.1)
(to) face	面	396	(vol.2)		gather	隹	☆61	p.159 (vol.1)
facing	向	430	(vol.2)		gather	集	291	(vol.1)
family	族	221	(vol.1)		generation	世	237	(vol.1)
family name	氏	★47	p.127 (vol.1)		get up	起	68	(vol.1)
far	遠	201	(vol.1)		go	行	82	(vol.1)
farming	農	458	(vol.2)		go home	帰	294	(vol.1)
fat	太	22	(vol.1)		go out	出	26	(vol.1)
father	父	80	(vol.1)		gold	金	52	(vol.1)
feather	羽	★41	p.117 (vol.1)		good	良	★18	p.31 (vol.1)
fence	艹	☆35	p.48 (vol.1)		good	良	456	(vol.2)
					goods	品	255	(vol.1)

Definition Index — English

graduate	卒	372	(vol.2)
grass	草	149	(vol.1)
grow up	育	317	(vol.2)
guest	客	365	(vol.2)

──── H ────

half	半	62	(vol.1)
hall	堂	297	(vol.1)
hand	寸	★28	p.41 (vol.1)
hand	扌	☆29	p.43 (vol.1)
hand	手	58	(vol.1)
happiness	幸	★69	p.24 (vol.2)
hat	冖	☆11	p.21 (vol.1)
he	彼	409	(vol.2)
head	頭	281	(vol.1)
hear	聞	91	(vol.1)
heart	心	★43	p.121 (vol.1)
heart	心	170	(vol.1)
heart	忄	☆64	p.14 (vol.2)
heat	熱	405	(vol.2)
heaven	天	78	(vol.1)
heavy	重	144	(vol.1)
high	高	98	(vol.1)
history	史	461	(vol.2)
hit	当	340	(vol.2)
hold	持	131	(vol.1)
horse	馬	113	(vol.1)
hot	暑	186	(vol.1)
hot water	湯	404	(vol.2)
house	家	234	(vol.1)
how many of them (general counter)	個	306	(vol.2)
hundred	百	37	(vol.1)
hurry	急	173	(vol.1)
husband	夫	348	(vol.2)

──── I ────

I	私	264	(vol.1)
ice	冫	☆65	p.20 (vol.2)
idea	意	172	(vol.1)
incident	故	453	(vol.2)
include	込	299	(vol.1)
increase	増	358	(vol.2)
individual	個	306	(vol.2)
industry	業	251	(vol.1)
inexpensive	安	17	(vol.1)
information	報	378	(vol.2)
inn	宿	303	(vol.2)
inquiry	問	139	(vol.1)
inside	内	124	(vol.1)
institution	院	277	(vol.1)
iron	鉄	351	(vol.2)
-ity	性	344	(vol.2)

──── J ────

Japanese	和	195	(vol.1)
jewel	玉	★6	p.15 (vol.1)

──── K ────

kanji	漢	286	(vol.1)
keep	保	415	(vol.2)
king	王	★5	p.14 (vol.1)
knife	刂	☆16	p.30 (vol.1)
know	知	223	(vol.1)

──── L ────

lack	欠	★21	p.33 (vol.1)
lack	欠	362	(vol.2)
lady	婦	360	(vol.2)
land	地	240	(vol.1)
landmark	ナ	☆8	p.16 (vol.1)
language	言	★22	p.34 (vol.1)
language	語	108	(vol.1)
laugh	笑	470	(vol.2)
law	法	480	(vol.2)
leaf and tree	朮	☆45	p.124 (vol.1)
learn	習	161	(vol.1)
leave	去	265	(vol.1)

175

lecture	講	479	(vol.2)	metropoli	都	227	(vol.1)
left	左	54	(vol.1)	middle	中	20	(vol.1)
leftover	残	463	(vol.2)	mind	念	464	(vol.2)
leg	足	66	(vol.1)	mingle	交	★27	p.40 (vol.1)
lend	貸	239	(vol.1)	mingle	交	424	(vol.2)
life	生	74	(vol.1)	money	金	★19	p.32 (vol.1)
light	軽	153	(vol.1)	money	貝	★31	p.44 (vol.1)
light	光	243	(vol.1)	money	金	52	(vol.1)
like	好	169	(vol.1)	month	月	42	(vol.1)
line	線	428	(vol.2)	moon	月	42	(vol.1)
link	連	368	(vol.2)	morning	朝	154	(vol.1)
live	住	180	(vol.1)	most	最	499	(vol.2)
logical	理	210	(vol.1)	mother	母	81	(vol.1)
long	長	125	(vol.1)	mountain	山	4	(vol.1)
lose	失	350	(vol.2)	mouth	口	7	(vol.1)
low	低	190	(vol.1)	move	動	145	(vol.1)
				Mr.	様	399	(vol.2)

——— M ———

				Ms	様	399	(vol.2)
machine	機	422	(vol.2)	myself	私	264	(vol.1)

——— N ———

make	作	262	(vol.1)	name	名	72	(vol.1)
man	男	15	(vol.1)	near	近	200	(vol.1)
many	多	71	(vol.1)	necessary	要	384	(vol.2)
map	図	258	(vol.1)	neck	首	141	(vol.1)
market	市	165	(vol.1)	new	新	112	(vol.1)
marry	婚	491	(vol.2)	next	次	363	(vol.2)
mask	面	396	(vol.2)	night	夜	73	(vol.1)
master	主	★44	p.123 (vol.1)	night	晩	315	(vol.2)
master	主	178	(vol.1)	nine	九	34	(vol.1)
measure	丈	☆74	p.90 (vol.2)	no	不	206	(vol.1)
matter	事	207	(vol.1)	non-	不	206	(vol.1)
meal	飯	101	(vol.1)	noon	午	94	(vol.1)
meat	肉	191	(vol.1)	north	北	88	(vol.1)
medicine	薬	248	(vol.1)	not	不	206	(vol.1)
meet	会	127	(vol.1)	not	非	466	(vol.2)
member	員	134	(vol.1)	nothing	無	212	(vol.1)
memorize	覚	354	(vol.2)				
metal	金	★19	p.32 (vol.1)				

Definition Index — English

English	Kanji	№	Vol
notify	告	379	(vol.2)
not yet	未	★42 p.118	(vol.1)
number (No.)	番	329	(vol.2)
number of times	回	203	(vol.1)
number of times	度	280	(vol.1)

O

English	Kanji	№	Vol
ocean	洋	194	(vol.1)
oil	油	440	(vol.2)
old	古	36	(vol.1)
old person	老	311	(vol.2)
old times	昔	★57 p.148	(vol.1)
on his/her head	豆	★52 p.136	(vol.1)
one	一	1	(vol.1)
open	開	137	(vol.1)
oppose	反	389	(vol.2)
opposite	対	383	(vol.2)
ordinal number (prefix)	第	449	(vol.2)
organize	組	475	(vol.2)
origin	元	76	(vol.1)
other	他	333	(vol.2)
outside	外	70	(vol.1)

P

English	Kanji	№	Vol
page	頁	★60 p.157	(vol.1)
pain	痛	410	(vol.2)
paper	紙	189	(vol.1)
parent	親	177	(vol.1)
park	園	319	(vol.2)
pass	通	205	(vol.1)
pass away	死	224	(vol.1)
pass through	経	443	(vol.2)
pay	払	445	(vol.2)
people	人	8	(vol.1)
people	亻	☆1 p.4	(vol.1)
person	人	8	(vol.1)
person	亻	☆1 p.4	(vol.1)
person	者	226	(vol.1)
person in charge	係	421	(vol.2)
person leaving	夂	☆49 p.130	(vol.1)
personal history	歴	457	(vol.2)
personality	性	344	(vol.2)
phase	相	398	(vol.2)
pig	豕	☆54 p.140	(vol.1)
place	所	236	(vol.1)
plate	皿	★70 p.72	(vol.2)
plan	画	275	(vol.1)
play	遊	321	(vol.2)
pleased	喜	471	(vol.2)
pleasure	楽	247	(vol.1)
plot	計	274	(vol.1)
point	点	433	(vol.2)
polish	研	269	(vol.1)
politics	政	454	(vol.2)
pond	池	241	(vol.1)
possess	有	211	(vol.1)
pour	注	179	(vol.1)
practice	練	427	(vol.2)
prefecture	県	229	(vol.1)
prepare	備	486	(vol.2)
present	今	61	(vol.1)
press	押	157	(vol.1)
price	料	209	(vol.1)
produce	産	250	(vol.1)
profit	利	335	(vol.2)
prohibit	禁	373	(vol.2)
promise	約	302	(vol.2)
proposal	案	392	(vol.2)
prove	証	414	(vol.2)
pull	引	158	(vol.1)
push	押	157	(vol.1)
put	置	394	(vol.2)

Q

English	Kanji	№	Vol
qualification	格	367	(vol.2)

English	Kanji	Page	Vol
quality	質	135	(vol.1)
quick	速	436	(vol.2)
quiet	静	341	(vol.2)

─── R ───

English	Kanji	Page	Vol
rain	雨	118	(vol.1)
rain	雨	★25	p.38 (vol.1)
rank	位	395	(vol.2)
re-	再	477	(vol.2)
read	読	110	(vol.1)
real	実	349	(vol.2)
reason	由	439	(vol.2)
receive	受	496	(vol.2)
red	赤	104	(vol.1)
reflect	映	245	(vol.1)
relate	関	423	(vol.2)
remain	留	328	(vol.2)
request	求	400	(vol.2)
research	究	271	(vol.1)
residence	宅	312	(vol.2)
resign	辞	377	(vol.2)
respond	応	380	(vol.2)
rest	休	10	(vol.1)
return	返	390	(vol.2)
rice	米	116	(vol.1)
rice field	田	13	(vol.1)
ride	乗	273	(vol.1)
right	右	55	(vol.1)
right	正	64	(vol.1)
river	川	5	(vol.1)
road	辶	☆33	p.46 (vol.1)
road	路	426	(vol.2)
roof of a hall	入	☆7	p.15 (vol.1)
roof of a house	宀	☆2	p.5 (vol.1)
roof of a school	丷	☆3	p.9 (vol.1)
room	室	266	(vol.1)
rotate	転	151	(vol.1)
round	円	40	(vol.1)
run	走	67	(vol.1)

─── S ───

English	Kanji	Page	Vol
sad	悲	467	(vol.2)
same	同	231	(vol.1)
samurai	士	★23	p.34 (vol.1)
say	言	106	(vol.1)
say	言	★22	p.34 (vol.1)
humble form of 'to say'	申	300	(vol.1)
school house	校	126	(vol.1)
sea	海	84	(vol.1)
seashell	貝	★31	p.44 (vol.1)
seat	席	369	(vol.2)
section	課	493	(vol.2)
see	見	75	(vol.1)
self	自	140	(vol.1)
sell	売	109	(vol.1)
send	送	202	(vol.1)
sense	感	345	(vol.2)
sentence	文	79	(vol.1)
separate	別	295	(vol.1)
separate	離	489	(vol.2)
serve	仕	208	(vol.1)
set up	設	497	(vol.2)
seven	七	32	(vol.1)
sheep	羊	★48	p.128 (vol.1)
shop	店	136	(vol.1)
shop curtain	广	☆32	p.45 (vol.1)
short	短	222	(vol.1)
show	示	★67	p.23 (vol.2)
sick	疒	☆59	p.154 (vol.1)
sick	病	278	(vol.1)
side	横	484	(vol.2)
sign	号	330	(vol.2)
silver	銀	99	(vol.1)
simple	単	324	(vol.2)

sing	歌	**246**	(vol.1)		stone	石	**355**	(vol.2)
sit	座	**371**	(vol.2)		stop	止	**63**	(vol.1)
site	場	**235**	(vol.1)		store	尸	☆**55** p.141 (vol.1)
six	六	**31**	(vol.1)		store	屋	**267**	(vol.1)
skill	術	**419**	(vol.2)		story	話	**107**	(vol.1)
skin	皮	★**72** p.74 (vol.2)		straight	直	**393**	(vol.2)
skinny	細	**429**	(vol.2)		street	通	**205**	(vol.1)
skip	久	☆**17** p.31 (vol.1)		strength	力	**14**	(vol.1)
sky	空	**122**	(vol.1)		strike	打	**339**	(vol.2)
sleep	寝	**500**	(vol.2)		strong	強	**159**	(vol.1)
sleepy	眠	**320**	(vol.2)		study	学	**28**	(vol.1)
slow	遅	**437**	(vol.2)		substitute	代	**238**	(vol.1)
small	小	**23**	(vol.1)		summer	夏	**182**	(vol.1)
small cover	冖	☆**37** p.114 (vol.1)		sun	日	**41**	(vol.1)
small tree	糸	★**46** p.127 (vol.1)		support	支	**407**	(vol.2)
soil	土	**49**	(vol.1)		surprise	驚	**455**	(vol.2)
someone	者	**226**	(vol.1)		swim	泳	**465**	(vol.2)
sound	音	**45**	(vol.1)		sword	刀	★**10** p.18 (vol.1)
south	南	**87**	(vol.1)					

─────── T ───────

space	ム	☆**40** p.116 (vol.1)		T-intersection	彳	☆**13** p.25 (vol.1)
spacious	広	**263**	(vol.1)		take	取	**498**	(vol.2)
speak	話	**107**	(vol.1)		talent	才	**322**	(vol.2)
special	特	**132**	(vol.1)		talk	談	**397**	(vol.2)
specialty	専	**476**	(vol.2)		target	的	**301**	(vol.2)
spicy	辛	★**68** p.24 (vol.2)		taste	味	**168**	(vol.1)
spirit	気	**120**	(vol.1)		tax	税	**298**	(vol.1)
split	割	**406**	(vol.2)		tea	茶	**150**	(vol.1)
spring	春	**181**	(vol.1)		teach	教	**268**	(vol.1)
stand	立	**44**	(vol.1)		temple	寺	**128**	(vol.1)
stand	台	**163**	(vol.1)		ten	十	**35**	(vol.1)
standard	準	**487**	(vol.2)		ten thousand	万	**39**	(vol.1)
start	始	**164**	(vol.1)		term	期	**448**	(vol.2)
station	駅	**114**	(vol.1)		test	試	**198**	(vol.1)
stay overnight	泊	**304**	(vol.2)		-th	第	**449**	(vol.2)
steep	険	**413**	(vol.2)		theory	論	**494**	(vol.2)
stone	石	★**58** p.152 (vol.1)		thing	物	**254**	(vol.1)

179

thing	口	7	(vol.1)
think	思	171	(vol.1)
thousand	千	38	(vol.1)
thread	糸	★46	p.127 (vol.1)
thread	糸	420	(vol.2)
three	三	3	(vol.1)
tie	結	490	(vol.2)
time	日	★4	p.13 (vol.1)
time	時	130	(vol.1)
tired	疲	408	(vol.2)
-tive (adjective suffix)	的	301	(vol.2)
together	共	478	(vol.2)
tool	具	418	(vol.2)
tooth	歯	411	(vol.2)
topic	題	284	(vol.1)
town	町	215	(vol.1)
transform	化	310	(vol.2)
travel	旅	220	(vol.1)
tree	木	9	(vol.1)
tree	木	★26	p.40 (vol.1)
tribe	族	221	(vol.1)
troubled	困	469	(vol.2)
true	真	290	(vol.1)
turn	回	203	(vol.1)
two	二	2	(vol.1)
two legs	儿	☆12	p.24 (vol.1)

———— U ————

up	上	18	(vol.1)
urban prefecture	府	451	(vol.2)
use	使	259	(vol.1)
usual	常	468	(vol.2)
utilize	用	204	(vol.1)

———— V ————

value	価	385	(vol.2)
vegetable	菜	217	(vol.1)
village	村	216	(vol.1)

visit	訪	307	(vol.2)
voice	声	283	(vol.1)

———— W ————

wait	待	129	(vol.1)
walk	歩	65	(vol.1)
ward	区	218	(vol.1)
warm	温	402	(vol.2)
warm weather	暖	403	(vol.2)
wash	洗	242	(vol.1)
water	氵	☆15	p.26 (vol.1)
water	水	48	(vol.1)
way	道	142	(vol.1)
weak	弱	160	(vol.1)
wear	着	272	(vol.1)
week	週	143	(vol.1)
west	西	86	(vol.1)
what	何	57	(vol.1)
white	白	103	(vol.1)
wind	風	156	(vol.1)
window	窓	318	(vol.2)
winter	冬	184	(vol.1)
wish	願	460	(vol.2)
without fail	必	381	(vol.2)
woman	女	16	(vol.1)
wood	林	252	(vol.1)
word	言	★22	p.34 (vol.1)
work	働	146	(vol.1)
world	界	249	(vol.1)
write	書	111	(vol.1)
write down	記	388	(vol.2)

———— Y ————

year	年	95	(vol.1)
years old	才	322	(vol.2)
yen	円	40	(vol.1)
yellow	黄	★75	p.96 (vol.2)
young	若	313	(vol.2)

| younger brother | 弟 | **176** | (vol.1) |
| younger sister | 妹 | **167** | (vol.1) |

의미 색인 (Korean)

ㄱ

한국어	漢字	번호	비고
가게	店	136	(vol.1)
가게	尸	☆55	p.141 (vol.1)
가깝다	近	200	(vol.1)
가늘다	細	429	(vol.2)
가능	可	★9	p.18 (vol.1)
가다	行	82	(vol.1)
가르치다	教	268	(vol.1)
가볍다	軽	153	(vol.1)
가을	秋	183	(vol.1)
가장	最	499	(vol.2)
가족	族	221	(vol.1)
가치	価	385	(vol.2)
가해지다	加	359	(vol.2)
각각	各	★66	p.21 (vol.2)
감각	感	345	(vol.2)
강	川	5	(vol.1)
강의	講	479	(vol.2)
강하다	強	159	(vol.1)
같은	同	231	(vol.1)
개	犬	193	(vol.1)
～개	個	306	(vol.2)
개인	個	306	(vol.2)
걷다	歩	65	(vol.1)
검	刀	★10	p.18 (vol.1)
검다	黒	214	(vol.1)
것	物	254	(vol.1)
겨울	冬	184	(vol.1)
결정하다	決	375	(vol.2)
결혼하다	婚	491	(vol.2)
계산하다	計	274	(vol.1)
계속하다	続	474	(vol.2)
계획	画	275	(vol.1)
고기	肉	191	(vol.1)
고려하다	考	289	(vol.1)
고정	定	376	(vol.2)
곤란하다	困	469	(vol.2)
곳	所	236	(vol.1)
공부하다	学	28	(vol.1)
공예	工	53	(vol.1)
공원	園	319	(vol.2)
과	課	493	(vol.2)
～과	科	279	(vol.1)
과녁	的	301	(vol.2)
과일	果	492	(vol.2)
관	館	257	(vol.1)
관계되다	関	423	(vol.2)
교대	代	238	(vol.1)
교류하다	交	★27	p.40 (vol.1)
교류하다	交	424	(vol.2)
구	区	218	(vol.1)
구름	雲	316	(vol.2)
구하다	求	400	(vol.2)
굵다	太	22	(vol.1)
굽다	焼	485	(vol.2)
귀	耳	89	(vol.1)
그	彼	409	(vol.2)
그릇	器	417	(vol.2)
그만두다	辞	377	(vol.2)
금	金	52	(vol.1)
금속	金	★19	p.32 (vol.1)
금지	禁	373	(vol.2)
기	气	☆14	p.26 (vol.1)
기	気	120	(vol.1)
기간	間	92	(vol.1)
기간	期	448	(vol.2)
기계	機	422	(vol.2)
기다리다	待	129	(vol.1)
기름	油	440	(vol.2)
기본	本	11	(vol.1)

기뻐하다	喜	471	(vol.2)
기술	術	419	(vol.2)
기억하다	覚	354	(vol.2)
기원	元	76	(vol.1)
기준	準	487	(vol.2)
기호	号	330	(vol.2)
길	道	142	(vol.1)
길다	長	125	(vol.1)
깊다	深	462	(vol.2)
깊숙한 곳	奥	412	(vol.2)
깡충깡충 뛰다	夂	☆17 p.31	(vol.1)
꼭	必	381	(vol.2)
꽃	花	148	(vol.1)
끄다	消	447	(vol.2)
끓인 물	湯	404	(vol.2)
끝나다	済	444	(vol.2)

─────── ㄴ ───────

나	私	264	(vol.1)
나가다	出	26	(vol.1)
나누다	分	60	(vol.1)
나누어 주다	配	387	(vol.2)
나라	国	50	(vol.1)
나머지	残	463	(vol.2)
나무	木	9	(vol.1)
나무	朩	★26 p.40	(vol.1)
나쁘다	悪	174	(vol.1)
나아가다	進	293	(vol.1)
나이	才	322	(vol.2)
나타내다	表	352	(vol.2)
날개	羽	★41 p.117	(vol.1)
낡다	古	36	(vol.1)
남동생	弟	176	(vol.1)
남자	男	15	(vol.1)
남쪽	南	87	(vol.1)
남편	夫	348	(vol.2)
낫다	治	446	(vol.2)

낮다	低	190	(vol.1)
내려가다	降	435	(vol.2)
넓다	厶	☆40 p.116	(vol.1)
넓다	広	263	(vol.1)
네개	四	29	(vol.1)
년	年	95	(vol.1)
노란색	黄	★75 p.96	(vol.2)
노인	老	311	(vol.2)
논	田	13	(vol.1)
논리적	理	210	(vol.1)
논의	議	481	(vol.2)
놀다	遊	321	(vol.2)
놀라다	驚	455	(vol.2)
농업	農	458	(vol.2)
높다	高	98	(vol.1)
놓다	置	394	(vol.2)
누군가	者	226	(vol.1)
누나	姉	166	(vol.1)
누르다	押	157	(vol.1)
눈	目	6	(vol.1)
느리다	遅	437	(vol.2)
늘다	増	358	(vol.2)

─────── ㄷ ───────

다르다	違	332	(vol.2)
다르다	他	333	(vol.2)
다리	足	66	(vol.1)
다섯	五	30	(vol.1)
다음	次	363	(vol.2)
단순	単	324	(vol.2)
닫다	閉	138	(vol.1)
달	月	42	(vol.1)
담당	係	421	(vol.2)
답	答	233	(vol.1)
당	堂	297	(vol.1)
당기다	引	158	(vol.1)
대	台	163	(vol.1)

대나무	竹	★53	p.140 (vol.1)
대비	備	486	(vol.2)
대해	洋	194	(vol.1)
덥다	暑	186	(vol.1)
도	都	227	(vol.1)
도구	具	418	(vol.2)
도끼	斤	☆24	p.37 (vol.1)
도로	辶	☆33	p.46 (vol.1)
도로	路	426	(vol.2)
도착하다	着	272	(vol.1)
돈	金	52	(vol.1)
돈	釒	★19	p.32 (vol.1)
돈	貝	★31	p.44 (vol.1)
돌	石	★58	p.152 (vol.1)
돌	石	355	(vol.2)
돌다	回	203	(vol.1)
돌려주다	返	390	(vol.2)
돌아가다	帰	294	(vol.1)
돌아가시다	亡	★63	p.14 (vol.2)
동쪽	東	85	(vol.1)
돼지	豕	☆54	p.140 (vol.1)
되다	成	337	(vol.2)
두	二	2	(vol.1)
두 다리	儿	☆12	p.24 (vol.1)
둥글다	円	40	(vol.1)
뒤	後	97	(vol.1)
듣다	聞	91	(vol.1)
들다	持	131	(vol.1)
들어가다	入	25	(vol.1)
들어차다	込	299	(vol.1)
들판	野	213	(vol.1)
들판	厂	☆73	p.87 (vol.2)
들판	原	459	(vol.2)
따뜻하다	温	402	(vol.2)
따로따로	別	295	(vol.1)
따스하다	暖	403	(vol.2)

떠나는 사람	夂	☆49	p.130 (vol.1)
떠나다	去	265	(vol.1)
떠나다	離	489	(vol.2)
떨어지다	落	425	(vol.2)
또	又	★71	p.73 (vol.2)
똑바로	直	393	(vol.2)
뚱뚱하다	太	22	(vol.1)
뛰다	走	67	(vol.1)
뜀뛰기를 할 수 없습니다	頁	★60	p.157 (vol.1)
뜨겁다	熱	405	(vol.2)

────── ㅁ ──────

마시다	飲	102	(vol.1)
마을	町	215	(vol.1)
마음	忄	☆64	p.14 (vol.2)
마주보다	面	396	(vol.2)
마지막	終	188	(vol.1)
만	万	39	(vol.1)
만나는	会	127	(vol.1)
만들다	作	262	(vol.1)
많다	多	71	(vol.1)
말	言	★22	p.34 (vol.1)
말	馬	113	(vol.1)
말하다	言	106	(vol.1)
말하다	言	★22	p.34 (vol.1)
"말하다"의 겸양어	申	300	(vol.1)
맑은	晴	187	(vol.1)
맛	味	168	(vol.1)
맞다	合	232	(vol.1)
맞다	当	340	(vol.2)
맞은편	向	430	(vol.2)
맵다	辛	★68	p.24 (vol.2)
맺어지다	結	490	(vol.2)
머리	頭	281	(vol.1)
머리 위	豆	★52	p.136 (vol.1)
먹다	食	100	(vol.1)
먹다	食	☆20	p.32 (vol.1)

멀다	遠	201	(vol.1)
멈추다	止	63	(vol.1)
멈추다	留	328	(vol.2)
모두	全	51	(vol.1)
모든	毎	83	(vol.1)
모으다	隹	☆61 p.159	(vol.1)
모으다	集	291	(vol.1)
모자	亠	☆11 p.21	(vol.1)
모자라다	欠	★21 p.33	(vol.1)
모자라다	欠	362	(vol.2)
목	首	141	(vol.1)
목소리	声	283	(vol.1)
몸	体	12	(vol.1)
몸	身	323	(vol.2)
무겁다	重	144	(vol.1)
무사	士	★23 p.34	(vol.1)
무엇	何	57	(vol.1)
묵다	泊	304	(vol.2)
문	門	90	(vol.1)
문의	問	139	(vol.1)
문자	字	287	(vol.1)
문장	文	79	(vol.1)
물	水	48	(vol.1)
물	氵	☆15 p.26	(vol.1)
물건	口	7	(vol.1)
물고기	魚	115	(vol.1)
물품	品	255	(vol.1)
미리	予	374	(vol.2)
믿다	信	331	(vol.2)

──────── ㅂ ────────

바다	海	84	(vol.1)
바람	風	156	(vol.1)
바쁘다	忙	343	(vol.2)
밖	外	70	(vol.1)
반	半	62	(vol.1)
반대	対	383	(vol.2)

반발	反	389	(vol.2)
반응	応	380	(vol.2)
받다	受	496	(vol.2)
받치다	支	407	(vol.2)
발하다	発	270	(vol.1)
밝다	明	43	(vol.1)
밤	夜	73	(vol.1)
밤	晩	315	(vol.2)
밥	飯	101	(vol.1)
방	室	266	(vol.1)
방문하다	訪	307	(vol.2)
방향	方	219	(vol.1)
방향	方	★50 p.135	(vol.1)
배우다	習	161	(vol.1)
백	百	37	(vol.1)
~번	番	329	(vol.2)
벌레	虫	★38 p.115	(vol.1)
법률	法	480	(vol.2)
베다	切	59	(vol.1)
변하다	変	314	(vol.2)
변화	化	310	(vol.2)
병	广	☆59 p.154	(vol.1)
병	病	278	(vol.1)
보관하다	保	415	(vol.2)
보내다	送	202	(vol.1)
보다	見	75	(vol.1)
보이다	示	★67 p.23	(vol.2)
봄	春	181	(vol.1)
부	府	451	(vol.2)
(노래를) 부르다	歌	246	(vol.1)
부르다	呼	434	(vol.2)
부모	親	177	(vol.1)
부서	部	442	(vol.2)
부인	婦	360	(vol.2)
북쪽	北	88	(vol.1)
불	火	47	(vol.1)

불~	不	206	(vol.1)
붓다	注	179	(vol.1)
붙이다	付	382	(vol.2)
비	雨	118	(vol.1)
비	雨	★25	p.38 (vol.1)
비교하다	比	308	(vol.2)
비다	空	122	(vol.1)
비용	費	450	(vol.2)
비치다	映	245	(vol.1)
빌리다	借	261	(vol.1)
빌려주다	貸	239	(vol.1)
빛	光	243	(vol.1)
빠르다	速	436	(vol.2)
빨갛다	赤	104	(vol.1)

─── 人 ───

사고	故	453	(vol.2)
사다	買	133	(vol.1)
사람	人	8	(vol.1)
사람	亻	☆1	p.4 (vol.1)
사람	者	226	(vol.1)
사무국	局	431	(vol.2)
사용하다	使	259	(vol.1)
사이	間	92	(vol.1)
산	山	4	(vol.1)
산업	業	251	(vol.1)
~살	才	322	(vol.2)
살다	住	180	(vol.1)
새	鳥	192	(vol.1)
새롭다	新	112	(vol.1)
색	色	285	(vol.1)
생각	案	392	(vol.2)
생각하다	思	171	(vol.1)
생명	生	74	(vol.1)
생산하다	産	250	(vol.1)
서두르다	急	173	(vol.1)
서쪽	西	86	(vol.1)

선	線	428	(vol.2)
설명하다	説	276	(vol.1)
설치하다	設	497	(vol.2)
섬기다	仕	208	(vol.1)
~성	性	344	(vol.2)
성질	性	344	(vol.2)
세	三	3	(vol.1)
세계	界	249	(vol.1)
세금	税	298	(vol.1)
세다	数	452	(vol.2)
세대	世	237	(vol.1)
소	牛	93	(vol.1)
소	牛	★30	p.43 (vol.1)
소리	音	45	(vol.1)
소원	願	460	(vol.2)
소유하다	有	211	(vol.1)
손	手	58	(vol.1)
손	寸	★28	p.41 (vol.1)
손	扌	☆29	p.43 (vol.1)
손가락	指	370	(vol.2)
손님	客	365	(vol.2)
수도	京	228	(vol.1)
수풀	森	253	(vol.1)
숙소	宿	303	(vol.2)
순위	位	395	(vol.2)
술	酒	386	(vol.2)
숲	林	252	(vol.1)
쉬다	休	10	(vol.1)
슬프다	悲	467	(vol.2)
시	市	165	(vol.1)
시간	日	★4	p.13 (vol.1)
시간	時	130	(vol.1)
시민	民	230	(vol.1)
시작하다	始	164	(vol.1)
시장	市	165	(vol.1)
시험하다	試	198	(vol.1)

식	式	197	(vol.1)
실	糸	★46 p.127	(vol.1)
실	糸	420	(vol.2)
실제	実	349	(vol.2)
심장	心	170	(vol.1)
심장	心	★43 p.121	(vol.1)
심정	念	464	(vol.2)
십	十	35	(vol.1)
싸다	安	17	(vol.1)
쌀	米	116	(vol.1)
쓰다	書	111	(vol.1)
쓰다	用	204	(vol.1)
쓰다	苦	472	(vol.2)
씨	氏	★47 p.127	(vol.1)
씨	様	399	(vol.2)
씻다	洗	242	(vol.1)

――― ㅇ ―――

아래	下	19	(vol.1)
아름답다	美	438	(vol.2)
아버지	父	80	(vol.1)
아이	子	27	(vol.1)
아직	未	★42 p.118	(vol.1)
아침	朝	154	(vol.1)
아프다	痛	410	(vol.2)
아홉	九	34	(vol.1)
안	中	20	(vol.1)
안	内	124	(vol.1)
안표	大	☆8 p.16	(vol.1)
앉다	座	371	(vol.2)
알다	知	223	(vol.1)
알리다	告	379	(vol.2)
앞	前	96	(vol.1)
앞서	先	77	(vol.1)
야채	菜	217	(vol.1)
약	薬	248	(vol.1)
약속	約	302	(vol.2)

약하다	弱	160	(vol.1)
양	羊	★48 p.128	(vol.1)
양쪽	両	334	(vol.2)
양초	主	★44 p.123	(vol.1)
어렵다	難	488	(vol.2)
어머니	母	81	(vol.1)
어둡다	暗	46	(vol.1)
언니	姉	166	(vol.1)
언어	言	★22 p.34	(vol.1)
언어	語	108	(vol.1)
얼굴	顔	282	(vol.1)
얼음	冫	☆65 p.20	(vol.2)
없다	無	212	(vol.1)
엔	円	40	(vol.1)
여덟	八	33	(vol.1)
여동생	妹	167	(vol.1)
여름	夏	182	(vol.1)
여섯	六	31	(vol.1)
여자	女	16	(vol.1)
여행	旅	220	(vol.1)
역	駅	114	(vol.1)
역사	史	461	(vol.2)
연구	究	271	(vol.1)
연락하다	絡	366	(vol.2)
연마하다	研	269	(vol.1)
연습하다	練	427	(vol.2)
열다	開	137	(vol.1)
영국	英	244	(vol.1)
영업을 하다	営	432	(vol.2)
옆	横	484	(vol.2)
예의	礼	325	(vol.2)
옛날	昔	★57 p.148	(vol.1)
오다	来	117	(vol.1)
오른쪽	右	55	(vol.1)
옥	玉	★6 p.15	(vol.1)
온도	度	280	(vol.1)

한국어	한자	쪽	권
옮기다	運	152	(vol.1)
옳다	正	64	(vol.1)
옷	服	196	(vol.1)
완성	完	338	(vol.2)
왕	王	★5	p.14 (vol.1)
왼쪽	左	54	(vol.1)
요금	料	209	(vol.1)
요일	曜	292	(vol.1)
울다	泣	347	(vol.2)
울타리	艹	☆35	p.48 (vol.1)
움직이다	動	145	(vol.1)
웃다	笑	470	(vol.2)
원점	原	459	(vol.2)
월	月	42	(vol.1)
위	上	18	(vol.1)
은	銀	99	(vol.1)
의견	意	172	(vol.1)
의사	医	225	(vol.1)
의원	院	277	(vol.1)
이	歯	411	(vol.2)
이론	論	494	(vol.2)
이르다	早	147	(vol.1)
이름	名	72	(vol.1)
이야기	話	107	(vol.1)
이야기하다	話	107	(vol.1)
이어지다	連	368	(vol.2)
이유	由	439	(vol.2)
이익	利	335	(vol.2)
이후	以	296	(vol.1)
인정하다	認	357	(vol.2)
일	事	207	(vol.1)
일곱	七	32	(vol.1)
일본적	和	195	(vol.1)
일어나다	起	68	(vol.1)
일어서다	立	44	(vol.1)
일족	族	221	(vol.1)
일하다	働	146	(vol.1)
읽다	読	110	(vol.1)
잃다	失	350	(vol.2)
입	口	7	(vol.1)
입다	着	272	(vol.1)
잊다	忘	342	(vol.2)
잎과 나무	禾	☆45	p.124 (vol.1)

───── ㅈ ─────

한국어	한자	쪽	권
자격	格	367	(vol.2)
자다	寝	500	(vol.2)
자라다	育	317	(vol.2)
자리	席	369	(vol.2)
자산	資	364	(vol.2)
자신	自	140	(vol.1)
자신	私	264	(vol.1)
자신의 역사	歴	457	(vol.2)
자택	宅	312	(vol.2)
작다	小	23	(vol.1)
작은 덮개	冖	☆37	p.114 (vol.1)
장사하다	商	441	(vol.2)
장소	場	235	(vol.1)
재-	再	477	(vol.2)
재능	才	322	(vol.2)
재다	計	274	(vol.1)
재다	戈	☆74	p.90 (vol.2)
저녁	夕	69	(vol.1)
저수지	池	241	(vol.1)
~적	的	301	(vol.2)
적다	記	388	(vol.2)
전	前	96	(vol.1)
전기	電	119	(vol.1)
전문	専	476	(vol.2)
전쟁	争	★62	p.11 (vol.2)
전하다	伝	327	(vol.2)
절	寺	128	(vol.1)
젊다	若	313	(vol.2)

점	点	**433**	(vol.2)
~점	屋	**267**	(vol.1)
점심	昼	**155**	(vol.1)
접시	皿	★**70**	p.72 (vol.2)
접하다	接	**391**	(vol.2)
정보	報	**378**	(vol.2)
정오	午	**94**	(vol.1)
정치	政	**454**	(vol.2)
제 - 위	第	**449**	(vol.2)
조개	貝	★**31**	p.44 (vol.1)
조금	少	**24**	(vol.1)
조사하다	験	**199**	(vol.1)
조사하다	調	**482**	(vol.2)
조용하다	静	**341**	(vol.2)
조직	組	**475**	(vol.2)
졸리다	眠	**320**	(vol.2)
졸업하다	卒	**372**	(vol.2)
종이	紙	**189**	(vol.1)
좋다	良	★**18**	p.31 (vol.1)
좋다	好	**169**	(vol.1)
좋다	良	**456**	(vol.2)
주	週	**143**	(vol.1)
주인	主	★**44**	p.123 (vol.1)
주인	主	**178**	(vol.1)
죽다	死	**224**	(vol.1)
줄	線	**428**	(vol.2)
줄다	減	**346**	(vol.2)
중앙	央	★**56**	p.145 (vol.1)
즐겁다	楽	**247**	(vol.1)
증명하다	証	**414**	(vol.2)
- 지 않다	非	**466**	(vol.2)
지금	今	**61**	(vol.1)
지나가다	通	**205**	(vol.1)
지나다	経	**443**	(vol.2)
지나치다	過	**416**	(vol.2)
지도	図	**258**	(vol.1)
지불하다	払	**445**	(vol.2)
지치다	疲	**408**	(vol.2)
직장인	員	**134**	(vol.1)
진실	真	**290**	(vol.1)
질	質	**135**	(vol.1)
질문하다	質	**135**	(vol.1)
짐	荷	**305**	(vol.2)
집	家	**234**	(vol.1)
집의 지붕	宀	☆**2**	p.5 (vol.1)
짓다	建	**256**	(vol.1)
짧다	短	**222**	(vol.1)
쪼개다	割	**406**	(vol.2)
찍다	写	**288**	(vol.1)

──── ㅊ ────

차	車	**121**	(vol.1)
차	茶	**150**	(vol.1)
차	車	★**36**	p.114 (vol.1)
차다	冷	**361**	(vol.2)
창문	窓	**318**	(vol.2)
책	本	**11**	(vol.1)
처음	初	**326**	(vol.2)
천	千	**38**	(vol.1)
철	鉄	**351**	(vol.2)
촌	村	**216**	(vol.1)
출입문	門	**90**	(vol.1)
춥다	寒	**185**	(vol.1)
취하다	取	**498**	(vol.2)
층	階	**309**	(vol.2)
치다	打	**339**	(vol.2)
친구	友	**56**	(vol.1)

──── ㅋ ────

칼	刂	☆**16**	p.30 (vol.1)
콩	豆	★**52**	p.136 (vol.1)
크다	大	**21**	(vol.1)
큰 덮개	冂	☆**34**	p.46 (vol.1)

ㅌ

타다	乗	273	(vol.1)
탈	面	396	(vol.2)
태양	日	41	(vol.1)
태어나다	産	250	(vol.1)
토지	地	240	(vol.1)
통행	通	205	(vol.1)
특별한	特	132	(vol.1)
T 자로	彳	☆13	p.25 (vol.1)

ㅍ

파랗다	青	105	(vol.1)
팔다	売	109	(vol.1)
페이지	頁	★60	p.157 (vol.1)
편리	便	260	(vol.1)
평온	安	17	(vol.1)
평평하다	平	336	(vol.2)
포렴	广	☆32	p.45 (vol.1)
풀	草	149	(vol.1)
피	血	401	(vol.2)
피부	皮	★72	p.74 (vol.2)
필요	要	384	(vol.2)

ㅎ

하늘	天	78	(vol.1)
하늘	空	122	(vol.1)
하루	日	41	(vol.1)
하루	日	★4	p.13 (vol.1)
하얗다	白	103	(vol.1)
학교	校	126	(vol.1)
학교의 지붕	𭕄	☆3	p.9 (vol.1)
한	一	1	(vol.1)
한자	漢	286	(vol.1)
함께	共	478	(vol.2)
항상	常	468	(vol.2)
행복	幸	★69	p.24 (vol.2)
험하다	険	413	(vol.2)
헤엄치다	泳	465	(vol.2)
현	県	229	(vol.1)
현실	現	353	(vol.2)
협력하다	協	483	(vol.2)
형	兄	175	(vol.1)
형상	相	398	(vol.2)
홀의 지붕	𠆢	☆7	p.15 (vol.1)
화살	矢	★51	p.136 (vol.1)
화제	題	284	(vol.1)
확인하다	確	356	(vol.2)
활	弓	★39	p.116 (vol.1)
활기차게	活	473	(vol.2)
회담	談	397	(vol.2)
회사	社	123	(vol.1)
회원	員	134	(vol.1)
회전하다	転	151	(vol.1)
횟수	回	203	(vol.1)
횟수	度	280	(vol.1)
효과	効	495	(vol.2)
흙	土	49	(vol.1)
힘	力	14	(vol.1)
힘쓰다	勉	162	(vol.1)

意味索引
Índice dos significados [Portuguese]

―――― A ――――

a partir de	以	296	(vol.1)
abaixo	下	19	(vol.1)
abrir	開	137	(vol.1)
acertar	当	340	(vol.2)
acidente	故	453	(vol.2)
acreditar	信	331	(vol.2)
acrescentar	加	359	(vol.2)
adiante	先	77	(vol.1)
admitir	認	357	(vol.2)
agricultura	農	458	(vol.2)
água	水	48	(vol.1)
água	氵	☆15	p.26 (vol.1)
água quente	湯	404	(vol.2)
ainda	未	★42	p.118 (vol.1)
álcool	酒	386	(vol.2)
alguém	者	226	(vol.1)
alto	高	98	(vol.1)
amargo	苦	472	(vol.2)
amarelo	黄	★75	p.96 (vol.2)
ambos	両	334	(vol.2)
amigo	友	56	(vol.1)
andar	歩	65	(vol.1)
andar	階	309	(vol.2)
andar de	乗	273	(vol.1)
animado	活	473	(vol.2)
ano	年	95	(vol.1)
anos de idade	才	322	(vol.2)
anotar	記	388	(vol.2)
antemão	予	374	(vol.2)
antes	前	96	(vol.1)
antigamente	昔	★57	p.148 (vol.1)
apagar	消	447	(vol.2)
apertar	押	157	(vol.1)
apimentado	辛	★68	p.24 (vol.2)
apoiar	支	407	(vol.2)
aprender	習	161	(vol.1)
apressar-se	急	173	(vol.1)
aquecido	暖	403	(vol.2)
arco	弓	★39	p.116 (vol.1)
armazém	屋	267	(vol.1)
armazém	尸	☆55	p.141 (vol.1)
arroz	米	116	(vol.1)
arrozal	田	13	(vol.1)
árvore	木	9	(vol.1)
árvore	木	★26	p.40 (vol.1)
assar	焼	485	(vol.2)
assento	席	369	(vol.2)
assunto	事	207	(vol.1)
assustar	驚	455	(vol.2)
atrás	後	97	(vol.1)
aumentar	増	358	(vol.2)
avenida	通	205	(vol.1)
azul	青	105	(vol.1)

―――― B ――――

bagagem	荷	305	(vol.2)
bairro	町	215	(vol.1)
baixo	低	190	(vol.1)
bambu	竹	★53	p.140 (vol.1)
bandeira	广	☆14	p.26 (vol.1)
barato	安	17	(vol.1)
barulho	音	45	(vol.1)
bater	打	339	(vol.2)
beber	飲	102	(vol.1)
benefício	利	335	(vol.2)
boa	良	456	(vol.2)
boca	口	7	(vol.1)
boi	牛	93	(vol.1)
boi	牛	★30	p.43 (vol.1)
bom	良	★18	p.31 (vol.1)

bom tempo	晴	187	(vol.1)
bonito	美	438	(vol.2)
bosque	林	252	(vol.1)
branco	白	103	(vol.1)
brincar	遊	321	(vol.2)

─────── C ───────

cabeça	頭	281	(vol.1)
cachorro	犬	193	(vol.1)
cada	各	★66	p.21 (vol.2)
cair	落	425	(vol.2)
calor	暑	186	(vol.1)
caloroso	温	402	(vol.2)
caminho	道	142	(vol.1)
campo	野	213	(vol.1)
campo	厂	☆73	p.87 (vol.2)
campo	原	459	(vol.2)
cantar	歌	246	(vol.1)
(ficar) cansado	疲	408	(vol.2)
capital	京	228	(vol.1)
carne	肉	191	(vol.1)
carneiro	羊	★48	p.128 (vol.1)
carro	車	121	(vol.1)
carro	車	★36	p.114 (vol.1)
casa	家	234	(vol.1)
casar	婚	491	(vol.2)
cavalo	馬	113	(vol.1)
cedo	早	147	(vol.1)
cem	百	37	(vol.1)
centro	央	★56	p.145 (vol.1)
cerca		☆35	p.48 (vol.1)
cerimônia	式	197	(vol.1)
certo	正	64	(vol.1)
céu	空	122	(vol.1)
chá	茶	150	(vol.1)
chamar	呼	434	(vol.2)
chapéu		☆11	p.21 (vol.1)

checar	調	482	(vol.2)
chegar	着	272	(vol.1)
chorar	泣	347	(vol.2)
chuva	雨	118	(vol.1)
chuva	雷	★25	p.38 (vol.1)
cidadão	民	230	(vol.1)
cidade	市	165	(vol.1)
cima	上	18	(vol.1)
cinco	五	30	(vol.1)
claro	明	43	(vol.1)
classificar	科	279	(vol.1)
cobertura (capa) pequena	冖	☆37	p.114 (vol.1)
coisa	物	254	(vol.1)
colecionar	隹	☆61	p.159 (vol.1)
colecionar	集	291	(vol.1)
colocar	付	382	(vol.2)
combinado	約	302	(vol.2)
com certeza	必	381	(vol.2)
começar	始	164	(vol.1)
comer	食	100	(vol.1)
comer	食	☆20	p.32 (vol.1)
comércio	商	441	(vol.2)
comida	飯	101	(vol.1)
comparar	比	308	(vol.2)
comprar	買	133	(vol.1)
comunicar	絡	366	(vol.2)
concha	貝	★31	p.44 (vol.1)
confirmar	確	356	(vol.2)
conforto	安	17	(vol.1)
conhecer	知	223	(vol.1)
conseguir	可	★9	p.18 (vol.1)
considerar	考	289	(vol.1)
construir	建	256	(vol.1)
contar	計	274	(vol.1)
contar	数	452	(vol.2)
contato	接	391	(vol.2)

Índice dos significados — Portuguese

(estar) contente	喜	471	(vol.2)
continuar	続	474	(vol.2)
contrário	対	383	(vol.2)
conveniente	便	260	(vol.1)
conversar	談	397	(vol.2)
cooperar	協	483	(vol.2)
copiar	写	288	(vol.1)
cor	色	285	(vol.1)
coração	心	170	(vol.1)
coração	心	★43	p.121 (vol.1)
coração	忄	☆64	p.14 (vol.2)
corpo	体	12	(vol.1)
corpo	身	323	(vol.2)
correr	走	67	(vol.1)
correto	正	64	(vol.1)
cortar	切	59	(vol.1)
cortesia	礼	325	(vol.2)
cortina de entrada da loja	广	☆32	p.45 (vol.1)
crescer	育	317	(vol.2)
criança	子	27	(vol.1)
cruzamento em T	彳	☆13	p.25 (vol.1)
curar	治	446	(vol.2)
curto	短	222	(vol.1)
custo	費	450	(vol.2)

―――― D ――――

-dade	性	344	(vol.2)
dar-se bem	合	232	(vol.1)
decidir	決	375	(vol.2)
dedo	指	370	(vol.2)
demais	過	416	(vol.2)
demitir-se	辞	377	(vol.2)
demorado	遅	437	(vol.2)
dente	歯	411	(vol.2)
dentro	中	20	(vol.1)
departamento	部	442	(vol.2)
descanso	休	10	(vol.1)
descer	降	435	(vol.2)
desejo	願	460	(vol.2)
despejar	注	179	(vol.1)
devolver	返	390	(vol.2)
dez	十	35	(vol.1)
dez mil	万	39	(vol.1)
dia	日	★4	p.13 (vol.1)
dia	日	41	(vol.1)
dia da semana	曜	292	(vol.1)
diferente	違	332	(vol.2)
difícil	難	488	(vol.2)
diminuir	減	346	(vol.2)
dinheiro	金	52	(vol.1)
dinheiro	釒	★19	p.32 (vol.1)
dinheiro	貝	★31	p.44 (vol.1)
direção	方	219	(vol.1)
direção	方	★50	p.135 (vol.1)
direito	右	55	(vol.1)
discutir	議	481	(vol.2)
distribuir	配	387	(vol.2)
distrito	区	218	(vol.1)
divertido	楽	247	(vol.1)
dividir	分	60	(vol.1)
dividir	割	406	(vol.2)
dizer	言	106	(vol.1)
dizer	言	★22	p.34 (vol.1)
forma modesta de verbo'dizer'	申	300	(vol.1)
doente	病	278	(vol.1)
doente	疒	☆59	p.154 (vol.1)
doer	痛	410	(vol.2)
dois	二	2	(vol.1)
dono	主	★44	p.123 (vol.1)
dormir	寝	500	(vol.2)
duas pernas	儿	☆12	p.24 (vol.1)
duração	間	92	(vol.1)

E

efeito	効	495	(vol.2)
ele	彼	409	(vol.2)
eletricidade	電	119	(vol.1)
emitir	発	270	(vol.1)
empregado	員	134	(vol.1)
empresa	社	123	(vol.1)
emprestar	貸	239	(vol.1)
empurrar	押	157	(vol.1)
encarregado	係	421	(vol.2)
encontrar	会	127	(vol.1)
ensinar	教	268	(vol.1)
entardecer	夕	69	(vol.1)
entrar	入	25	(vol.1)
entre	間	92	(vol.1)
enviar	送	202	(vol.1)
escola	校	126	(vol.1)
escrever	書	111	(vol.1)
escritório	局	431	(vol.2)
escuro	暗	46	(vol.1)
esforçar-se	勉	162	(vol.1)
espaço	ム	☆40	p.116 (vol.1)
espaçoso	広	263	(vol.1)
espada	刀	★10	p.18 (vol.1)
especial	特	132	(vol.1)
especialidade	専	476	(vol.2)
esperar	待	129	(vol.1)
espirito	気	120	(vol.1)
esquecer	忘	342	(vol.2)
esquerdo	左	54	(vol.1)
essencial	本	11	(vol.1)
estação	駅	114	(vol.1)
estar frente a frente	面	396	(vol.2)
estória	話	107	(vol.1)
estudar	学	28	(vol.1)
eu	私	264	(vol.1)

examinar	験	199	(vol.1)
explicar	説	276	(vol.1)
expressar	表	352	(vol.2)

F

faca	刂	☆16	p.30 (vol.1)
falar	話	107	(vol.1)
falecer	亡	★63	p.14 (vol.2)
faltar	欠	★21	p.33 (vol.1)
faltar	欠	362	(vol.2)
família	族	221	(vol.1)
fase	相	398	(vol.2)
fazer	作	262	(vol.1)
fechar	閉	138	(vol.1)
feijão	豆	★52	p.136 (vol.1)
feira	市	165	(vol.1)
feito	済	444	(vol.2)
felicidade	幸	★69	p.24 (vol.2)
ferro	鉄	351	(vol.2)
ficar	留	328	(vol.2)
ficar em pé	立	44	(vol.1)
fim	終	188	(vol.1)
finalizar	完	338	(vol.2)
fino	細	429	(vol.2)
fio	糸	★46	p.127 (vol.1)
fio	糸	420	(vol.2)
fixar	定	376	(vol.2)
flecha	矢	★51	p.136 (vol.1)
flor	花	148	(vol.1)
floresta	森	253	(vol.1)
fogo	火	47	(vol.1)
folha e árvore	禾	☆45	p.124 (vol.1)
fora	外	70	(vol.1)
força	力	14	(vol.1)
formar	卒	372	(vol.2)
forte	強	159	(vol.1)
fraco	弱	160	(vol.1)

Índice dos significados **Portuguese**

frase	文	79	(vol.1)
frente	前	96	(vol.1)
frio	寒	185	(vol.1)
fruta	果	492	(vol.2)
fundo	奥	412	(vol.2)
fundo	深	462	(vol.2)

──── G ────

gelado	冷	361	(vol.2)
gelo	冫	☆65	p.20 (vol.2)
gente	人	8	(vol.1)
gente	亻	☆1	p.4 (vol.1)
geração	世	237	(vol.1)
girar	回	203	(vol.1)
gordo	太	22	(vol.1)
gostar	好	169	(vol.1)
grama	草	149	(vol.1)
grande	大	21	(vol.1)
grande cobertura	冂	☆34	p.46 (vol.1)
grau	度	280	(vol.1)
guardar	保	415	(vol.2)
guerra	争	★62	p.11 (vol.2)

──── H ────

história	史	461	(vol.2)
história pessoal	歴	457	(vol.2)
homem	男	15	(vol.1)
horário	時	130	(vol.1)
horário	日	★4	p.13 (vol.1)
hortaliça	菜	217	(vol.1)
hospedar	泊	304	(vol.2)
hospedaria	宿	303	(vol.2)

──── I ────

idéia	意	172	(vol.1)
iene	円	40	(vol.1)
im-	不	206	(vol.1)
imposto	税	298	(vol.1)
in-	不	206	(vol.1)

incluir	込	299	(vol.1)
indagar	問	139	(vol.1)
individual	個	306	(vol.2)
indústria	業	251	(vol.1)
informação	報	378	(vol.2)
Inglaterra	英	244	(vol.1)
íngreme	陰	413	(vol.2)
inseto	虫	★38	p.115 (vol.1)
instalar	設	497	(vol.2)
instituição	院	277	(vol.1)
instrumento	具	418	(vol.2)
(fazer) intercâmbio	交	★27	p.40 (vol.1)
(fazer) intercâmbio	交	424	(vol.2)
interior	内	124	(vol.1)
inverno	冬	184	(vol.1)
ir	行	82	(vol.1)
irmã mais nova	妹	167	(vol.1)
irmã mais velha	姉	166	(vol.1)
irmão mais novo	弟	176	(vol.1)
irmão mais velho	兄	175	(vol.1)
-ivo	的	301	(vol.2)

──── J ────

janela	窓	318	(vol.2)
japonês	和	195	(vol.1)
jóia	玉	★6	p.15 (vol.1)
jovem	若	313	(vol.2)
juntar	隹	☆61	p.159 (vol.1)
juntar	集	291	(vol.1)
junto	共	478	(vol.2)

──── K ────

kanji	漢	286	(vol.1)

──── L ────

lado	横	484	(vol.2)
lago	池	241	(vol.1)
lavar	洗	242	(vol.1)
lei	法	480	(vol.2)

195

ler	読	110	(vol.1)
leste	東	85	(vol.1)
letra	字	287	(vol.1)
levantar-se	起	68	(vol.1)
leve	軽	153	(vol.1)
ligar	連	368	(vol.2)
ligar	結	490	(vol.2)
língua	言	★22	p.34 (vol.1)
língua	語	108	(vol.1)
linha	線	428	(vol.2)
liso	平	336	(vol.2)
livro	本	11	(vol.1)
lógica	理	210	(vol.1)
loja	店	136	(vol.1)
longe	遠	201	(vol.1)
longo	長	125	(vol.1)
lua	月	42	(vol.1)
lugar	所	236	(vol.1)
luz	光	243	(vol.1)

─── M ───

machado	斤	☆24	p.37 (vol.1)
mãe	母	81	(vol.1)
manhã	朝	154	(vol.1)
mão	手	58	(vol.1)
mão	寸	★28	p.41 (vol.1)
mão	扌	☆29	p.43 (vol.1)
mapa	図	258	(vol.1)
máquina	機	422	(vol.2)
mar	海	84	(vol.1)
marco	ナ	☆8	p.16 (vol.1)
marido	夫	348	(vol.2)
máscara	面	396	(vol.2)
mau	悪	174	(vol.1)
médico	医	225	(vol.1)
medir	計	274	(vol.1)
medir	夫	☆74	p.90 (vol.2)

meio	半	62	(vol.1)
meio-dia	午	94	(vol.1)
membro	員	134	(vol.1)
memorizar	覚	354	(vol.2)
mês	月	42	(vol.1)
mesmo	同	231	(vol.1)
metal	金	★19	p.32 (vol.1)
metrópole	都	227	(vol.1)
mil	千	38	(vol.1)
mim mesmo	私	264	(vol.1)
montanha	山	4	(vol.1)
morar	住	180	(vol.1)
morrer	死	224	(vol.1)
mostrar	示	★67	p.23 (vol.2)
mover	動	145	(vol.1)
mudar	変	314	(vol.2)
muito	多	71	(vol.1)
mulher	女	16	(vol.1)
mundo	界	249	(vol.1)

─── N ───

nada	無	212	(vol.1)
nadar	泳	465	(vol.2)
não	非	466	(vol.2)
não conseguir pular	頁	★60	p.157 (vol.1)
nascimento	産	250	(vol.1)
necessário	要	384	(vol.2)
(fazer) negócios	営	432	(vol.2)
noite	夜	73	(vol.1)
noite	晩	315	(vol.2)
nome	名	72	(vol.1)
norte	北	88	(vol.1)
notificar	告	379	(vol.2)
novamente	又	★71	p.73 (vol.2)
nove	九	34	(vol.1)
novo	新	112	(vol.1)
número	番	329	(vol.2)

Índice dos significados **Portuguese**

nuvem	雲	316	(vol.2)

——————— O ———————

objetivo	的	301	(vol.2)
objeto	口	7	(vol.1)
obra	工	53	(vol.1)
oceano	洋	194	(vol.1)
ocupado	忙	343	(vol.2)
oeste	西	86	(vol.1)
oito	八	33	(vol.1)
óleo	油	440	(vol.2)
olho	目	6	(vol.1)
o melhor	最	499	(vol.2)
oposto	反	389	(vol.2)
orelha	耳	89	(vol.1)
organização	組	475	(vol.2)
origem	元	76	(vol.1)
origem	原	459	(vol.2)
ouro	金	52	(vol.1)
outono	秋	183	(vol.1)
outro	他	333	(vol.2)
outro lado	向	430	(vol.2)
ouvido	耳	89	(vol.1)
ouvir	聞	91	(vol.1)

——————— P ———————

padrão	準	487	(vol.2)
pagar	払	445	(vol.2)
página	頁	★60	p.157 (vol.1)
pai	父	80	(vol.1)
pais	親	177	(vol.1)
país	国	50	(vol.1)
palavra	言	★22	p.34 (vol.1)
palco	台	163	(vol.1)
palestra	講	479	(vol.2)
papel	紙	189	(vol.1)
paraíso	天	78	(vol.1)
parar	止	63	(vol.1)
parque	園	319	(vol.2)
partir	去	265	(vol.1)
passar	通	205	(vol.1)
passar	経	443	(vol.2)
pássaro	鳥	192	(vol.1)
pedir emprestado	借	261	(vol.1)
pedra	石	★58	p.152 (vol.1)
pedra	石	355	(vol.2)
peixe	魚	115	(vol.1)
pele	皮	★72	p.74 (vol.2)
pena	羽	★41	p.117 (vol.1)
pensar	思	171	(vol.1)
pequena árvore	糸	★46	p.127 (vol.1)
pequeno	小	23	(vol.1)
perder	失	350	(vol.2)
perguntar	質	135	(vol.1)
período	期	448	(vol.2)
perna	足	66	(vol.1)
personalidade	性	344	(vol.2)
perto	近	200	(vol.1)
pesado	重	144	(vol.1)
pescoço	首	141	(vol.1)
pesquisa	究	271	(vol.1)
pessoa	人	8	(vol.1)
pessoa	亻	☆1	p.4 (vol.1)
pessoa	者	226	(vol.1)
pessoa partindo	夂	☆49	p.130 (vol.1)
pessoa idosa	老	311	(vol.2)
planejar	画	275	(vol.1)
polir	研	269	(vol.1)
política	政	454	(vol.2)
ponto	点	433	(vol.2)
por	置	394	(vol.2)
porco	豕	☆54	p.140 (vol.1)
porta	門	90	(vol.1)
portão	門	90	(vol.1)

197

posição	位	395	(vol.2)
posse	有	211	(vol.1)
pouco	少	24	(vol.1)
prata	銀	99	(vol.1)
praticar	練	427	(vol.2)
prato	皿	★70	p.72 (vol.2)
preço	料	209	(vol.1)
prédio	館	257	(vol.1)
prefeitura urbana	府	451	(vol.2)
prefixo de número original	第	449	(vol.2)
preparar	備	486	(vol.2)
presente	今	61	(vol.1)
preto	黒	214	(vol.1)
primavera	春	181	(vol.1)
primeira vez	初	326	(vol.2)
(estar com) problema	困	469	(vol.2)
produto	品	255	(vol.1)
produzir	産	250	(vol.1)
proibido	禁	373	(vol.2)
proposta	案	392	(vol.2)
proprietário	主	★44	p.123 (vol.1)
proprietário	主	178	(vol.1)
próprio	自	140	(vol.1)
provar	証	414	(vol.2)
província	県	229	(vol.1)
próximo	次	363	(vol.2)
puxar	引	158	(vol.1)

——— Q ———

qualidade	質	135	(vol.1)
qualificação	格	367	(vol.2)
quantos (contagem geral)	個	306	(vol.2)
quarto	室	266	(vol.1)
quatro	四	29	(vol.1)
que	何	57	(vol.1)
quente	熱	405	(vol.2)

quieto	静	341	(vol.2)

——— R ———

rápido	速	436	(vol.2)
razão	由	439	(vol.2)
re-	再	477	(vol.2)
reação	応	380	(vol.2)
realidade	現	353	(vol.2)
receber	受	496	(vol.2)
recipiente	器	417	(vol.2)
recurso	資	364	(vol.2)
redondo	円	40	(vol.1)
refletir	映	245	(vol.1)
rei	王	★5	p.14 (vol.1)
(ter) relação	関	423	(vol.2)
remédio	薬	248	(vol.1)
residência	宅	312	(vol.2)
resposta	答	233	(vol.1)
restante	残	463	(vol.2)
reto	直	393	(vol.2)
rio	川	5	(vol.1)
rir	笑	470	(vol.2)
rodar	転	151	(vol.1)
rosto	顔	282	(vol.1)
roupas	服	196	(vol.1)
rua	路	426	(vol.2)
rua	之	☆33	p.46 (vol.1)

——— S ———

saber	知	223	(vol.1)
sabor	味	168	(vol.1)
sair	出	26	(vol.1)
salão	堂	297	(vol.1)
saltar	夂	☆17	p.31 (vol.1)
samurai	士	★23	p.34 (vol.1)
sangue	血	401	(vol.2)
seção	課	493	(vol.2)
seguir	進	293	(vol.1)

segurar	持	131	(vol.1)	todo	毎	83	(vol.1)
seis	六	31	(vol.1)	tomar	取	498	(vol.2)
semana	週	143	(vol.1)	tópico	題	284	(vol.1)
sempre	常	468	(vol.2)	tornar-se	成	337	(vol.2)
senhora	婦	360	(vol.2)	trabalhar	働	146	(vol.1)
sentar	座	371	(vol.2)	transformação	化	310	(vol.2)
sentido	感	345	(vol.2)	transmitir	伝	327	(vol.2)
sentimento	念	464	(vol.2)	transportar	運	152	(vol.1)
separar	別	295	(vol.1)	três	三	3	(vol.1)
separar	離	489	(vol.2)	tribo	族	221	(vol.1)
servir	仕	208	(vol.1)	triste	悲	467	(vol.2)
sete	七	32	(vol.1)	tudo	全	51	(vol.1)

──── U ────

símbolo	号	330	(vol.1)
simplicidade	単	324	(vol.2)
sobre a cabeça	豆	★52 p.136 (vol.1)
sobrenome	氏	★47 p.127 (vol.1)

				um	一	1	(vol.1)
				usar	使	259	(vol.1)
				utilizar	用	204	(vol.1)

──── V ────

sol	日	41	(vol.1)	vaca	牛	93	(vol.1)
solicitar	求	400	(vol.2)	vaca	牛	★30 p.43 (vol.1)
solo	土	49	(vol.1)	valor	価	385	(vol.2)
som	音	45	(vol.1)	vazio	空	122	(vol.1)
sonolento	眠	320	(vol.2)	vela	主	★44 p.123 (vol.1)
Sr. / Sra.	様	399	(vol.2)	velho	古	36	(vol.1)
substituir	代	238	(vol.1)	vender	売	109	(vol.1)
sul	南	87	(vol.1)	vento	風	156	(vol.1)

──── T ────

talento	才	322	(vol.2)	ver	見	75	(vol.1)
tarde	昼	155	(vol.1)	verão	夏	182	(vol.1)
técnica	術	419	(vol.2)	verdade	真	290	(vol.1)
telhado da escola	ツ	☆3 p.9 (vol.1)	verdade	実	349	(vol.2)
telhado de salão	入	☆7 p.15 (vol.1)	vermelho	赤	104	(vol.1)
telhado de uma casa	宀	☆2 p.5 (vol.1)	vestir	着	272	(vol.1)
templo	寺	128	(vol.1)	vez	回	203	(vol.1)
teoria	論	494	(vol.2)	vez	度	280	(vol.1)
terra	地	240	(vol.1)	viagem	旅	220	(vol.1)
terreno	場	235	(vol.1)	vida	生	74	(vol.1)
testar	試	198	(vol.1)	vila	村	216	(vol.1)

vir	来	**117**	(vol.1)
visita	客	**365**	(vol.2)
visitar	訪	**307**	(vol.2)
voltar	帰	**294**	(vol.1)
voz	声	**283**	(vol.1)

意味索引

Índice de significados [Spanish]

─── A ───

a partir de	以	296	(vol.1)
abajo	下	19	(vol.1)
abandonar	去	265	(vol.1)
abrir	開	137	(vol.1)
aceite	油	440	(vol.2)
acertar	当	340	(vol.2)
activo	活	473	(vol.2)
actual	現	353	(vol.2)
adelante	先	77	(vol.1)
agregar	加	359	(vol.2)
agricultura	農	458	(vol.2)
agua	水	48	(vol.1)
agua	氵	☆15 p.26 (vol.1)
agua caliente	湯	404	(vol.2)
ahora	今	61	(vol.1)
ala	羽	★41 p.117 (vol.1)
aldea	村	216	(vol.1)
alegrarse	喜	471	(vol.2)
alguien	者	226	(vol.1)
alojarse	泊	304	(vol.2)
alto	高	98	(vol.1)
amarillo	黄	★75 p.96 (vol.2)
amargo	苦	472	(vol.2)
ambos	両	334	(vol.2)
amigo	友	56	(vol.1)
amo	主	★44 p.123 (vol.1)
amo	主	178	(vol.1)
amplio	広	263	(vol.1)
anciano	老	311	(vol.2)
año	年	95	(vol.1)
año(s) de edad	才	322	(vol.2)
auotar	記	388	(vol.2)
(con) anticipación	予	374	(vol.2)
antes de	前	96	(vol.1)
antiguamente	昔	★57 p.148 (vol.1)
anunciar	告	379	(vol.2)
apagar	消	447	(vol.2)
apellido	氏	★47 p.127 (vol.1)
aplastar	押	157	(vol.1)
apoyar	支	407	(vol.2)
aprender	習	161	(vol.1)
apurarse	急	173	(vol.1)
árbol	木	9	(vol.1)
árbol	朩	★26 p.40 (vol.1)
árbol pequeño	糸	★46 p.127 (vol.1)
arco	弓	★39 p.116 (vol.1)
arriba	上	18	(vol.1)
arroz	米	116	(vol.1)
asar	焼	485	(vol.2)
asiento	席	369	(vol.2)
asunto	事	207	(vol.1)
atardecer	夕	69	(vol.1)
atrás	後	97	(vol.1)
aumentar	増	358	(vol.2)
automóvil	車	121	(vol.1)
automóvil	車	★36 p.114 (vol.1)
avanzar	進	293	(vol.1)
ave	鳥	192	(vol.1)
avenida	通	205	(vol.1)
azul	青	105	(vol.1)

─── B ───

bajar	降	435	(vol.2)
bajo	低	190	(vol.1)
bambú	竹	★53 p.140 (vol.1)
bandera	⺁	☆14 p.26 (vol.1)
barato	安	17	(vol.1)
batalla	争	★62 p.11 (vol.2)
beber	飲	102	(vol.1)
bebida alcohólica	酒	386	(vol.2)

bien(es)	資	364	(vol.2)
blanco	白	103	(vol.1)
boca	口	7	(vol.1)
bosque	森	253	(vol.1)
brinco	久	☆17	p.31 (vol.1)
bueno	良	★18	p.31 (vol.1)
bueno	良	456	(vol.2)

──── C ────

caballo	馬	113	(vol.1)
cabeza	頭	281	(vol.1)
cada	毎	83	(vol.1)
cada	各	★66	p.21 (vol.2)
caer	落	425	(vol.2)
calcular	計	274	(vol.1)
calidad	質	135	(vol.1)
caliente	熱	405	(vol.2)
calificación	格	367	(vol.2)
calle	路	426	(vol.2)
calor	暑	186	(vol.1)
cambiar	変	314	(vol.2)
caminar	歩	65	(vol.1)
camino	道	142	(vol.1)
campo	野	213	(vol.1)
campo	厂	☆73	p.87 (vol.2)
campo	原	459	(vol.2)
campo de arroz	田	13	(vol.1)
cansarse	疲	408	(vol.2)
cantar	歌	246	(vol.1)
capital	京	228	(vol.1)
cara	顔	282	(vol.1)
caracter	字	287	(vol.1)
carne	肉	191	(vol.1)
casa	家	234	(vol.1)
casarse	婚	491	(vol.2)
centro	央	★56	p.145 (vol.1)
cerca	艹	☆35	p.48 (vol.1)

cerca	近	200	(vol.1)
cerdo	豕	☆54	p.140 (vol.1)
ceremonia	式	197	(vol.1)
cerrar	閉	138	(vol.1)
cielo	空	122	(vol.1)
cien	百	37	(vol.1)
cinco	五	30	(vol.1)
ciudad	市	165	(vol.1)
ciudadano	民	230	(vol.1)
clasificar	科	279	(vol.1)
colocar	付	382	(vol.2)
color	色	285	(vol.1)
comer	食	100	(vol.1)
comer	飠	☆20	p.32 (vol.1)
comercio	商	441	(vol.2)
comercio	屋	267	(vol.1)
comida	飯	101	(vol.1)
comparar	比	308	(vol.2)
completar	完	338	(vol.2)
comprar	買	133	(vol.1)
comunicar	絡	366	(vol.2)
concha	貝	★31	p.44 (vol.1)
concordar	合	232	(vol.1)
conectar	連	368	(vol.2)
conferencia	講	479	(vol.2)
conocer	知	223	(vol.1)
considerar	考	289	(vol.1)
construir	建	256	(vol.1)
contactar	接	391	(vol.2)
contar	数	452	(vol.2)
continuar	続	474	(vol.2)
conversación	談	397	(vol.2)
convertirse	成	337	(vol.2)
cooperar	協	483	(vol.2)
copiar	写	288	(vol.1)
corazón	心	170	(vol.1)

Índice de significados

corazón	心	★43	p.121 (vol.1)		descanso	休	10	(vol.1)
corazón	忄	☆64	p.14 (vol.2)		deseo	願	460	(vol.2)
correcto	正	64	(vol.1)		despejado	晴	187	(vol.1)
correr	走	67	(vol.1)		detener	止	63	(vol.1)
cortar	切	59	(vol.1)		devolver	返	390	(vol.2)
cortesía	礼	325	(vol.2)		día	日	41	(vol.1)
cortina de entrada de una tienda	广	☆32	p.45 (vol.1)		día	日	★4	p.13 (vol.1)
corto	短	222	(vol.1)		día de la semana	曜	292	(vol.1)
cosa	物	254	(vol.1)		diente	歯	411	(vol.2)
crecer	育	317	(vol.2)		diez	十	35	(vol.1)
creer	信	331	(vol.2)		diez mil	万	39	(vol.1)
¿Cuánto(s)?	個	306	(vol.2)		diferente	違	332	(vol.2)
cuarto	室	266	(vol.1)		difícil	難	488	(vol.2)
cuatro	四	29	(vol.1)		dinero	金	52	(vol.1)
cubierta pequeña	冖	☆37	p.114 (vol.1)		dinero	金	★19	p.32 (vol.1)
cuchillo	刂	☆16	p.30 (vol.1)		dinero	貝	★31	p.44 (vol.1)
cuello	首	141	(vol.1)		dirección	方	219	(vol.1)
cuerpo	体	12	(vol.1)		dirección	方	★50	p.135 (vol.1)
cuerpo	身	323	(vol.2)		dirección general	局	431	(vol.2)
curar	治	446	(vol.2)		discutir	議	481	(vol.2)
	D				disminuir	減	346	(vol.2)
dama	婦	360	(vol.2)		distribuir	配	387	(vol.2)
dar vueltas	転	151	(vol.1)		distrito	区	218	(vol.1)
dar golpes	打	339	(vol.2)		divertido	楽	247	(vol.1)
de día	昼	155	(vol.1)		dividir	分	60	(vol.1)
de T	彳	☆13	p.25 (vol.1)		dolor	痛	410	(vol.2)
débil	弱	160	(vol.1)		dormir	寝	500	(vol.2)
decidir	決	375	(vol.2)		dos	二	2	(vol.1)
decir	言	106	(vol.1)		dos piernas	儿	☆12	p.24 (vol.1)
decir	言	★22	p.34 (vol.1)		duración	間	92	(vol.1)
forma humilde de 'decir'	申	300	(vol.1)			E		
dedo	指	370	(vol.2)		echar	注	179	(vol.1)
delgado	細	429	(vol.2)		edificio público	館	257	(vol.1)
dentro	中	20	(vol.1)		efecto	効	495	(vol.2)
departamento	部	442	(vol.2)		él	彼	409	(vol.2)
derecha	右	55	(vol.1)		electricidad	電	119	(vol.1)

emanar	発	270	(vol.1)			**F**		
empezar	始	164	(vol.1)	fallecer	死	224	(vol.1)
empleado	員	134	(vol.1)	faltar	欠	★21	p.33 (vol.1)
empresa	社	123	(vol.1)	faltar	欠	362	(vol.2)
encargado	係	421	(vol.2)	familia	族	221	(vol.1)
enfermo	广	☆59	p.154 (vol.1)	fase	相	398	(vol.2)
enfermo	病	278	(vol.1)	felicidad	幸	★69	p.24 (vol.2)
enseñar	教	268	(vol.1)	fijar	定	376	(vol.2)
entrada	門	90	(vol.1)	final	終	188	(vol.1)
entrar	入	25	(vol.1)	flecha	矢	★51	p.136 (vol.1)
entre	間	92	(vol.1)	flor	花	148	(vol.1)
enviar	送	202	(vol.1)	fondo	奥	412	(vol.2)
equipaje	荷	305	(vol.2)	foresta	林	252	(vol.1)
escabroso	険	413	(vol.2)	frente a	前	96	(vol.1)
escribir	書	111	(vol.1)	(estar) frente a	面	396	(vol.2)
escuchar	聞	91	(vol.1)	fríjol	豆	★52	p.136 (vol.1)
escuela	校	126	(vol.1)	frío	冷	361	(vol.2)
esencial	本	11	(vol.1)	frío	寒	185	(vol.1)
esforzarse	勉	162	(vol.1)	fruta	果	492	(vol.2)
espacio	ム	☆40	p.116 (vol.1)	fuego	火	47	(vol.1)
espada	刀	★10	p.18 (vol.1)	fuera	外	70	(vol.1)
especial	特	132	(vol.1)	fuerte	強	159	(vol.1)
especialidad	専	476	(vol.2)	fuerza	力	14	(vol.1)
esperar	待	129	(vol.1)			**G**		
espíritu	気	120	(vol.1)	gastos	費	450	(vol.2)
esposo	夫	348	(vol.2)	generación	世	237	(vol.1)
estación	駅	114	(vol.1)	gente	人	8	(vol.1)
estanque	池	241	(vol.1)	gente	イ	☆1	p.4 (vol.1)
este	東	85	(vol.1)	girar	回	203	(vol.1)
estudiar	学	28	(vol.1)	gordo	太	22	(vol.1)
examen	験	199	(vol.1)	grado	度	280	(vol.1)
exceder	過	416	(vol.2)	graduarse	卒	372	(vol.2)
exigir	求	400	(vol.2)	gran cubierta	冂	☆34	p.46 (vol.1)
explicar	説	276	(vol.1)	grande	大	21	(vol.1)
expresar	表	352	(vol.2)	guardar	保	415	(vol.2)
				gustar	好	169	(vol.1)

H

habitación	室	266	(vol.1)
hablar	話	107	(vol.1)
hacer	作	262	(vol.1)
hacha	斤	☆24	p.37 (vol.1)
hall	堂	297	(vol.1)
hecho	済	444	(vol.2)
hermana mayor	姉	166	(vol.1)
hermana menor	妹	167	(vol.1)
hermano mayor	兄	175	(vol.1)
hermano menor	弟	176	(vol.1)
hermoso	美	438	(vol.2)
herramienta	具	418	(vol.2)
hielo	冫	☆65	p.20 (vol.2)
hierba	草	149	(vol.1)
hierro	鉄	351	(vol.2)
hilo	糸	★46	p.127 (vol.1)
hilo	糸	420	(vol.2)
historia	史	461	(vol.2)
historia	話	107	(vol.1)
historia personal	歴	457	(vol.2)
hoja y árbol	禾	☆45	p.124 (vol.1)
hombre	男	15	(vol.1)
hora	時	130	(vol.1)

I

idea	意	172	(vol.1)
-idad	性	344	(vol.2)
idioma	言	★22	p.34 (vol.1)
idioma	語	108	(vol.1)
impuesto	税	298	(vol.1)
in-	不	206	(vol.1)
incidente	故	453	(vol.2)
incluir	込	299	(vol.1)
indagar	問	139	(vol.1)
individual	個	306	(vol.2)
industria	業	251	(vol.1)
información	報	378	(vol.2)
Inglaterra	英	244	(vol.1)
insecto	虫	★38	p.115 (vol.1)
instalar	設	497	(vol.2)
institución	院	277	(vol.1)
intercambiar	交	★27	p.40 (vol.1)
intercambiar	交	424	(vol.2)
interior	内	124	(vol.1)
intersección en forma de T	彳	☆13	p.25 (vol.1)
investigación	究	271	(vol.1)
invierno	冬	184	(vol.1)
invitado	客	365	(vol.2)
ir	行	82	(vol.1)
–ivo (sufijo adjetival)	的	301	(vol.2)
izquierda	左	54	(vol.1)

J

jalar	引	158	(vol.1)
japonés	和	195	(vol.1)
joven	若	313	(vol.2)
joya	玉	★6	p.15 (vol.1)
jugar	遊	321	(vol.2)
juntar	隹	☆61	p.159 (vol.1)
juntar	集	291	(vol.1)
juntos	共	478	(vol.2)

K

kanji	漢	286	(vol.1)

L

lado	横	484	(vol.2)
largo	長	125	(vol.1)
lavar	洗	242	(vol.1)
leer	読	110	(vol.1)
lejos	遠	201	(vol.1)
lento	遅	437	(vol.2)
levantarse	起	68	(vol.1)
ley	法	480	(vol.2)
libro	本	11	(vol.1)

línea	線	428	(vol.2)		metal	金	★19 p.32	(vol.1)
liviano	軽	153	(vol.1)		metrópoli	都	227	(vol.1)
llamar	呼	434	(vol.2)		mí mismo	私	264	(vol.1)
llegar	着	272	(vol.1)		miembro	員	134	(vol.1)
llevar	持	131	(vol.1)		mil	千	38	(vol.1)
llorar	泣	347	(vol.2)		mirar	見	75	(vol.1)
lluvia	雨	118	(vol.1)		mismo	同	231	(vol.1)
lluvia	雫	★25 p.38	(vol.1)		mitad	半	62	(vol.1)
lógico	理	210	(vol.1)		montaña	山	4	(vol.1)
lugar	所	236	(vol.1)		montar	乗	273	(vol.1)
luminoso	明	43	(vol.1)		mostrar	示	★67 p.23	(vol.2)
luna	月	42	(vol.1)		mover	動	145	(vol.1)
luz	光	243	(vol.1)		mucho	多	71	(vol.1)
					muerto	亡	★63 p.14	(vol.2)
———— M ————					mujer	女	16	(vol.1)
madre	母	81	(vol.1)		mundo	界	249	(vol.1)
malo	悪	174	(vol.1)		———— N ————			
mañana	朝	154	(vol.1)		nacimiento	産	250	(vol.1)
mano	手	58	(vol.1)		nada	無	212	(vol.1)
mano	寸	★28 p.41	(vol.1)		nadar	泳	465	(vol.2)
mano	扌	☆29 p.43	(vol.1)		necesariamente	必	381	(vol.2)
manufactura	工	53	(vol.1)		necesario	要	384	(vol.2)
mapa	図	258	(vol.1)		negocio	営	432	(vol.2)
máquina	機	422	(vol.2)		negro	黒	214	(vol.1)
mar	海	84	(vol.1)		niño	子	27	(vol.1)
más	最	499	(vol.2)		no	不	206	(vol.1)
máscara	面	396	(vol.2)		no	非	466	(vol.2)
medicina	薬	248	(vol.1)		no poder dar brincos	頁	★60 p.157	(vol.1)
médico	医	225	(vol.1)		noche	晩	315	(vol.2)
mediodía	午	94	(vol.1)		noche	夜	73	(vol.1)
medir	計	274	(vol.1)		nombre	名	72	(vol.1)
medir	戈	☆74 p.90	(vol.2)		norma	準	487	(vol.2)
memorizar	覚	354	(vol.2)		norte	北	88	(vol.1)
mente	念	464	(vol.2)		nube	雲	316	(vol.2)
mercado	市	165	(vol.1)		nueve	九	34	(vol.1)
mercancía	品	255	(vol.1)		nuevo	新	112	(vol.1)
mes	月	42	(vol.1)					

Índice de significados

número	番	329	(vol.2)
número ordinal	第	449	(vol.2)

────── O ──────

objetivo	的	301	(vol.2)
objeto	口	7	(vol.1)
océano	洋	194	(vol.1)
ocho	八	33	(vol.1)
ocupado	忙	343	(vol.2)
oeste	西	86	(vol.1)
ojo	目	6	(vol.1)
olvidarse	忘	342	(vol.2)
oponerse	反	389	(vol.2)
opuesto	対	383	(vol.2)
oración	文	79	(vol.1)
oreja	耳	89	(vol.1)
organizar	組	475	(vol.2)
origen	元	76	(vol.1)
oro	金	52	(vol.1)
oscuro	暗	46	(vol.1)
otra vez	又	★71	p.73 (vol.2)
otoño	秋	183	(vol.1)
otro	他	333	(vol.2)
otro lado	向	430	(vol.2)
oveja	羊	★48	p.128 (vol.1)

────── P ──────

padre	父	80	(vol.1)
padres	親	177	(vol.1)
pagar	払	445	(vol.2)
página	頁	★60	p.157 (vol.1)
país	国	50	(vol.1)
palabra	言	★22	p.34 (vol.1)
papel	紙	189	(vol.1)
paraíso	天	78	(vol.1)
pararse	立	44	(vol.1)
parque	園	319	(vol.2)
partir	割	406	(vol.2)

pasar	通	205	(vol.1)
pedir prestado	借	261	(vol.1)
pensar	思	171	(vol.1)
pequeño	小	23	(vol.1)
perder	失	350	(vol.2)
período	期	448	(vol.2)
permanecer	留	328	(vol.2)
perro	犬	193	(vol.1)
persona	人	8	(vol.1)
persona	亻	☆1	p.4 (vol.1)
persona	者	226	(vol.1)
persona abandonando el lugar	夂	☆49	p.130 (vol.1)
personalidad	性	344	(vol.2)
pesado	重	144	(vol.1)
pez	魚	115	(vol.1)
picante	辛	★68	p.24 (vol.2)
pie	足	66	(vol.1)
piedra	石	★58	p.152 (vol.1)
piedra	石	355	(vol.2)
piel	皮	★72	p.74 (vol.2)
piso	階	309	(vol.2)
plan	画	275	(vol.1)
plano	平	336	(vol.2)
plata	銀	99	(vol.1)
plato	皿	★70	p.72 (vol.2)
poco	少	24	(vol.1)
política	政	454	(vol.2)
poner	置	394	(vol.2)
poner por escrito	記	388	(vol.2)
ponerse	着	272	(vol.1)
posada	宿	303	(vol.2)
poseer	有	211	(vol.1)
posible	可	★9	p.18 (vol.1)
practicar	練	427	(vol.2)
práctico	便	260	(vol.1)
precio	料	209	(vol.1)

español	kanji	página	vol.
prefectura	県	229	(vol.1)
prefectura urbana	府	451	(vol.2)
preguntar	質	135	(vol.1)
preparar	備	486	(vol.2)
prestar	貸	239	(vol.1)
primavera	春	181	(vol.1)
primera vez	初	326	(vol.2)
principio	原	459	(vol.2)
probar	証	414	(vol.2)
probar	試	198	(vol.1)
(estar en) problemas	困	469	(vol.2)
producir	産	250	(vol.1)
profundo	深	462	(vol.2)
prohibir	禁	373	(vol.2)
promesa	約	302	(vol.2)
propuesta	案	392	(vol.2)
provecho	利	335	(vol.2)
pueblo	町	215	(vol.1)
puerta	門	90	(vol.1)
puesto	位	395	(vol.2)
pulir	研	269	(vol.1)
punto	点	433	(vol.2)
punto de referencia	ナ	☆8	p.16 (vol.1)

― Q ―

español	kanji	página	vol.
qué	何	57	(vol.1)

― R ―

español	kanji	página	vol.
rápido	速	436	(vol.2)
razón	由	439	(vol.2)
re-	再	477	(vol.2)
real	実	349	(vol.2)
recibir	受	496	(vol.2)
recipiente	器	417	(vol.2)
reconocer	認	357	(vol.2)
recto	直	393	(vol.2)
redondo	円	40	(vol.1)
reflejar	映	245	(vol.1)
regresar	帰	294	(vol.1)
reír	笑	470	(vol.2)
(estar) relacionado	関	423	(vol.2)
renunciar	辞	377	(vol.2)
residencia	宅	312	(vol.2)
responder	応	380	(vol.2)
respuesta	答	233	(vol.1)
resto	残	463	(vol.2)
reunirse	会	127	(vol.1)
revisar	調	482	(vol.2)
rey	王	★5	p.14 (vol.1)
río	川	5	(vol.1)
rojo	赤	104	(vol.1)
ropa	服	196	(vol.1)
ruido	音	45	(vol.1)

― S ―

español	kanji	página	vol.
sabor	味	168	(vol.1)
salir	出	26	(vol.1)
samurai	士	★23	p.34 (vol.1)
sangre	血	401	(vol.2)
sección	課	493	(vol.2)
seis	六	31	(vol.1)
semana	週	143	(vol.1)
sentarse	座	371	(vol.2)
Sr. / Sra. / Srta.	様	399	(vol.2)
sentido	感	345	(vol.2)
separarse	別	295	(vol.1)
separarse	離	489	(vol.2)
serenidad	安	17	(vol.1)
servir	仕	208	(vol.1)
sí mismo	自	140	(vol.1)
siete	七	32	(vol.1)
signo	号	330	(vol.2)
siguiente	次	363	(vol.2)
simple	単	324	(vol.2)
sitio	場	235	(vol.1)

Índice de significados — Spanish

sobre su cabeza	豆	★52	p.136 (vol.1)		tribu	族	221	(vol.1)
sol	日	41	(vol.1)		triste	悲	467	(vol.2)
sombrero	亠	☆11	p.21 (vol.1)		— U —			
somnoliento	眠	320	(vol.2)		unirse	結	490	(vol.2)
sorprenderse	驚	455	(vol.2)		uno	一	1	(vol.1)
sur	南	87	(vol.1)		usar	使	259	(vol.1)
sustituir	代	238	(vol.1)		usual	常	468	(vol.2)
— T —					utilizar	用	204	(vol.1)
taburete	台	163	(vol.1)		— V —			
talento	才	322	(vol.2)		vaca	牛	93	(vol.1)
té	茶	150	(vol.1)		vaca	牛	★30	p.43 (vol.1)
techo de un salón	入	☆7	p.15 (vol.1)		vacío	空	122	(vol.1)
techo de una casa	宀	☆2	p.5 (vol.1)		valor	価	385	(vol.2)
techo de una escuela	丷	☆3	p.9 (vol.1)		vela	主	★44	p.123 (vol.1)
técnica	術	419	(vol.2)		vender	売	109	(vol.1)
tema	題	284	(vol.1)		venir	来	117	(vol.1)
templado	暖	403	(vol.2)		ventana	窓	318	(vol.2)
templo	寺	128	(vol.1)		verano	夏	182	(vol.1)
temprano	早	147	(vol.1)		verdad	真	290	(vol.1)
teoría	論	494	(vol.2)		verdura	菜	217	(vol.1)
terreno	地	240	(vol.1)		verificar	確	356	(vol.2)
tibio	温	402	(vol.2)		vez	回	203	(vol.1)
tiempo	日	★4	p.13 (vol.1)		vez	度	280	(vol.1)
tienda	店	136	(vol.1)		vía	辶	☆33	p.46 (vol.1)
tienda	尸	☆55	p.141 (vol.1)		viaje	旅	220	(vol.1)
tierra	土	49	(vol.1)		vida	生	74	(vol.1)
todavía	未	★42	p.118 (vol.1)		viejo	古	36	(vol.1)
todo	全	51	(vol.1)		viento	風	156	(vol.1)
tomar	取	498	(vol.2)		visitar	訪	307	(vol.2)
trabajar	働	146	(vol.1)		vivir	住	180	(vol.1)
tranquilo	静	341	(vol.2)		voz	声	283	(vol.1)
transcurrir	経	443	(vol.2)		— Y —			
transformar	化	310	(vol.2)		yen	円	40	(vol.1)
transmitir	伝	327	(vol.2)		yo	私	264	(vol.1)
transportar	運	152	(vol.1)					
tres	三	3	(vol.1)					

部品索引・Parts Index・부품 색인・Índice das partes・Índice de partes

☆1	亻	person, people / 사람 / pessoa, gente / persona, gente	p.4 (vol.1)
★2	宀	roof of a house / 집의 지붕 / telhado de uma casa / techo de una casa	p.5 (vol.1)
☆3	冖	roof of a school / 학교의 지붕 / telhado da escola / techo de una escuela	p.9 (vol.1)
★4	日	day, time / 하루, 시간 / dia, horário / día, tiempo	p.13 (vol.1)
★5	王	king / 왕 / rei / rey	p.14 (vol.1)
★6	玉	jewel / 옥 / jóia / joya	p.15 (vol.1)
☆7	人	roof of a hall / 홀의 지붕 / telhado de um salão / techo de un salón	p.15 (vol.1)
☆8	厂	landmark / 안표 / marco / punto de referencia	p.16 (vol.1)
★9	可	can / 가능 / conseguir / posible	p.18 (vol.1)
★10	刀	sword / 검 / espada / espada	p.18 (vol.1)
☆11	冖	hat / 모자 / chapéu / sombrero	p.21 (vol.1)
☆12	儿	two legs / 두 다리 / duas pernas / dos piernas	p.24 (vol.1)
☆13	彳	T-intersection / T 자로 / cruzamento em T / intersección en forma de T	p.25 (vol.1)
☆14	𠃋	flag / 기 / bandeira / bandera	p.26 (vol.1)
☆15	氵	water / 물 / água / agua	p.26 (vol.1)
☆16	刂	knife / 칼 / faca / cuchillo	p.30 (vol.1)
☆17	夂	skip / 깡충깡충 뛰다 / saltitar / brinco	p.31 (vol.1)
★18	良	good / 좋다 / bom / bueno	p.31 (vol.1)
★19	金	money, metal / 돈, 금속 / dinheiro, metal / dinero, metal	p.32 (vol.1)
☆20	食	eat / 먹다 / comer / comer	p.32 (vol.1)
★21	欠	lack / 모자라다 / faltar / faltar	p.33 (vol.1)
★22	言	word, language, say / 말, 언어, 말하다 / palavra, língua, dizer / palabra, idioma, decir	p.34 (vol.1)
★23	士	samurai / 무사 / samurai / samurai	p.34 (vol.1)
☆24	斤	ax / 도끼 / machado / hacha	p.37 (vol.1)
★25	雨	rain / 비 / chuva / lluvia	p.38 (vol.1)
★26	木	tree / 나무 / árvore / árbol	p.40 (vol.1)
★27	交	mingle / 교류하다 / fazer intercâmbio / intercambiar	p.40 (vol.1)
★28	寸	hand / 손 / mão / mano	p.41 (vol.1)
☆29	扌	hand / 손 / mão / mano	p.43 (vol.1)
★30	牛	cow / 소 / boi, vaca / vaca	p.43 (vol.1)
★31	貝	money, seashell / 돈, 조개 / dinheiro, concha / dinero, concha	p.44 (vol.1)
☆32	广	shop curtain / 포렴 / cortina de entrada da loja / cortina de entrada de una tienda	p.45 (vol.1)
☆33	辶	road / 도로 / rua / vía	p.46 (vol.1)
☆34	冂	big cover / 큰 덮개 / grande cobertura / gran cubierta	p.46 (vol.1)
☆35	艹	fence / 울타리 / cerca / cerca	p.48 (vol.1)
★36	車	car / 차 / carro / automóvil	p.114 (vol.1)
☆37	冖	small cover / 작은 덮개 / cobertura (capa) pequena / cubierta pequeña	p.114 (vol.1)
★38	虫	bug / 벌레 / inseto / insecto	p.115 (vol.1)

★39	弓	bow / 활 / arco / arco	p.116 (vol.1)
☆40	ム	space / 넓다 / espaço / espacio	p.116 (vol.1)
★41	羽	feather / 날개 / pena / ala	p.117 (vol.1)
★42	未	not yet / 아직 / ainda / todavía	p.118 (vol.1)
★43	心	heart / 심장 / coração / corazón	p.121 (vol.1)
★44	主	candle, master / 양초, 주인 / vela, dono, proprietário / vela, amo	p.123 (vol.1)
☆45	禾	leaf and tree / 잎과 나무 / folha e árvore / hoja y árbol	p.124 (vol.1)
★46	糸	small tree, thread / 작은 나무, 실 / pequena árvore, fio / árbol pequeño, hilo	p.127 (vol.1)
★47	氏	family name / 씨 / sobrenome / apellido	p.127 (vol.1)
★48	羊	sheep / 양 / carneiro / oveja	p.128 (vol.1)
☆49	夂	person leaving / 떠나는 사람 / pessoa partindo / persona abandonando el lugar	p.130 (vol.1)
★50	方	direction / 방향 / direção / dirección	p.135 (vol.1)
★51	矢	arrow / 화살 / flecha / flecha	p.136 (vol.1)
★52	豆	on his/her head, bean / 머리 위, 콩 / sobre a cabeça, feijão / sobre su cabeza, frijol	p.136 (vol.1)
★53	竹	bamboo / 대나무 / bambu / bambú	p.140 (vol.1)
☆54	豕	pig / 돼지 / porco / cerdo	p.140 (vol.1)
☆55	尸	store / 가게 / armazém / tienda	p.141 (vol.1)
★56	央	center / 중앙 / centro / centro	p.145 (vol.1)
★57	昔	old times / 옛날 / antigamente / antiguamente	p.148 (vol.1)
★58	石	stone / 돌 / pedra / piedra	p.152 (vol.1)
☆59	疒	sick / 병 / doente / enfermo	p.154 (vol.1)
★60	頁	cannot skip, page / 스킵할 수 없습니다, 페이지 / não conseguir pular, página / no poder dar brincos, página	p.157 (vol.1)
☆61	隹	gather / 모으다 / juntar, colecionar / juntar	p.159 (vol.1)
★62	争	battle / 전쟁 / guerra / batalla	p.11 (vol.2)
★63	亡	dead / 돌아가시다 / falecer / muerto	p.14 (vol.2)
☆64	忄	heart / 마음 / coração / corazón	p.14 (vol.2)
☆65	冫	ice / 얼음 / gelo / hielo	p.20 (vol.2)
★66	各	each / 각각 / cada / cada	p.21 (vol.2)
★67	示	show / 보입니다 / mostrar / mostrar	p.23 (vol.2)
★68	辛	spicy / 매운 / apimentado / picante	p.24 (vol.2)
★69	幸	happiness / 행복 / felicidade / felicidad	p.24 (vol.2)
★70	皿	plate / 접시 / prato / plato	p.72 (vol.2)
★71	又	again / 또 / novamente / otra vez	p.73 (vol.2)
★72	皮	skin / 피부 / pele / piel	p.74 (vol.2)
☆73	厂	field / 들판 / campo / campo	p.87 (vol.2)
☆74	戈	measure / 재다 / medir / medir	p.90 (vol.2)
★75	黄	yellow / 노란색 / amarelo / amarillo	p.96 (vol.2)

단한자 읽는 법 색인

ㄱ

가	可	★9	p.18 (vol.1)
가	家	234	(vol.1)
가	歌	246	(vol.1)
가	加	359	(vol.2)
가	価	385	(vol.2)
각	覚	354	(vol.2)
각	各	★66	p.21 (vol.2)
간	間	92	(vol.1)
감	感	345	(vol.2)
감	減	346	(vol.2)
강	強	159	(vol.1)
강	降	435	(vol.2)
강	講	479	(vol.2)
개	開	137	(vol.1)
개	個	306	(vol.2)
객	客	365	(vol.2)
거	去	265	(vol.1)
건	建	256	(vol.1)
격	格	367	(vol.2)
견	見	75	(vol.1)
견	犬	193	(vol.1)
결	欠	★21	p.33 (vol.1)
결	欠	362	(vol.2)
결	決	375	(vol.2)
결	結	490	(vol.2)
경	軽	153	(vol.1)
경	京	228	(vol.1)
경	経	443	(vol.2)
경	驚	455	(vol.2)
계	界	249	(vol.1)
계	計	274	(vol.1)
계	階	309	(vol.2)
계	係	421	(vol.2)
고	古	36	(vol.1)
고	高	98	(vol.1)
고	考	289	(vol.1)
고	告	379	(vol.2)
고	故	453	(vol.2)
고	苦	472	(vol.2)
곤	困	469	(vol.2)
공	工	53	(vol.1)
공	空	122	(vol.1)
공	共	478	(vol.2)
과	科	279	(vol.1)
과	過	416	(vol.2)
과	果	492	(vol.2)
과	課	493	(vol.2)
관	館	257	(vol.1)
관	関	423	(vol.2)
광	光	243	(vol.1)
광	広	263	(vol.1)
교	交	★27	p.40 (vol.1)
교	校	126	(vol.1)
교	教	268	(vol.1)
구	口	7	(vol.1)
구	九	34	(vol.1)
구	区	218	(vol.1)
구	究	271	(vol.1)
구	求	400	(vol.2)
구	具	418	(vol.2)
국	国	50	(vol.1)
국	局	431	(vol.2)
궁	弓	★39	p.116 (vol.1)
귀	帰	294	(vol.1)
근	近	200	(vol.1)
금	金	52	(vol.1)
금	今	61	(vol.1)
금	釜	★19	p.32 (vol.1)
금	禁	373	(vol.2)
급	急	173	(vol.1)
기	起	68	(vol.1)
기	気	120	(vol.1)
기	記	388	(vol.2)
기	器	417	(vol.2)
기	機	422	(vol.2)
기	期	448	(vol.2)

ㄴ

낙	絡	366	(vol.2)
낙	落	425	(vol.2)
난	暖	403	(vol.2)
난	難	488	(vol.2)
남	男	15	(vol.1)
남	南	87	(vol.1)
내	内	124	(vol.1)
냉	冷	361	(vol.2)
년	年	95	(vol.1)
념	念	464	(vol.2)
노	老	311	(vol.2)
노	路	426	(vol.2)
논	論	494	(vol.2)
농	農	458	(vol.2)

ㄷ

다	多	71	(vol.1)
단	短	222	(vol.1)
단	単	324	(vol.2)
담	談	397	(vol.2)
답	答	233	(vol.1)
당	堂	297	(vol.1)
당	当	340	(vol.2)
대	大	21	(vol.1)
대	待	129	(vol.1)
대	台	163	(vol.1)
대	代	238	(vol.1)
대	貸	239	(vol.1)
대	対	383	(vol.2)

도	刀	★10	p.18 (vol.1)			ㅁ			반	反	389	(vol.2)
도	道	142	(vol.1)	마	馬	113	(vol.1)	반	返	390	(vol.2)
도	都	227	(vol.1)	만	万	39	(vol.1)	발	発	270	(vol.1)
도	図	258	(vol.1)	만	晩	315	(vol.2)	방	方	219	(vol.1)
도	度	280	(vol.1)	말	末	★42	p.118 (vol.1)	방	方	★50	p.135 (vol.1)
독	読	110	(vol.1)	망	亡	★63	p.14 (vol.2)	방	訪	307	(vol.2)
동	東	85	(vol.1)	망	忘	342	(vol.2)	배	配	387	(vol.2)
동	動	145	(vol.1)	망	忙	343	(vol.2)	백	百	37	(vol.1)
동	働	146	(vol.1)	매	毎	83	(vol.1)	백	白	103	(vol.1)
동	冬	184	(vol.1)	매	売	109	(vol.1)	번	番	329	(vol.1)
동	同	231	(vol.1)	매	買	133	(vol.1)	법	法	480	(vol.2)
두	豆	★52	p.136 (vol.1)	매	妹	167	(vol.1)	변	変	314	(vol.2)
두	頭	281	(vol.1)	면	勉	162	(vol.1)	별	別	295	(vol.1)
		ㄹ		면	眠	320	(vol.2)	병	病	278	(vol.1)
락	楽	247	(vol.1)	면	面	396	(vol.2)	보	歩	65	(vol.1)
락	絡	366	(vol.2)	명	明	43	(vol.1)	보	報	378	(vol.2)
락	落	425	(vol.2)	명	名	72	(vol.1)	보	保	415	(vol.2)
량	両	334	(vol.2)	명	皿	★70	p.72 (vol.2)	복	服	196	(vol.1)
량	良	456	(vol.2)	모	母	81	(vol.1)	본	本	11	(vol.1)
래	来	117	(vol.1)	목	目	6	(vol.1)	부	父	80	(vol.1)
랭	冷	361	(vol.2)	목	木	9	(vol.1)	부	不	206	(vol.1)
력	力	14	(vol.1)	목	木	★26	p.40 (vol.1)	부	夫	348	(vol.2)
력	歴	457	(vol.2)	무	無	212	(vol.1)	부	婦	360	(vol.2)
련	連	368	(vol.2)	문	文	79	(vol.1)	부	付	382	(vol.2)
련	練	427	(vol.2)	문	門	90	(vol.1)	부	部	442	(vol.2)
례	礼	325	(vol.2)	문	聞	91	(vol.1)	부	府	451	(vol.2)
로	老	311	(vol.2)	문	問	139	(vol.1)	북	北	88	(vol.1)
로	路	426	(vol.2)	물	物	254	(vol.1)	분	分	60	(vol.1)
론	論	494	(vol.2)	미	米	116	(vol.1)	불	不	206	(vol.1)
료	料	209	(vol.1)	미	味	168	(vol.1)	불	払	445	(vol.2)
류	留	328	(vol.2)	미	美	438	(vol.2)	비	比	308	(vol.2)
리	理	210	(vol.1)	민	民	230	(vol.1)	비	費	450	(vol.2)
리	利	335	(vol.2)			ㅂ		비	非	466	(vol.2)
리	離	489	(vol.2)	박	泊	304	(vol.2)	비	悲	467	(vol.2)
림	林	252	(vol.1)	반	半	62	(vol.1)	비	備	486	(vol.2)
립	立	44	(vol.1)	반	飯	101	(vol.1)				

사	四	29	(vol.1)
사	士	★23	p.34 (vol.1)
사	社	123	(vol.1)
사	寺	128	(vol.1)
사	思	171	(vol.1)
사	糸	★46	p.127 (vol.1)
사	事	207	(vol.1)
사	仕	208	(vol.1)
사	死	224	(vol.1)
사	使	259	(vol.1)
사	私	264	(vol.1)
사	写	288	(vol.1)
사	辞	377	(vol.2)
사	糸	420	(vol.2)
사	史	461	(vol.2)
산	山	4	(vol.1)
산	産	250	(vol.1)
삼	三	3	(vol.1)
삼	森	253	(vol.1)
상	上	18	(vol.1)
상	相	398	(vol.2)
상	商	441	(vol.2)
상	常	468	(vol.2)
색	色	285	(vol.1)
생	生	74	(vol.1)
서	西	86	(vol.1)
서	書	111	(vol.1)
서	暑	186	(vol.1)
석	夕	69	(vol.1)
석	昔	★57	p.148 (vol.1)
석	石	★58	p.152 (vol.1)
석	石	355	(vol.2)
석	席	369	(vol.2)
선	先	77	(vol.1)
선	線	428	(vol.2)
설	説	276	(vol.1)
설	設	497	(vol.2)
성	声	283	(vol.1)
성	成	337	(vol.2)
성	性	344	(vol.2)
세	世	237	(vol.1)
세	洗	242	(vol.1)
세	税	298	(vol.1)
세	細	429	(vol.2)
소	小	23	(vol.1)
소	少	24	(vol.1)
소	所	236	(vol.1)
소	消	447	(vol.2)
소	笑	470	(vol.2)
소	焼	485	(vol.2)
속	速	436	(vol.2)
속	続	474	(vol.2)
송	送	202	(vol.1)
수	水	48	(vol.1)
수	手	58	(vol.1)
수	首	141	(vol.1)
수	数	452	(vol.2)
수	受	496	(vol.2)
숙	宿	303	(vol.1)
술	術	419	(vol.2)
습	習	161	(vol.1)
승	乗	273	(vol.1)
시	時	130	(vol.1)
시	始	164	(vol.1)
시	市	165	(vol.1)
시	試	198	(vol.1)
시	矢	★51	p.136 (vol.1)
시	示	★67	p.23 (vol.2)
식	食	100	(vol.1)
식	式	197	(vol.1)
신	新	112	(vol.1)
신	申	300	(vol.1)
신	身	323	(vol.2)
신	信	331	(vol.2)
신	辛	★68	p.24 (vol.2)
실	室	266	(vol.1)
실	実	349	(vol.2)
실	失	350	(vol.2)
심	心	170	(vol.1)
심	心	★43	p.121 (vol.1)
심	深	462	(vol.2)
십	十	35	(vol.1)
씨	氏	★47	p.127 (vol.1)

― ㅇ ―

악	悪	174	(vol.1)
안	安	17	(vol.1)
안	顔	282	(vol.1)
안	案	392	(vol.2)
암	暗	46	(vol.1)
압	押	157	(vol.1)
앙	央	★56	p.145 (vol.1)
야	夜	73	(vol.1)
야	野	213	(vol.1)
약	弱	160	(vol.1)
약	薬	248	(vol.1)
약	約	302	(vol.2)
약	若	313	(vol.2)
양	良	★18	p.31 (vol.1)
양	羊	★48	p.128 (vol.1)
양	洋	194	(vol.1)
양	両	334	(vol.2)
양	良	456	(vol.2)
양	様	399	(vol.2)
어	語	108	(vol.1)
어	魚	115	(vol.1)
언	言	106	(vol.1)
언	言	★22	p.34 (vol.1)

업	業	251	(vol.1)	우	又	★71	p.73(vol.2)	인	認	357	(vol.2)
엔	円	40	(vol.1)	운	運	152	(vol.1)	일	一	1	(vol.1)
여	女	16	(vol.1)	운	雲	316	(vol.2)	일	日	41	(vol.1)
여	旅	220	(vol.1)	원	元	76	(vol.1)	일	日	★4	p.13(vol.1)
역	駅	114	(vol.1)	원	員	134	(vol.1)	입	入	25	(vol.1)
역	歴	457	(vol.2)	원	遠	201	(vol.1)	입	立	44	(vol.1)
연	年	95	(vol.1)	원	院	277	(vol.1)		─── ㅈ ───		
연	研	269	(vol.1)	원	園	319	(vol.2)	자	子	27	(vol.1)
연	連	368	(vol.2)	원	原	459	(vol.2)	자	自	140	(vol.1)
연	練	427	(vol.2)	원	願	460	(vol.2)	자	姉	166	(vol.1)
열	熱	405	(vol.2)	월	月	42	(vol.1)	자	者	226	(vol.1)
염	念	464	(vol.2)	위	違	332	(vol.2)	자	字	287	(vol.1)
영	英	244	(vol.1)	위	位	395	(vol.2)	자	資	364	(vol.2)
영	映	245	(vol.1)	유	有	211	(vol.1)	작	作	262	(vol.1)
영	営	432	(vol.2)	유	遊	321	(vol.2)	잔	残	463	(vol.2)
영	泳	465	(vol.2)	유	留	328	(vol.2)	장	長	125	(vol.1)
예	礼	325	(vol.2)	유	由	439	(vol.2)	장	場	235	(vol.1)
예	予	374	(vol.2)	유	油	440	(vol.2)	재	才	322	(vol.2)
오	五	30	(vol.1)	육	六	31	(vol.1)	재	再	477	(vol.2)
오	午	94	(vol.1)	육	肉	191	(vol.1)	쟁	争	★62	p.11(vol.2)
오	奥	412	(vol.2)	육	育	317	(vol.2)	저	低	190	(vol.1)
옥	玉	★6	p.15(vol.1)	은	銀	99	(vol.1)	적	赤	104	(vol.1)
옥	屋	267	(vol.1)	음	音	45	(vol.1)	적	的	301	(vol.2)
완	完	338	(vol.2)	음	飲	102	(vol.1)	전	田	13	(vol.1)
왕	王	★5	p.14(vol.1)	읍	泣	347	(vol.2)	전	全	51	(vol.1)
외	外	70	(vol.1)	응	応	380	(vol.2)	전	前	96	(vol.1)
요	曜	292	(vol.1)	의	意	172	(vol.1)	전	電	119	(vol.1)
요	要	384	(vol.2)	의	医	225	(vol.1)	전	転	151	(vol.1)
용	用	204	(vol.1)	의	議	481	(vol.2)	전	伝	327	(vol.2)
우	右	55	(vol.1)	이	二	2	(vol.1)	전	専	476	(vol.2)
우	友	56	(vol.1)	이	耳	89	(vol.1)	절	切	59	(vol.1)
우	牛	93	(vol.1)	이	以	296	(vol.1)	점	店	136	(vol.1)
우	雨	118	(vol.1)	이	利	335	(vol.2)	점	点	433	(vol.2)
우	雲	★25	p.38(vol.1)	이	離	489	(vol.2)	접	接	391	(vol.2)
우	牛	★30	p.43(vol.1)	인	人	8	(vol.1)	정	正	64	(vol.1)
우	羽	★41	p.117(vol.1)	인	引	158	(vol.1)	정	町	215	(vol.1)

정	静	341	(vol.2)	지	地	240	(vol.1)	치	置	394	(vol.2)
정	定	367	(vol.2)	지	池	241	(vol.1)	치	歯	411	(vol.2)
정	政	454	(vol.2)	지	指	370	(vol.2)	치	治	446	(vol.2)
제	弟	176	(vol.1)	지	支	407	(vol.2)	친	親	177	(vol.1)
제	題	284	(vol.1)	지	遅	437	(vol.2)	칠	七	32	(vol.1)
제	済	444	(vol.2)	직	直	393	(vol.2)	침	寝	500	(vol.2)
제	第	449	(vol.2)	진	真	290	(vol.1)			ㅌ	
조	早	147	(vol.1)	진	進	293	(vol.1)	타	他	333	(vol.2)
조	朝	154	(vol.1)	질	質	135	(vol.1)	타	打	339	(vol.2)
조	鳥	192	(vol.1)	집	集	291	(vol.1)	탕	湯	404	(vol.2)
조	調	482	(vol.2)			ㅊ		태	太	22	(vol.1)
조	組	475	(vol.2)	차	車	121	(vol.1)	택	宅	312	(vol.2)
족	足	66	(vol.1)	차	茶	150	(vol.1)	토	土	49	(vol.1)
족	族	221	(vol.1)	차	車	★36	p.114 (vol.1)	통	通	205	(vol.1)
졸	卒	372	(vol.2)	차	借	261	(vol.1)	통	痛	410	(vol.2)
종	終	188	(vol.1)	차	次	363	(vol.2)	특	特	132	(vol.1)
좌	左	54	(vol.1)	착	着	272	(vol.1)			ㅍ	
좌	座	371	(vol.2)	창	窓	318	(vol.2)	팔	八	33	(vol.1)
주	走	67	(vol.1)	채	菜	217	(vol.1)	패	貝	★31	p.44 (vol.1)
주	週	143	(vol.1)	천	川	5	(vol.1)	편	便	260	(vol.1)
주	昼	155	(vol.1)	천	千	38	(vol.1)	평	平	336	(vol.2)
주	主	178	(vol.1)	천	天	78	(vol.1)	폐	閉	138	(vol.1)
주	主	★44	p.123 (vol.1)	철	鉄	351	(vol.2)	표	表	352	(vol.2)
주	注	179	(vol.1)	청	青	105	(vol.1)	품	品	255	(vol.1)
주	住	180	(vol.1)	청	晴	187	(vol.1)	풍	風	156	(vol.1)
주	酒	386	(vol.2)	체	体	12	(vol.1)	피	皮	★72	p.74 (vol.2)
죽	竹	★53	p.140 (vol.1)	초	草	149	(vol.1)	피	疲	408	(vol.2)
준	準	487	(vol.2)	초	初	326	(vol.2)	피	彼	409	(vol.2)
중	中	20	(vol.1)	촌	寸	★28	p.41 (vol.1)	필	必	381	(vol.2)
중	重	144	(vol.1)	촌	村	216	(vol.1)			ㅎ	
증	増	358	(vol.2)	최	最	499	(vol.2)	하	下	19	(vol.1)
증	証	414	(vol.2)	추	秋	183	(vol.1)	하	何	57	(vol.1)
지	止	63	(vol.1)	춘	春	181	(vol.1)	하	夏	182	(vol.1)
지	持	131	(vol.1)	출	出	26	(vol.1)	하	荷	305	(vol.2)
지	紙	189	(vol.1)	충	虫	★38	p.115 (vol.1)	학	学	28	(vol.1)
지	知	223	(vol.1)	취	取	498	(vol.2)	한	寒	185	(vol.1)

한	漢	286	(vol.1)
할	割	406	(vol.2)
합	合	232	(vol.1)
향	向	430	(vol.2)
해	海	84	(vol.1)
행	行	82	(vol.1)
행	幸	★69	p.24 (vol.2)
험	驗	199	(vol.1)
험	險	413	(vol.2)
현	県	229	(vol.1)
현	現	353	(vol.2)
혈	頁	★60	p.157 (vol.1)
혈	血	401	(vol.2)
협	協	483	(vol.2)
형	兄	175	(vol.1)
호	好	169	(vol.1)
호	号	330	(vol.2)
호	呼	434	(vol.2)
혼	婚	491	(vol.2)
화	火	47	(vol.1)
화	話	107	(vol.1)
화	花	148	(vol.1)
화	和	195	(vol.1)
화	画	275	(vol.1)
화	化	310	(vol.2)
확	確	356	(vol.2)
활	活	473	(vol.2)
황	黄	★75	p.96 (vol.2)
회	会	127	(vol.1)
회	回	203	(vol.1)
횡	横	484	(vol.2)
효	効	495	(vol.2)
후	後	97	(vol.1)
휴	休	10	(vol.1)
흑	黒	214	(vol.1)
희	喜	471	(vol.2)

あとがき

本書は、TAC日本語学舎代表の高橋秀雄と、同じくTAC日本語学舎の山本栄子さんのコーチングを応用した授業実践がもとになっています。そして、これは「短期間に楽に楽しく漢字が学べるにはどうすればいいか」という工夫の結晶とも言えます。この授業実践がなければ、本書の出版の実現はなかったことを述べて、あとがきといたします。

執筆分担は、以下の通りです。
　　　　ボイクマン総子……このテキストの使い方、Part I
　　　　渡辺陽子……………イラストの原案、Part II

イラストレーターの坂木浩子さんには、素敵な絵を描いていただき、ありがとうございました。感謝申しあげます。また、一人一人のお名前を挙げることはできませんが、授業で有益なフィードバックをくださった学習者の方々にも、この場をお借りしてお礼を申し上げます。

最後になりましたが、くろしお出版の市川麻里子さんには、大変お世話になりました。ありがとうございました。

高橋秀雄
ボイクマン総子・渡辺陽子

Postscript

　This book is based on the actual practice of teaching method in coaching conducted by Mr. Hideo Takahashi and Ms. Eiko Yamamoto of TAC Japanese Institute.
　This is the fruit of their teaching art and the pursuit of 'how can we make their kanji studies easier, shorter and more enjoyable.' It is their challenge that created this book.

The authors wrote the following parts:
Fusako Beuckmann….. How to use the book, Part I
Yoko Watanabe………… Ideas of illustrations, Part II

　We hereby appreciate Ms.Hiroko Sakaki, the illustrator for drawing very cute illustrations. We also would like to say many thanks to all the people who gave us feedback.
　At last but not least, we appreciate Ms Mariko Ichikawa of Korosio Publishers for supporting us in all the procedures of making this book.

Hideo Tahakashi
Fusako Beuckmann・Yoko Watanabe

参考文献

加納千恵子・清水百合・竹中弘子・石井恵理子（1989）『BASIC KANJI BOOK 基本漢字 500』vol.1&2 凡人社

国際交流基金・日本国際教育協会（2002）『日本語能力試験出題基準［改訂版］』凡人社

白川静（2003）『常用字解』平凡社

武部良明（1993）『漢字はむずかしくない―24の法則ですべての漢字がマスターできる―』アルク

徳弘康代（2008）『日本語学習のためのよく使う順漢字 2100』三省堂

Heisig, J. W.（1977）*"Remembering the kanji* vol.1*"* 日本出版貿易

著者紹介

ボイクマン総子

大阪外国語大学大学院言語社会研究科博士後期課程修了、博士（言語・文化学）

現在、東京大学大学院総合文化研究科 教授

著書に、『聞いて覚える話し方 日本語生中継』（中～上級編，初中級編1，初中級編2）『聞いて覚える話し方 日本語生中継 中～上級編 教師用マニュアル』『聞いて覚える話し方 日本語生中継 ヒント＆タスク』（初中級編1，初中級編2）、『ストーリーで覚える漢字300』『ストーリーで覚える漢字301-500』（くろしお出版・共著）、『わたしのにほんご』（くろしお出版・共著）、『生きた素材で学ぶ 新・中級から上級への日本語』（The Japan Times・共著）がある。

渡辺陽子（岩崎陽子）

早稲田大学大学院日本語教育研究科修士課程修了

元早稲田大学 日本語教育研究センター インストラクター（非常勤）

著書に、『ストーリーで覚える漢字300 英語・韓国語・ポルトガル語・スペイン語版』『ストーリーで覚える漢字300 英語・インドネシア語・タイ語・ベトナム語版』『ストーリーで覚える漢字301-500 英語・インドネシア語・タイ語・ベトナム語版』『ストーリーで覚える漢字300 ワークブック 英語・インドネシア語・タイ語・ベトナム語版』（くろしお出版・共著）がある。

監修者紹介

高橋秀雄

TAC日本語学舎代表、元アレキサンダー社コーチ

翻訳者

英語：小室リー郁子

大阪外国語大学大学院外国語学研究科日本語学専攻修了、修士（言語・文化学）

現在、トロント大学（カナダ）東アジア研究学科准教授（Teaching Stream）

著書に、『聞いて覚える話し方 日本語生中継』（初中級編1，初中級編2）『聞いて覚える話し方 日本語生中継 ヒント＆タスク』（初中級編1，初中級編2）（くろしお出版・共著）がある。

Peter Lee

渡辺陽子

韓国語：金珉秀（キムミンス）

筑波大学大学院文芸・言語研究科博士課程修了。言語学博士。

現在、筑波学院大学、国士舘大学、在日韓国大使館韓国文化院世宗学堂韓国語講師。

著書に、『間違いだっておもしろい！わらってわらって韓国語』『聴くだけのらくらく！カンタン韓国語－旅行会話編－』『韓国語能力試験［1級・2級］初級対策単語集』（駿河台出版社）がある。

ポルトガル語：菊池寛子

大阪外国語大学外国語学部国際文化学科日本語専攻卒業。

法廷通訳などを経て、現在、愛知県西尾市早期適応教室指導員。

スペイン語：普久原イサベル（Isabel Fukuhara）

リカルド・パルマ大学現代言語学部英語・仏語翻訳専攻卒業。大阪外国語大学大学院外国語学研究科日本語学専攻修士課程修了。

現在、ペルーカトリック大学東洋研究所日本語講師。また、ペルー国外務省任命の西和・和西公認翻訳官として翻訳に専念。

ストーリーで覚える漢字Ⅱ 301-500
Learning Kanji through Stories Ⅱ 301-500

英語・韓国語・ポルトガル語・スペイン語訳版 ● English・Korean・Portuguese・Spanish

2010年 5月21日	第1刷発行
2023年 8月 1日	第3刷発行

著者	ボイクマン総子・渡辺陽子
監修	高橋秀雄
発行	株式会社 くろしお出版
	〒102-0084 東京都千代田区二番町4-3
	TEL 03-6261-2867　FAX 03-6261-2879
	URL http://www.9640.jp
	E-mail kurosio@9640.jp
印刷所	シナノ書籍印刷
翻訳者	小室リー郁子・Peter Lee・渡辺陽子（英語訳）
	金珉秀（韓国語訳）
	菊池寛子（ポルトガル語）
	Isabel Fukuhara（スペイン語）
イラスト	坂木浩子
装丁	鈴木章宏
担当・レイアウト	市川麻里子

© BEUCKMANN Fusako, WATANABE Yoko 2010, Printed in Japan
ISBN 978-4-87424-481-4 c0081

● 乱丁・落丁はおとりかえいたします。本書の無断転載・複製を禁じます。

くろしお出版 http://www.9640.jp **日本語教育教材**のご案内 Kurosio

ストーリーで覚える漢字300
英語・韓国語・ポルトガル語・スペイン語訳版
英語・インドネシア語・タイ語・ベトナム語訳版
ボイクマン総子・渡辺陽子・倉持和菜【共著】　1,980円（1,800円+税）
■ B5判／344頁／ISBN 978-4-87424-402-9 C0081・ISBN 978-4-87424-428-9 C0081

初級漢字300全ての字形と意味を、オリジナルストーリー（イラスト付き）で覚えた後に、読み・書き練習を導入することで、漢字学習を楽しく短期間にできると提案した画期的な初級漢字学習教材。自習にも最適です。

ストーリーで覚える漢字Ⅱ 301-500
英語・韓国語・ポルトガル語・スペイン語訳版
英語・インドネシア語・タイ語・ベトナム語訳版
ボイクマン総子・渡辺陽子【共著】　1,980円（1,800円+税）
■ B5判／344頁／ISBN 978-4-87424-402-9 C0081・ISBN 978-4-87424-428-9 C0081

『ストーリーで覚える漢字300』の続編。初中級漢字200字（301〜500）全ての字形と意味を、オリジナルストーリー（イラスト付き）で覚えた後に、読み・書き練習を導入することで、漢字学習を楽しく短期間にできると提案。終了後には500字の初〜初中級漢字が身につきます。

ストーリーで覚える漢字300・ワークブック
英語・インドネシア語・タイ語・ベトナム語訳版
岩崎陽子・古賀裕基【共著】　1,760円（1,600円+税）
■ B5判／226頁／ISBN 978-4-87424-666-5 C0081

『ストーリーで覚える漢字300』のワークブック（英語・インドネシア・タイ・ベトナム語訳版）。文脈での漢字語理解、読解、産出、音声を取り入れた多様な出題で楽しみながら初級漢字を確実に身につけます。JLPT、N5・N4対策問題付きで試験対策にも。また自学自習にも最適

読む力
中上級／中級

奥田純子【監修】・竹田悦子・久次優子・丸山友子
八塚祥江・尾上正紀・矢田まり子【共著】
■中上級：A5判／176頁+36頁／ISBN 978-4-87424-584-2　2,090円（1,900円+税）
■中級：A5判／116頁+24頁／ISBN 978-4-87424-518-7　1,760円（1,600円+税）

アカデミックな「読み」を鍛える読解教材『読む力』シリーズ。著著名人のエッセイ、教養書、入門書、新書など読み応えある良質な文章を厳選。言語・認知処理力をしっかり身につけて、読む力のレベルアップを目指す。中上級ではさらに、クリティカル・リーディングで批判的思考力、複眼的視点を養い読みの上級者へ。日本語能力試験、日本留学試験に向けて、本格的に読解力をつけたい学習者に最適。単語表は英語・中国語（簡体字・繁体字）・韓国語翻訳付き。ベトナム語翻訳ダウンロード。

レベルアップ日本語文法　中級
許明子・宮崎恵子【共著】　2,420円（2,200円+税）
■ B5判／308頁／ISBN 978-4-87424-597-2 C0081

初級後半から中級レベルの文法を段階的に楽しく学び、日常生活での実用を目的とした日本語文法教材。豊富な例文と丁寧な解説、多様な問題形式で、中級レベルで苦手とされる使い分けや類似表現などの正確な理解を高める。英・中・韓の語彙訳、文法用語解説も充実で自習にも最適。日本語能力試験対策にも。

シャドーイング日本語を話そう 就職・アルバイト・進学面接 編

斎藤仁志・深澤道子・酒井理恵子・中村雅子【共著】　1,980円（1,800円+税）

■ 英語・韓国語・中国語語訳　A5／168頁／CD2／ISBN 978-4-87424-677-1

アルバイト、電話アポイントメント、大学・大学院進学、就職の面接まで様々な場面の面接会話を本番さながらにシミュレーション。入室から退室までの臨場感を体験し、徹底的にトレーニングする。志望動機や自己PRの応答を重点的に練習。各課のマイページで各自のセリフを考え練習することができる。実践で役立つアドバイスも満載。

新・シャドーイング　日本語を話そう！ 初～中級編

斎藤仁志・深澤道子・掃部知子・酒井理恵子・中村雅子・吉本惠子【共著】　1,540円（1,400円+税）

■ 英語・韓国語・中国語語訳　A5／168頁／978-4-87424-850-8
■ インドネシア語・タイ語・ベトナム語訳　A5／168頁／978-4-87424-858-4

シャドーイング（音声を聞きながら声に出して練習する言語習得法）練習教材（初～中級レベル）、改定版。自然な日常会話を素材とし、初級学習者から楽しんで使える。教室の運用能力アップに。6カ国語の完全翻訳付きで、自習用にも最適。

新・シャドーイング　日本語を話そう！ 中～上級編

斎藤仁志・深澤道子・掃部知子・酒井理恵子・中村雅子【共著】　1,980円（1,800円+税）

■ 英語・韓国語・中国語語訳　A5／216頁／978-4-87424-899-7
■ インドネシア語・タイ語・ベトナム語訳　A5／216頁／1978-4-87424-905-5

対人関係によって分類された自然で生き生きとした会話で、日常生活の必要な場面においてすぐに使える表現を身につけられる。友人関係、近所付き合い、ビジネスシーン、冠婚葬祭、プレゼンテーションのリアルな会話を聞いて話すことで、場面に合わせた表現力を豊かに。翻訳も充実。

聞いて覚える話し方 日本語生中継 初中級編1 初中級編2

ボイクマン 総子・宮谷 敦美・小室リー郁子【共著】　1,980円（1,800円+税）

■ B5判／96頁（別冊60頁）／CD 2枚付き／ISBN 978-4-87424-339-8 C2081
■ B5判／96頁（別冊60頁）／CD 2枚付き／ISBN 978-4-87424-370-1 C2081

初級の文法項目を一通りすませた学習者を対象として、日常よく接する場面における会話の聞き取り能力を高め、同時にそういった場面で話をする能力をつけることを目的としたリスニング教材。リアルで生き生きとした会話を再現収録したCDを素材に「聞く」と「話す」を高める。問題文、単語表に英・中・韓・ポ訳付き。

[1] 貸してもらう／予定を変更する／レストランで／旅行の感想／買い物／アルバイトを探す／ほめられて／交通手段／ゆずります／マンション
[2] 出会い／ホテルで／うわさ／機会のトラブル／失敗／電話をかける／健康のために／駅で／趣味／抱負

新版 聞いて覚える話し方 日本語生中継 中～上級編

椙本総子・宮谷 敦美【共著】　2,420円（2,200円+税）

■ B5判／96頁（別冊52頁）／CD 1枚付き／ISBN 978-4-87424-330-8 C2081

中級以上の学習者を対象として、日常よく接する場面における会話の聞き取り能力を高め、場面に応じて適切に話をする能力をつけることを目的としたリスニング教材。話し手の意図や感情も正しく理解できるような練習も盛り込んだ活気的な教材。リアルで生き生きとした会話を再現収録したCDを素材に「聞く」と「話す」を高める。単語表に英・中・韓・ポ訳付き。

聞いて覚える話し方 日本語生中継 初中級編1 初中級編2
教室活動のヒント＆タスク

ボイクマン 総子・宮谷 敦美・小室リー郁子【共著】

■ B5判／146頁／ISBN 978-4-87424-359-6 C2081
■ B5判／146頁／ISBN 978-4-87424-392-3 C2081　1,320円（1,200円+税）

本冊を教室でより効果的に使用できるように作成された教師用指導書。本冊を用いた授業の進め方の丁寧な解説と様々なタスク例を提案。配って使える練習シート（総ルビ）付き。

大好評『初級日本語 とびら』シリーズ

初級日本語 とびら I, II

岡まゆみ / 近藤純子 / 筒井通雄 / 森祐太 / 奥野智子 / 榊原芳美 / 曽我部絢香 / 安田昌江［著］

3,850円(3,500円＋税)

- ■『とびらⅠ』B5／384頁／978-4-87424-870-6
- ■『とびらⅡ』B5／400頁／9978-4-87424-900-0

「日本語学習を通して自分を再発見。世界とつながる。」が合言葉の、新時代の初級日本語教科書。インターネットでの情報収集やSNSを通したコミュニケーション、オンライン教材など、デジタル世代にあった言語学習活動が豊富に盛り込まれている。独自の「できるリスト」に基づいた明確な学習到達目標の設定、および、それを支える語彙・漢字・文法・表現・文化の密接な関連づけにより、無理なくスパイラルに学習が進められ、学習効果の具体的な実感・達成感を得ることができる。全ページフルカラー、ワクワク感たっぷりのイラストが学習者の心をつかみ、学習意欲もさらにアップ。
充実したオンライン教材の提供により、対面授業だけでなく、オンライン授業、反転授業、ハイブリッド授業など、様々な授業スタイルに対応し、世界中のどこにいても日本語が楽しく効率的に学べる。

↓とびらサイト
https://tobirabeginning.9640.jp

◎音声・動画の配信
◎教師用リソース
◎反転授業用動画　など

初級日本語 とびらⅠ ワークブック1

ひらがな・カタカナ, かんじ, よむ, かく

岡まゆみ / 近藤純子 / 榊原芳美 / 西村裕代［著］　筒井通雄［監修］

1,980円(1,800円＋税)

- ■B5／128頁／978-4-87424-910-9

『初級日本語　とびらⅠ』に準拠したワークブック。ひらがな、カタカナ、各課の「漢字」「読みましょう」「書きましょう」を効率的に、楽しく学習していく。提出用切り取りミシン目、解答用紙ダウンロード。

初級日本語 とびらⅠ ワークブック2

たんご, ぶんぽう, きく

岡まゆみ / 近藤純子 / 榊原芳美 / 西村裕代［著］　筒井通雄［監修］

1,980円(1,800円＋税)

- ■B5／128頁／978-4-87424-950-5

『初級日本語　とびらⅠ』で学ぶ単語・表現・文法を強化し、日本語の「文を作る力」と「聞く力」を身につけるためのワークブック。豊富なイラストやコンテキストと結び付けての単語練習。日本語の運用力を伸ばす様々な形式の練習問題。最後に学んだことの総仕上げとして聞く練習を行うことで聴解力をつける。

画数索引
Number of Strokes Index • 획수 색인
Índice pelos números de traços • Índice de trazos

3	322才	4	308比	310化	348夫	362欠	374予	389反	407支	5
325礼	330号	333他	336平	339打	350失	355石	359加	381必	382付	439由
445払	461史	6	311老	312宅	327伝	334両	337成	340当	343忙	363次
401血	420糸	424交	430向	477再	478共	7	323身	326初	335利	338完
342忘	361冷	375決	379告	380応	383対	390返	395位	400求	431局	456良
469困	8	301的	304泊	313若	317育	344性	347泣	349実	352表	372卒
376定	385価	393直	409彼	418具	434呼	440油	446治	451府	464念	465泳
466非	472苦	480法	483協	492果	495効	496受	498取	9	302約	314変
324単	331信	365客	370指	384要	396面	398相	415保	421係	433点	438美
453故	454政	473活	476専	10	305荷	306個	320眠	328留	367格	368連
369席	371座	386酒	387配	388記	392案	408疲	435降	436速	447消	459原
463残	470笑	11	303宿	307訪	318窓	353現	360婦	391接	413険	419術

ストーリーで覚える漢字 II 301〜500

Learning Kanji through Stories II 301-500
스토리로 배우는 한자 II 301-500
Aprenda Kanjis através de Estórias II 301-500
Aprenda Kanjis a través de Historias II 301-500

English, Korean, Portuguese, Spanish

別冊

解答 かいとう
Answers / 정 답 / Respostas / Respuestas

- Meaning 2
- Reading 6

日本語訳 にほんごやく
ストーリーで意味を覚えよう 12

Meaning 解答 / Answers / 정답 / Respostas / Respuestas

練習問題・Exercise・연습문제・Exercícios・Ejercicios

第17回 (301-321) p.7

2 ① a ② e ③ b ④ d ⑤ c

3 ① a private room ② a stay ③ young people
④ education ⑤ change ⑥ visiting Japan

① 개실 ② 숙박 ③ 젊은이 ④ 교육 ⑤ 변화 ⑥ 방일

① sala privada ② hospedagem ③ os jovens
④ educação ⑤ mudança ⑥ visita ao Japão

① habitación individual ② alojamiento ③ (persona) joven
④ educación ⑤ transformación ⑥ visita al Japón

4 ① I will not return home tonight but will stay out overnight.
② This book has not arrived yet.
③ We have more cold days this year compared to the previous year.
④ The old man returned home as black clouds started spreading over the sky.
⑤ The baby has been sleeping well and growing in good health.

① 오늘밤에는 집에 돌아가지 않고 외박을 합니다.
② 이 책은 아직 입하되지 않았습니다.
③ 전년에 비하면 올해는 추운 날이 많습니다.
④ 하늘에 검은 구름이 나왔기 때문에 노인은 집에 돌아갔습니다.
⑤ 아기는 잘 자고 건강하게 자라고 있습니다.

① Eu não voltarei para casa. Dormirei fora esta noite.
② Este livro ainda não foi entregue as lojas.
③ Comparando com o ano anterior, este ano tem bastante dias frios.
④ Como apareceram nuvens escuras, o idoso voltou para casa.
⑤ O bebê dorme bastante e está crescendo com saúde.

① Esta noche no regresaré a casa, pasaré la noche fuera.
② Este libro todavía no ha llegado.
③ En comparación al año anterior, este año hay más días fríos.
④ El anciano regresó a casa por las nubes negras que aparecieron en el cielo.
⑤ El bebé duerme bien y está creciendo saludablemente.

第18回 (322-341) p.13

2 ① e ② b ③ d ④ c ⑤ a

3 ① both hands ② completion ③ growth
④ a meeting for preparation ⑤ one's height ⑥ a foreign student

① 양손 ② 완성 ③ 성장 ④ 상의, 협의
⑤ 신장 ⑥ 유학생

① as duas mãos ② finalização ③ crescimento
④ reunião ⑤ altura ⑥ estudante estrangeiro

① ambas manos ② culminación ③ crecimiento
④ reunión preliminar ⑤ estatura ⑥ estudiante extranjero

4 ① This store is open on weekdays but is closed on Saturday, Sunday and holidays.
② I called the wrong number and left a message on someone's answering machine.
③ I don't live at my parents' place but in an apartment alone for the first time.
④ I did not notice the red light and hit another car.
⑤ This apartment is quiet but is far from the station and is not convenient.

① 이 가게는 평일에는 열려 있지만, 토요일, 일요일, 휴일은 쉽니다.
② 다른 번호에 걸어서 다른 사람 전화에 전언을 (메시지를) 넣어 버렸습니다.
③ 부모님의 집이 아니라 처음으로 혼자서 아파트에 살고 있습니다.
④ 빨간 신호를 눈치채지 못했기 때문에 다른 차에 부딪히고 말았습니다.
⑤ 이 아파트는 조용하지만 역에서 멀어서 편리하지 않습니다.

① Está loja está aberta nos dias normais, mas está fechado nos sábados, domingos e feriados.
② Eu liguei errado e deixei mensagem na outra secretaria telefônica.
③ Pela primeira vez moro sozinho num apartamento e não na casa dos meus pais.
④ Eu não percebi o sinal vermelho e bati no carro de outro.
⑤ O ambiente deste apartamento é calmo, mas não é conveniente porque fica longe da estação.

① Esta tienda abre los días de semana, pero descansa los sábados, domingos y feriados.
② Marqué un número equivocado y dejé un mensaje en el contestador de otra persona.
③ Estoy viviendo por primera vez solo en mi departamento y no en casa de mis padres.
④ Choque otro automóvil porque no me percaté que el semáforo estaba en rojo.
⑤ Este departamento es tranquilo, pero no es práctico porque está lejos de la estación.

第19回 (342-360) p.19

2 ① c ② b ③ a ④ e ⑤ d

3 ① women's clothing ② very busy ③ expression
④ fact ⑤ railway ⑥ an alarm clock

① 부인복 ② 다망 ③ 표현 ④ 사실 ⑤ 철도 ⑥ 자명종

① roupa feminina ② muito ocupado ③ expressão
④ verdade ⑤ trem ⑥ despertador

① ropa para damas ② muy ocupado ③ expresión
④ hecho ⑤ ferrocarril ⑥ reloj despertador

4 ① "失業する" means "to lose a job".
② The population is increasing in Country A but decreasing in Country B.
③ The husband and wife are too busy to have a conversation.
④ Lots of umbrellas are left behind on the subway on rainy days.
⑤ I cried watching that movie. It was very moving.

① "失業する" 는 일을 잃는다는 의미입니다.
② A 국에서는 인구가 증가하고 있지만 B 국에서는 감소하고 있습니다.
③ 아주 바빠서 부부간의 회화가 별로 없습니다.
④ 비가 오는 날은 지하철에 잃어버린 우산이 많습니다.
⑤ 그 영화를 보고 울었습니다. 그리고 아주 감동했습니다.

① "失業する" significa perder o emprego.
② No país A está aumentando a população, mas no país B está diminuindo.
③ O casal está tão ocupado que nem conversa muito.
④ Nos dias de chuva, muitas pessoas esquecem o guarda-chuva no metrô.
⑤ Eu chorei quando assisti o filme. E fiquei muito emocionado.

① " 失業する " significa perder el trabajo.
② En el país A la población está aumentando, pero en el B está disminuyendo.
③ Estamos tan ocupados que casi no tenemos conversación de pareja.
④ En días lluviosos hay muchos paraguas olvidados en el metro.
⑤ Lloré al ver esa película y me emocioné mucho.

第20回 (361-379) p.25

2 ① a ② b ③ e ④ d ⑤ c

3 ① a graduation ceremony ② a thumb ③ consecutive holidays ④ contact ⑤ a regular holiday ⑥ qualification

① 졸업식 ② 엄지손가락 ③ 연휴
④ 연락 ⑤ 정기 휴일 ⑥ 자격

① formatura ② polegar ③ feriados prolongado
④ comunicação ⑤ feriado ⑥ qualificação

① ceremonia de graduación ② pulgar
③ días festivos consecutivos ④ comunicación
⑤ día fijo de descanso ⑥ calificación

4 ① I was going to make a reservation but there was no seat available.
② I decided to leave the company after considering various things.
③ I did not understand what the teacher was talking about because I did not prepare for the lesson.
④ Although I did not attend this time, I would like to attend next time.
⑤ The weather forecast said that a cold wind will blow from the north tomorrow.

① 예약을 하려고 했지만 자리가 비어 있지 않았습니다.
② 여러 모로 생각하고 회사를 그만두기로 결정했습니다.
③ 예습을 하지 않았기 때문에 선생님 말씀을 전혀 몰랐습니다.
④ 이번에는 결석했지만 다음번에는 출석하고 싶습니다.
⑤ 일기 예보에서는 내일은 차가운 북풍이 분다고 했습니다.

① Eu tentei reservar, mas não tinha mais lugar.
② Pensei bastante e decidi demitir-me da empresa.
③ Como não preparei a lição, não entendi nada o que o professor falou.
④ Desta vez faltei, mas participarei na próxima.
⑤ Pela previsão do tempo, amanhã virá um vento frio do norte.

① Pensé hacer una reserva pero no habían asientos vacíos.
② Lo pensé mucho y decidí renunciar a la empresa.
③ No entendí nada de lo que habló el profesor porque no preparé la lección.
④ Esta vez falté pero la próxima sí me gustaría asistir.
⑤ En el pronóstico del tiempo dijeron que mañana soplarían vientos fríos del norte.

第21回 (380-400) p.31

2 ① d ② b ③ a ④ c ⑤ e

3 ① fixed/list price ② application ③ worry ④ consultation ⑤ a reply, a response ⑥ a bicycle shed, a bicycle parkade

① 정가 ② 응용 ③ 걱정 ④ 상담 ⑤ 대답
⑥ 자전거 세워 두는 곳

① preço fixo ② aplicação ③ preocupação
④ consulta ⑤ resposta ⑥ estacionamento de bicicleta

① precio fijo ② aplicación ③ preocupación
④ consulta ⑤ contestación ⑥ estacionamiento para bicicletas

4 ① I quit my job and have been searching the classified advertisements for my next job.
② Please be careful at night when people drink and drive.
③ "Mr. Kinoshita, could you please write your address and name here."
④ That person is very honest. He is not someone who will do something wrong.
⑤ Ms Ueda plays tennis well and won first place at the match which was held the day before yesterday.

① 회사를 그만두었기 때문에 구인광고를 보고 다음 일을 찾고 있습니다.
② 밤에는 음주 운전을 하는 차가 있으니까 조심하십시오.
③ "기노시타 씨 , 여기에 주소와 이름을 기입해 주십시오."
④ 저 사람은 아주 정직한 성격이기 때문에 나쁜 짓을 할 사람이 아닙니다.
⑤ 우에다 씨는 테니스를 잘 해서 그저께 시합에서는 1 위를 했습니다.

① Eu saí da empresa, por isso estou procurando emprego olhando os anúncios de trabalho.
② Fique atento com os motoristas que dirigem alcoolizados a noite.
④ "Sr. Kinoshita, preencha aqui seu nome e endereço."
⑤ Aquela pessoa é muito honesta, não é alguém que faz coisa errada.
⑥ Sr. Ueda joga bem tênis e ficou em primeiro lugar no campeonato de anteontem.

① Estoy buscando mi siguiente trabajo en los anuncios de ofertas de empleos porque renuncié a la empresa.
② Por favor cuídese, por la noche, hay automóviles con conductores en estado de embriaguez.
③ "Señor Kinoshita, por favor llene aquí su dirección y nombre completo".
④ Aquella persona es tan honesta que no es de las que actúa indebidamente.
⑤ El Señor Ueda es bueno jugando al tenis, obtuvo el primer puesto en el partido de anteayer.

第22回 (401-419) p.77

2 ① a ② e ③ c ④ b ⑤ d

3 ① a headache ② eating too much ③ earnest, enthusiastic ④ medical operation ⑤ boiling water ⑥ (air) temperature

① 두통 ② 과식 ③ 열심인 ④ 수술
⑤ 열탕 ⑥ 기온

① dor de cabeça ② comer demais ③ entusiasmo
④ cirurgia ⑤ água fervente ⑥ temperatura

① dolor de cabeza ② exceso en la comida
③ entusiasta, aplicado ④ operación
⑤ agua hirviendo ⑥ temperatura (atmosférica)

4 ① Mr. Tanaka's wife will arrive a little past three.
② Since I have bleeding in my mouth when I brush my teeth, I think I will go to a dentist.
③ The mountain trails were very steep and my legs became tired.
④ The ball which he hit broke a window.
⑤ You buy insurance before you travel abroad

① 다나카 씨 부인은 3 시 이후에 옵니다.
② 이를 닦으면 피가 나오기 때문에 치과에 가려고 합니다.
③ 산길은 매우 험하기 때문에 다리가 지쳤다.
④ 그가 친 공에 맞아서 창문이 깨졌다.
⑤ 해외 여행 전에 보험이 들어 둔다.

① A esposa do sr.Tanaka vem depois das 3h.
② Estou pensando em ir ao dentista porque sai sangue do meu dente quando escovo.

③ Estou cansado porque o caminho da montanha era íngreme.
④ A bola que ele bateu atingiu a janela e a quebrou.
⑤ Entrar no seguro de saúde antes da viagem.
① La esposa del Señor Tanaka vendrá después de las 3.
② Estoy pensando ir al dentista porque cuando me cepillo me sangra.
③ Mis pies están cansados porque el sendero montañoso es muy escabroso.
④ La bola que él golpeó dio en la ventana y la rompió.
⑤ Voy a adquirir un seguro antes de viajar al extranjero.

第23回 (420-440) p.83

[2] ① d ② b ③ a ④ c ⑤ e

[3] ① a road ② a pretty woman, a beauty
③ an underline ④ traffic ⑤ a pharmacy ⑥ a practice
① 도로 ② 미인 ③ 밑줄 ④ 교통 ⑤ 약국 ⑥ 연습
① rua ② mulher bonita ③ sublinha ④ trânsito ⑤ farmácia ⑥ prática
① camino, calle ② mujer hermosa ③ subrayado ④ tráfico ⑤ farmacia ⑥ práctica

[4] ① I am interested in running a restaurant because I would like to have my own restaurant in the future.
② You bring the thing you found to a police box.
③ This copy machine is new and very fast.
④ Please get off the train at the next station and take the train on the other side.
⑤ I called a taxi half an hour ago but it has not come yet. It seems there is a delay.

① 장래에 자신의 레스토랑을 가지고 싶기 때문에 레스토랑 영업에 관심이 있다.
② 분실물을 파출소에 가지고 간다.
③ 이 복사기는 새것이며 매우 빠르다.
④ 다음 역에서 전차를 내려서 맞은편의 전차로 갈아타십시오.
⑤ 30분 전에 택시를 불렀는데 아직 안 온다. 늦는 것 같다.

① Eu quero meu próprio restaurante no futuro, por isso tenho interesse por administração.
② Eu levo o objeto achado ao posto policial.
③ Esta máquina de cópias é nova e rápida.
④ Desça do trem na próxima estação e pegue o trem do outro lado da plataforma.
⑤ Eu já chamei o táxi há meia hora, mas ainda não veio. Está atrasado.

① Tengo interés en el negocio de los restaurantes ya que en el futuro quiero tener mi propio restaurante.
② Llevaré los objetos perdidos al puesto policial.
③ Esta máquina fotocopiadora es nueva y muy rápida.
④ Por favor, baje en la siguiente estación y cambie al tren que está al otro lado.
⑤ Hace 30 minutos llamé a un taxi pero todavía no viene. Está retrasado.

第24回 (441-461) p.89

[2] ① d ② b ③ c ④ e ⑤ a

[3] ① a politician ② merchandise ③ the first place (in rank)
④ world history ⑤ a defective product
⑥ a spring term/semester
① 정치가 ② 상품 ③ 제1위 ④ 세계 역사 ⑤ 불량품 ⑥ 봄학기
① político ② produto ③ primeiro lugar
④ história mundial ⑤ produto de baixa qualidade
⑥ 1º semestre
① político ② artículo, mercancía ③ primer lugar
④ historia universal ⑤ artículo defectuoso
⑥ semestre de primavera

[4] ① I was surprised that I needed twenty thousand yen more on food per month after I moved to Tokyo.
② I buy vegetables directly from farmers through the internet.
③ Japanese rice wine or *sake* is made from rice.
④ I think I would like to finish the math homework by Friday because I want to have fun during the weekend.
⑤ The road is blocked due to a car accident.

① 동경에 이사하니까 식비가 한 달에 2만원이나 많이 들어서 놀랐다.
② 인터넷으로 농가에서 직접 야채를 사고 있다.
③ 일본술의 원료는 쌀입니다.
④ 주말에는 놀고 싶기 때문에 수학 숙제를 금요일까지 마치려고 한다.
⑤ 차 사고로 길이 통행금지가 됐다.

① Eu me mudei para Tóquio e fiquei assustado com o custo de alimentação. Custou 20 mil ienes a mais por mês.
② Eu compro legumes diretamente da casa de um lavrador através da internet.
③ A matéria-prima do saquê é o arroz.
④ Eu quero terminar a tarefa de matemática até a sexta-feira, porque quero passear no fim de semana.
⑤ Por causa do acidente de carro, a rua ficou interditada.

① Al mudarme a Tokio, me sorprendí porque mis gastos de alimentación mensual se incrementaron en veinte mil yenes.
② Estoy comprando verduras directamente de los agricultores por internet.
③ El ingrediente del licor japonés es el arroz.
④ Como quiero jugar el fin de semana, pienso dejar hecha la tarea de matemáticas hasta el viernes.
⑤ El camino está cerrado por un accidente automovilístico.

第25回 (462-481) p.95

[2] ① c ② e ③ d ④ b ⑤ a

[3] ① an expert, a specialist ② grammar
③ an emergency exit ④ a smile
⑤ re-entry into a country ⑥ swimming
① 전문가 ② 문법 ③ 비상구 ④ 웃는 얼굴 ⑤ 재입국 ⑥ 수영
① especialista ② gramática ③ saída de emergência
④ sorriso ⑤ re-entrada no país ⑥ natação
① experto ② gramática ③ salida de emergencia
④ sonrisa ⑤ re-entrada ⑥ natación

[4] ① Since I am busy with school and have not had time for a part-time job, I am having a hard time with living expenses.
② I was really sad that I could not score even one point at the game.
③ This medicine is bitter and hard to take.
④ The meeting has been continuing for a long time.
⑤ Students were happy that class was cancelled due to the typhoon.

① 학교가 바빠서 아르바이트를 할 시간도 없기 때문에 생활비가 모자라서 곤란하다.
② 시합에서 1점도 따지 못해서 정말 슬펐다.
③ 이 약은 써서 마시기 힘들다.
④ 회의가 장시간 계속되고 있다.

⑤ 태풍으로 수업이 휴강이 되었기 때문에 학생들이 기뻐했다.

① Eu estou tão ocupado com as atividades escolares que não tenho tempo nem para fazer um trabalho extra. Por isso estou com dificuldades econômicas.
② Estava realmente triste por não conseguir fazer nenhum ponto no jogo.
③ Este remédio é amargo e difícil de tomar.
④ A reunião já continua há muitas horas.
⑤ Os estudantes gostaram de não ter aulas por causa do tufão.

① Como estoy ocupado en la escuela y no tengo tiempo para realizar trabajos por hora, tengo problemas para solventar el costo de vida.
② De verdad me sentí triste por no haber podido anotar ni un solo punto en el partido.
③ Esta medicina es amarga y difícil de tomar.
④ La reunión continúa por muchas horas.
⑤ Los estudiantes se alegraron porque las clases fueron suspendidas por el tifón.

第26回 (482-500) p.101

2 ① e   ② b   ③ a   ④ d   ⑤ c

3 ① the high (weather temperature)   ② divorce
   ③ a honeymoon   ④ fruit
   ⑤ skewered grilled chicken on a stick   ⑥ initialization

   ① 최고 기온   ② 이혼   ③ 신혼 여행
   ④ 과일   ⑤ 꼬치구이   ⑥ 초기 설정

   ① temperatura máxima   ② divórcio   ③ lua-de-mel
   ④ fruta   ⑤ espetinho de frango   ⑥ instalação inicial

   ① temperatura máxima   ② divorcio   ③ luna de miel
   ④ fruta   ⑤ brochetas o broquetas de pollo
   ⑥ configuración de inicio

4 ① Thank you for your cooperation in having a smooth discussion in the meeting.
   ② The Sales Department is researching on where the products should be sold.
   ③ This medicine is expensive but it is good and it works very well.
   ④ The person sitting next to him is Ms Ishida.
   ⑤ After I have a nap, I will go to the ward office to pick up my new insurance card.

   ① 회의가 순조롭게 진행되도록 여러분 협력해 주십시오.
   ② 상품을 어디에 팔러 가면 좋을지 영업과가 조사하고 있다.
   ③ 이 약은 비싸지만 아주 잘 듣는 좋은 약이다.
   ④ 그사람 옆에 앉아 있는 사람이 이시다 씨 입니다.
   ⑤ 낮잠을 잔 후에 새로운 보험증을 받으러 구청에 갑니다.

   ① Conto com a colaboração de todos para que a reunião possa terminar tranquilamente.
   ② As pessoas da seção de negócios estão pesquisando onde seria melhor ir para vender os produtos.
   ③ Este remédio é caro, mas é bom porque faz efeito.
   ④ Aquele que está sentado ao lado dele é o sr. Ishida.
   ⑤ Depois de fazer a sesta, vou a sub-prefeitura para pegar o seguro de saúde novo.

   ① Les solicito su cooperación para que la reunión se lleve a cabo sin problemas.
   ② La sección comercial está averiguando dónde sería bueno ir a vender la mercancía.
   ④ Esta medicina es cara pero buena y muy efectiva.
   ⑤ El que está sentado a su costado es el Señor Ishida.
   ⑥ Después de tomar la siesta, iré a la municipalidad para recoger mi nuevo carné de seguro.

Reading 解答 / Answers / 정답 / Respostas / Respuestas

第17回 (301-321) p.38-39

練習問題・Exercise・연습문제・Exercícios・Ejercicios

1 ① b, f ② c ③ a, d ④ b, e

2 ① きたくじかん、まいばん、かわります
② てにもつ、に ③ しゅくだい、たいへん
④ わかい、ろうご、かんがえません
⑤ きょういく、もくてき、そだてる
⑥ たずねて、しょくぶんか、くらべる

3

① A：雲が出ていますね。
　　I see some clouds. / 구름이 나왔군요. / Está núblado. / Han aparecido algunas nubes, ¿no?
　B：そうですね。
　　Right. / 그렇군요. / Pois é. / Sí.

② 客：日曜日の７時に予約したいんですが。
　　Customer: I would like to make a reservation for Sunday, seven o'clock. / 손님 : 일요일 7시에 예약하고 싶은데요. / Freguês: Gostaria reservar às 7h no domingo. / Cliente: Quisiera hacer una reserva para el domingo a las 7:00.
　レストランの人：はい、何名様でしょうか。
　　Restaurant Employee: Sure. For how many? / 레스토랑 사람 : 네, 몇 분이십니까? / Garçom:Pois não.Quantas pessoas? / Personal del restaurante: Sí, ¿para cuántas personas?

③ ホテルの人：お部屋は５階になります。お荷物は後からお持ちします。
　　Hotel Employee: Your room is on the fifth floor. We will bring your luggage later. / 호텔 사람 : 방은 5층입니다. 짐은 나중에 가져다 드리겠습니다. / Moço do hotel:Seu quarto fica no 5º andar. Levarei sua bolsa depois. / Personal del hotel: Su habitación está en el 5to piso. Después le llevaré su equipaje.
　客：お願いします。
　　Guest: Thank you. / 손님 : 부탁합니다. / Freguês: Obrigado. / Huésped: Muchas gracias.

④ A：雲が出てきましたね。
　　I see some clouds now. / 구름이 나오기 시작했군요. / Apareceram nuvens. / Han aparecido algunas nubes, ¿no?
　B：ええ、雨が降りそうだから、窓を閉めておきますね。
　　Yes. It looks like it will start raining. I will close the window. / 네, 비가 올 것 같으니까 창문을 닫아 둘게요. / Pois é. Parece que vai começar a chover.Vou fechar as janelas. / Sí, parece que va a llover. Voy a dejar las ventanas cerradas.

4 ① ま ② て ③ び ④ い ⑤ べ

チャレンジ！・Challenge!・도전해보기！・Desafio!・Desafio!

1 ① a ② b ③ b, e ④ b ⑤ a ⑥ c

2 ① 変化 ② 晩ご飯, 自宅 ③ 比べる, 若者 ④ 的 ⑤ 遊園地

3 ① 動物園で動物の赤ちゃんを育てるのは難しいです。
② 駅の窓口で新幹線の切符を買います。
③ まだ使っていないテニスボールが約50個、あります。
④ よく眠れるように、寝る前に温かい牛乳を飲みます。

第18回 (322-341) p.46-47

1 ① a, f ② b ③ c, d ④ a, e

2 ① せいちょう ② りゅうがくせい ③ じしん、たいせつ
④ るすばんでんわ、でんごん
⑤ うちあわせ、ほかのじかん

3

① A：ご両親といっしょにお住まいですか。
　　Are you living with your parents? / 부모님과 함께 살고 있습니까? / O senhor mora com seus pais? / ¿Vive con sus padres?
　B：いいえ、一人で住んでいます。
　　No, I am living alone. / 아니요, 혼자 살고 있습니다. / Não, eu moro sozinho. / No, vivo solo.

② A：失礼ですが、ご結婚なさっていますか。
　　Please excuse me, but are you married? / 실례합니다만, 결혼하셨습니까? / Desculpe-me perguntar, mas o senhor é casado? / No quiero ser descortés, pero está Usted casado(a).
　B：いいえ、独身です。
　　No, I am single. / 아니요, 독신입니다. / Não, sou solteiro. / No, soy soltero(a).

③ A：田中さんのお宅ですか。
　　Is this Mr. Tanaka's residence? / 다나카 씨 댁입니까? / É a casa do sr.Tanaka? / ¿Residencia del Señor Tanaka?
　B：いえ、違います。森です。番号が間違っていませんか。
　　No, it is not. This is Mr. Mori's. I am afraid that you got the wrong number. / 아뇨, 아닙니다. 모리입니다. 번호가 틀리지 않았습니까? / Não é. É do Mori. Não ligou para o número errado? / No, equivocado. Es (la familia) Mori. ¿No se habrá equivocado de número?
　A：あ、すみません。
　　Oh, I am sorry. / 아, 죄송합니다. / Oh, perdão. / Ah, disculpe Usted.

④ A：新しい家はいかがですか。
　　How do you like your new house? / 새 집은 어떻습니까? / Como está a casa nova? / ¿Qué tal su nueva casa?
　B：駅から近くて便利ですよ。
　　It is close to the station and convenient. / 역에서 가까워서 편리합니다. / Fica perto da estação e é prático. / Es práctica, está cerca de la estación.

⑤ A：ご出身はどちらですか。
　　Where are you from? / 출신은 어디입니까? / De onde o senhor é? / ¿De dónde es Usted?
　B：青森です。
　　I am from Aomori. / 아오모리입니다. / Sou de Aomori. / Soy de Aomori.

4 ① か ② じ ③ た ④ っ ⑤ め

チャレンジ！・Challenge!・도전해보기！・Desafio!・Desafio!

1 ① a, a ② c ③ a ④ a ⑤ c ⑥ b

2 ① 身長, 体重 ② 伝言, 伝えて ③ 単語, 初め, 単
④ 赤信号, 止まら ⑤ 世界, 平, 信じて

3 ① 他の国に留学するのは、本当に大変です。
② 広くて静かなアパートに住みたいです。
③ 子供の時は天才だと言われました。
④ プレゼントをもらったお礼にケーキを作って、あげました。

第19回 (342-360) p.53-54

1 ① b ② c ③ b ④ c

2 ① だんせい, げんしょう ② せきゆ
③ ふうふ, へって
④ しつぎょうしゃ, ぞうか, げんじつ
⑤ ちかてつ, かくにん ⑥ はっぴょう

3
① A：いい映画でしたね。
It was a good movie, eh? / 좋은 영화였어요. / Foi um bom filme, não foi? / Estuvo buena la película, ¿no?
B：ええ、感動しました。
Yes. I was moved. / 네, 감동했어요. / Foi, fiquei emocionada. / Sí, me emocionó (mucho).

② 客：カードでも大丈夫ですか。
Customer: Is it okay if I use a credit card? / 카드도 괜찮습니까? / Freguês: Posso pagar com cartão? / Cliente: ¿También se puede pagar con tarjeta?
店の人：すみません、現金でお願いします。
Store Employee: I am sorry, but cash only please. / 죄송합니다. 현금으로 부탁합니다. / Atendente:Perdão, aceitamos só em espécie. / Dependiente: No, en efectivo, por favor.

③（電話で）(On the phone)（전화에서）(No telefone)(Al teléfono)
A：失礼ですが、どちら様ですか。
Excuse me, who is this? / 실례합니다만, 어디십니까? / Com licença, o senhor é...? / Disculpe Usted, ¿de parte de quién?
B：ABC会社の田口と申します。
This is Taguchi from ABC Company. / ABC 회사의 다구치라고 합니다. / Sou Taguchi, trabalho na compania ABC. / Soy el Señor Taguchi de la empresa ABC.

④ A：大木さんは、いらっしゃいますか。
Is Mr. Oki coming? / 오키 씨는 계십니까? / O senhor Ooki vem? / ¿Vendrá el Señor Ooki?
B：確か、来ると言っていましたが。
I think he said he would come. / 분명히 온다고 했습니다만. / Realmente ele disse que viria. / Creo que dijo que vendría.

⑤ A：お忙しいですか。
Are you busy? / 바쁘십니까? / O senhor está ocupado? / ¿Está Usted ocupado?
B：ええ、平日の帰宅はだいたい11時過ぎです。
Yes, I usually go home around eleven o'clock on weekdays. / 평일에 집에 돌아오는 것은 대개 11시 이후입니다. / Sim, normalmente,dia de semana eu volto para casa,depois das 11h. / Sí, los días de semana regreso a casa por lo general pasada las 11:00.

4 ① え ② え ③ え ④ か ⑤ し, れ

チャレンジ！・Challenge!・도전해보기!・Desafio!・Desafío!

1 ① b ② a ③ a ④ b ⑤ a, f, g

2 ① 感動, 泣き ② 現, 夫 ③ 実, 失って, 失業中
④ 地下鉄, 確認 ⑤ 表, 増加, 表して

3
① 毎朝、五時に目が覚めます。
② 土曜日なら、確実に行くことができます。
③ テニスの試合に参加する人の数が増えました。
④ 専門について日本語で発表することは、日本語の勉強にも専門の勉強にもなるので、一石二鳥です。

第20回 (361-379) p.60-61

1 ① b ② a, e ③ a ④ b

2 ① ていきゅうび ② つめたい
③ てんきよほう, こんしゅう
④ けっせき, ほうこく ⑤ しりょう
⑥ おやゆび, つぎのゆび

3
① A：会議の日時が決まりましたので、みなさんに連絡していただけますか。
The meeting schedule has been decided. Could you please contact everyone? / 회의 일시가 정해졌으니까 모두에게 연락해 주시겠습니까? / A data de reunião foi marcada. Pode avisar as outras pessoas? / Ya se fijó el día y hora de la reunión. Por favor, ¿podría comunicárselos a todos?
B：わかりました。
Sure, I will. / 알겠습니다. / Posso. / Sí, por supuesto.

② 学生：卒業式には出席なさいますか。
Student: Will you attend the graduation ceremony? / 학생 : 졸업식에는 출석하십니까? / Vai comparecer na formatura? / Estudiante: ¿Asistirá Usted a la ceremonia de graduación?
先生：ええ、行きます。
Teacher: Yes, I will. / 선생님 : 네, 갑니다. / Sim, vou sim. / Profesor: Sí, lo haré.

③ A：合格、おめでとう。
Congratulations, you passed the examination. / 합격, 축하해. / Parabéns pela aprovação / Felicitaciones por haber aprobado (el examen).
B：ありがとう。
Thank you. / 고마워. / Obrigado. / Gracias.

④ 客：土曜日の7時に、空席はまだありますか。
Customer: Is there a seat available for Saturday, at seven o'clock? / 손님 : 토요일 7시에 빈자리가 아직 있습니까? / Freguês: Ainda tem algum vaga às 7h do sábado? / Cliente: ¿Todavía quedan asientos para el sábado a las 7:00?
チケット売り場の人：土曜の夜は、満席なんです。他の時間なら、ありますが。
Ticket Booth Attendant: No seats are available for Saturday evening but there are some seats left for other times. / 티켓 판매장 사람:토요일 밤은 만석인데요. 다른 시간이라면 있습니다만. / Na bilheteria:Sábado à noite, já estão todos vendidos. Mas, ainda temos para outros horários. / Personal de la boletería: El sábado por la noche todo está lleno. Si desea, hay en otro horario.

⑤ 店の人：お客さん、すみません、ここは禁煙なんです。
Store Employee: Excuse me sir/madam, but there's no smoking here. / 가게 사람 : 손님, 죄송합니다. 여기는 금연인데요. / Atendente: Senhor(a), perdão, aqui é a área proibida para fumantes. / Dependiente: Señor, disculpe, aquí está prohibido fumar.
客：あっ、すみません。
Customer: Oh, I am sorry. / 손님 : 아, 죄송합니다. / Freguês: Ah, me desculpe. / Cliente: Ah, lo siento.

4 ① め ② め ③ え ④ × ⑤ れ

チャレンジ！・Challenge!・도전해보기!・Desafio!・Desafío!

1 ① a ② b ③ c ④ b

2 ① 予習 ② 旅行, 連れて ③ 卒業式, 禁止
④ 辞める, 報告 ⑤ 冷, 冷たい, 冷えて

③ ① 電車が止まったので、会社に遅れるという連絡をしました。
② 連休の予定はまだ決まっていません。
③ 人口の増加と食料の減少には関連があります。
④ 指定席に座るためには、乗客は、特別な切符を買わないといけません。

第21回 (380-400) p.68-69

[1] ① c ② a ③ a, e ④ c
[2] ① あんない ② そうだんあいて ③ ぶっか
   ④ いんしゅうんてん ⑤ いちおう ⑥ ひつよう
[3]
① A：お忙しいですか。
   Are you busy? / 바쁘십니까? / Está ocupado? / ¿Está Usted ocupado?
   B：ええ、相変わらずですね。
   Yes, same as usual. / 네, 여전합니다. / Sim, como sempre. / Sí, como siempre.
② A：この意見に賛成ですか。
   Do you agree with this opinion? / 이 의견에 찬성입니까? / Está de acordo com esta opinião? / ¿Está de acuerdo con esta opinión?
   B：どちらかというと反対です。
   I kind of disagree with it. / 어느 쪽인가 하면 반대입니다. / Se tenho que escolher um, sou contra. / A decir verdad, estoy en contra.
③ A：歓迎会に絶対に来てくださいね。
   Please come to the welcoming party by all means. / 환영회에 꼭 와 주세요. / Não deixe de aparecer na festa de boas-vindas. / Por favor, venga sin falta a la recepción de bienvenida.
   B：ええ、楽しみにしています。
   Of course, I am looking forward to it. / 네, 기대하고 있겠습니다. / Sim, estou aguardando. / Sí, estoy esperando con ansías que llegue el día.
④ A：打ち合せのために何が要りますか。
   What do we need for a preparation meeting? / 상의 (협의)를 위해서 뭐가 필요합니까? / O que é preciso levar para reunião? / ¿Necesita algo para la reunión preliminar?
   B：新しい商品のカタログを用意してもらえますか。
   Could you please prepare catalogs for the new products? / 새 상품의 카탈로그를 준비해 주시겠습니까? / Pode preparar o catálogo de produto novo? / Por favor, ¿podrías prepararme los catálogos del nuevo producto?
⑤ A：ここは自転車を置いてはいけない場所ですよ。看板があるでしょ。
   You are not supposed to park your bicycle here. The sign is posted there. / 여기는 자전거를 두면 안 되는 장소입니다. 간판이 있지요? / Aqui é proibido estacionar bicicleta. Olha a placa aqui. / Aquí no se pueden estacionar las bicicletas. ¡Mire!, hay un letrero.
   B：すみません、気が付きませんでした。
   I am sorry. I didn't see it. / 죄송합니다. 몰랐습니다. / Desculpe, não percebi. / Disculpe, no me di cuenta.
[4] ① し ② × ③ × ④ き ⑤ さ

チャレンジ！・Challenge!・도전해보기！・Desafio!・Desafío!

[1] ① b ② b ③ c ④ a ⑤ c
[2] ① 記入 ② 価格, 要求 ③ 定価, 相談 ④ 単位, 心配

⑤ 様々, 面白い, 案, 反対
③ ① 問題がある時は、相手に直接会って話した方がいいです。
② お酒を飲み過ぎないように気を付けて下さい。
③ 借りた本は必ず返して下さい。
④ 各国の首相や大統領が集まってエネルギー問題について、話し合いました。

第22回 (401-419) p.107-108

[1] ① c, d ② c, d ③ b, e, g ④ b, f
[2] ① ささえられて, ぶじに, そつぎょう
   ② かのじょ, じっけん, ねっしん
   ③ みぶんしょうめいしょ, しゃしん, わすれないで
   ④ ぎじゅつ, すすんでいる, いがく
   ⑤ まんせき, おくのほう, すわって
[3]
① A：この店の物は夕方になると安くなりますか。
   Will these things in this store become cheaper later in the afternoon? / 이 가게 물건은 저녁이 되면 싸집니까? / Os produtos dessa loja ficam mais baratos a tarde? / ¿Los productos de esta tienda bajan de precio al atardecer?
   B：ええ。5時を過ぎるとだいたい2割引になりますよ。
   Yes. Most of the things are sold for about twenty percent off after five o'clock. / 네, 5시가 지나면 대개 20 퍼센트 할인이 됩니다. / Sim, terá uns 20% de desconto depois das 5h. / Sí, después de las 5:00 por lo general hay un descuento del 20%.
② A：何か楽器を習っていますか。
   Are you learning how to play any musical instruments? / 뭔가 악기를 배우고 있습니까? / Você está aprendendo a tocar algum instrumento musical? / ¿Está aprendiendo a tocar algún instrumento?
   B：ええ、ピアノを5年ぐらいですね。
   Yes. I have been learning how to play the piano for about five years. / 네, 피아노를 5년 정도 하고 있습니다. / Sim, há uns 5 anos. / Sí, piano desde hace aproximadamente 5 años.
③ A：一年中、山に行っているんですか。
   Do you go to mountains all year round? / 1년 내내 산에 다니고 있습니까? / Você vai à montanha o ano todo? / ¿Va a las montañas durante todo el año?
   B：いや、毎年暖かくなってからだから、だいたい5月ぐらいからですね。
   No, only after it has become warm every year, which is sometime around May. / 아뇨, 매년 따뜻해지고 나서이니까 대개 5월 정도부터입니다. / Não, só depois de acabar o frio. Mais ou menos a partir de maio. / No, solo después de que empiece el clima templado todos los años; por lo general, a partir del mes de mayo.
④ A：海外旅行に行くんですが、何かいい保険を知っていますか。
   I am going to travel abroad. Do you know of any good insurance packages? / 해외 여행에 갑니다만, 뭔가 좋은 보험을 알고 있습니까? / Eu vou viajar para o exterior. Você conhece algum seguro bom? / Me voy de viaje al extranjero, ¿conoces algún buen seguro?
   B：ええ、私はいつもネットで申し込んでいるんですが、安いのが、いくつかありますよ。
   Yes, I always purchase travel insurance through the internet. There are several companies with reasonable

rates. / 네, 저는 언제나 인터넷으로 신청을 하고 있는데요. 싼 것이 몇 개 있습니다. / Sim, eu sempre entro no seguro pela internet.Tem uns bem baratos. / Sí, siempre lo compró por internet. Se encuentran algunos baratos.

4 ①か ②れ ③ご ④×

チャレンジ！・Challenge!・도전해보기!・Desafio!・Desafio!

1 ①a ②c ③b, e ④c ⑤b, f ⑥a, f
2 ①保証 ②歯医者, 通って, 保険証 ③転んで, 血
　④温めます, 割り, 利用 ⑤買った, 店, 湯
3 ①彼はゲームに熱中している時は、周りの声が聞こえないようだ。
　②手術の後、具合が悪いと思っていたら、やっぱり熱があった。
　③食事の支度が済みましたよ。
　④エアコンが壊れていて、暖かい空気しか出ない。

第23回 (420-440) p.115-116

1 ①c, e ②c, d ③b, e ④c, d
2 ①ぶんか, てん, かんしん
　②いっかい, ないせんばんごう, おして
　③ちかく, きかい, れんらく ④おりて, あるく
　⑤せきゆ, へった

3
① A：ねえ、川口さん、いつもどこの美容院に行っている？
Ms Kawaguchi, which hair salon do you usually go to? / 저기, 가와구치 씨, 보통 어느 미장원에 다니고 있어? / Sra. Kawaguchi, a qual salão de beleza você sempre vai? / Señora Kawaguchi, ¿a qué salón de belleza va siempre?

B：あの、駅前に大きい交差点があるよね。あの近く。
There is a big intersection in front of the station, right? I go to the one nearby. / 저기 역 앞에 큰 교차점이 있지？그 근처. /Ah, sabe que tem aquele crusamento grande em frente da estação? É ali perto. / Cierto que al frente de la estación hay una gran intersección. Voy a uno cerca de allí.

② A：ピアノはどのぐらい練習していますか。
How often do you practice the piano? / 피아노는 어느 정도 연습하고 있습니까？ / Quantas vezes você treina piano? / ¿Cuánto practicas el piano?

B：週に2, 3回ですね。
I practice two to three times a week. / 일주일에 2,3 회입니다. / Uma 2 ou 3 vezes por semana. / Unas 2 o 3 veces a la semana.

③ A：どんなお仕事をなさっていますか。
What kind of job are you doing? / 어떤 일을 하고 계십니까？ / Qual trabalho o senhor faz? / ¿Qué tipo de trabajo realiza?

B：コンピューター関係の会社で、営業をしています。
I work at a computer related company. I do sales. / 컴퓨터 관계 회사에서 영업을 하고 있습니다. / Trabalho numa empresa de computação e faço negócios com outras empresas. / Trabajo en una empresa de computadoras. Me dedico a las ventas.

④ A：これを中国まで送りたいんですが、一番速いのだと、いつ着きますか。
I would like to send this to China. When will it arrive if I choose the fastest way? / 이것을 중국까지 보내고 싶은데요, 가장 빠른 것이라면 언제 도착합니까？ / Quero enviar isto à China. Qual é o serviço postal mais rápido? / Quisiera enviar esto a China. Si lo envío por el medio más rápido, ¿cuándo llegará?

B：そうですね、速達でも、3日はかかると思います。
Let me see ... I think it will take at least three days even if you use the express service. / 글쎄요. 속달이라도 3일은 걸릴 겁니다. / Pois é, mesmo com sedex vai levar no mínimo uns 3 dias. / Bueno, creo que tardaría unos 3 días aun si lo enviara por correo expreso.

4 ①し ②か ③っ ④ん ⑤×

チャレンジ！・Challenge!・도전해보기!・Desafio!・Desafio!

1 ①a, d ②c ③a ④b ⑤b ⑥b
2 ①美しい, 線 ②点, 以上 ③辞めた, 理由
　④線路, 落ちた, 呼んで ⑤練習, 考える, 係
3 ①細川さんは、問題があってもパニックしないで、いつも落ち着いている。
　②自分でバッグを作りたくて、布と糸を買った。
　③終点で降りて、南口にいてください。私もそこに行きますから。
　④夏は、レストランやデパートの営業時間が長くなります。
　⑤テレビ局を訪ねる観光客が増えています。

第24回 (441-461) p.123-124

1 ①c, f ②b, d ③a, d ④c, e
2 ①きょうと, けん, ふ
　②かいがいりゅうがく, ひよう
　③おどろいた, おとうさん, せいじか
　④しょうがくぶ, けいざいがくぶ, にんき
　⑤つよかった, しだいに, よわく

3
① A：カードで払えますか。
May I use a credit card? / 카드로 지불할 수 있습니까？ / Posso pagar com cartão? / ¿Se puede pagar con tarjeta?

B：はい。
Yes. / 네. / Pode. / Sí.

A：あー良かった。
Oh, thank God. / 아, 다행이다. / Que bom. / Ah, qué bueno.

B：お支払い回数は何回になさいますか。
How many times would you like to split the payment? / 지불 회수는 몇 회로 하시겠습니까？ / Em quantas vezes você gostaria pagar? / ¿En cuántas cuotas?

A：じゃあ、2回でお願いします。
Twice, please. / 그럼, 2회로 해 주세요. / Então, me faz em 2 vezes. / En 2, por favor.

② A：具合はいかがですか。
How do you feel? / 몸은 어떻습니까？ / Como está a condição? / ¿Cómo está?

B：おかげ様で、だいぶ良くなりました。
Thank you for asking. I feel much better now. / 덕분에 많이 좋아졌습니다. / Graças a deus, melhorou bastante. / Gracias a Dios, me siento mucho mejor.

③ A：原田さん、好きな教科とか嫌いな教科とかありますか。
Mr. Harada, do you have any favourite or least favourite school subjects? / 하라다 씨, 좋아하는 교과나 싫어하는 교

9

과가 있습니까? / Sr. Harada, tem alguma matéria que você gosta e que não? / Señor Harada, ¿hay cursos que le gustan y otros que le disgustan?
B：そうですね、好きなのは歴史で、嫌いなのは数学です。
Well... History is the one I like and mathematics is my least favourite. / 글쎄요. 좋아하는 것은 역사이고, 싫어하는 것은 수학입니다. / Deixe-me ver... a matéria que eu gosto é história, e a que não gosto é matemática. / Bueno, el que me gusta es historia y el que no las matemáticas.

④ ①× ②い ③り ④え ⑤え

チャレンジ！・Challenge!・도전해보기!・Desafio!・Desafío!

1 ①a ②b ③a ④a,e ⑤c ⑥a
2 ①何,手数料,高い ②歴史,旅行,楽しい ③友,会って,驚いた ④事故,治安,良い ⑤商品,確認,済んで
3 ①ホテルの部屋は期待していたより小さかった。
② この店では、農薬を使わずに育てたフルーツだけ売っています。
③ デモをして、政府のやり方に反対する。
④ 両親にお願いして、学費を出してもらった。

第25回 (462-481) p.131-132

1 ①c ②a,e ③c,d ④b,f
2 ①ねん,れんらくさき ②すいえい,にがて,こうきょう
③つうじょう,えいぎょうじかん,ちがいます
④いろ,くみあわせ,いい（よい）
⑤えいが,つづき,き

3
① A：ああ、おなかいっぱい。
Oh, I am so full now. / 아, 배부르다. / Já estou cheio. / Ah, tengo el estómago lleno.
B：無理しないで、残してもいいですよ。
Don't push yourself. You know you can leave it. / 무리하지 말고 남겨도 괜찮아요. / Não precisa de esforçar para comer, pode deixar. / No coma a la fuerza, puede dejarlo.
② A：平田さんはどこにいるか知ってる？
Do you know where Mr. Hirata is? / 히라타 씨는 어디에 있는지 알아? / Sabe onde está sr. Hirata? / ¿Sabes dónde está el Señor Hirata?
B：今、会議中ですよ。
He is in a meeting right now. / 지금, 회의중이에요. / Está na reunião agora. / Ahora está en una reunión.
③ A：好きなテレビ番組ありますか。
Do you have a favourite TV programme genre? / 좋아하는 프로 있습니까? / Tem algum programa de tv que você gosta? / ¿Hay algún programa de televisión que le guste?
B：私は音楽番組が好きですね。
I like music programmes. / 저는 음악 프로를 좋아해요. / Eu gosto dos programas musicais. / A mi me gustan los programas musicales.
④ A：石田さん、石田さんも明日の飲み会に来られますか。
Mr. Ishida, will you also come to the drinking party tomorrow? / 이시다 씨, 이시다 씨도 내일 술자리에 오실 겁니까? / Sr. Ishida, o senhor pode vir no nosso encontro amanhã também? / Señor Ishida, ¿Usted también irá de copas con nosotros mañana?
B：あ、すみません。非常に残念なんですが、行けそうにありません。
Oh, I am sorry. I really wish I could come but I am afraid that I can't. / 죄송합니다. 정말 유감스럽지만, 갈 수 없을 것 같습니다. / Ah, desculpe, realmente é uma pena, mas não tem como eu ir. / Ah, disculpen, me da mucha pena, pero no hay manera de que pueda ir.

④ ①×, × ②× ③ん ④し

チャレンジ！・Challenge!・도전해보기!・Desafio!・Desafío!

1 ①a,f ②b,d ③b ④c,d ⑤c,e ⑥b,e
2 ①手続き,済ませる ②再来月,活動報告書
③私,常に,持ち歩いて ④夫婦,共働き,家
⑤組合,話し合い,始めた
3 ①テレビを見続けて、目が疲れた。
② 笑いすぎて、苦しい。
③ この本から、非常に深い悲しみが伝わってくる。
④ 会議がすぐ終わらなかったので、全員十時まで会社に残った。
⑤ 文法のクラスが、先生の都合で休講になった。

第26回 (482-500) p.138-139

1 ①c,f ②c,e ③a,d ④a
2 ①なつ,ひやけ,ちゅうい
②きょういく,かんして,むずかしい,かだい
③ひるね,ねむい
④さいきん,おそく,けっこん
⑤きょうりょく,しょうひん,せいさん

3
① A：新車の調子は良いですか。
How is your new car? / 새 차 상태는 좋습니까? / O carro novo está em condição? / ¿Qué tal funciona su auto nuevo?
B：ええ、期待以上ですよ。
A lot better than I expected. / 네, 기대 이상입니다. / Sim, melhor do que esperava. / Mucho mejor de lo que esperaba.
② A：準急はこの駅にとまりますか。
Does a local express train stop at this station? / 준급(준급행 열차)은 이 역에 멈춥니까? / O trem semi-expresso para nesta estação? / ¿Para en esta estación el tren semi-expreso?
B：ええ、でも一時間に一本しかありませんよ。
Yes, but there is only one every hour. / 네, 하지만 1시간에 1대밖에 없습니다. / Sim, mas só tem um por hora. / Sí, pero solo pasa uno cada hora.
③ A：今日の試合の結果、知ってる？
Do you know the result of today's game? / 오늘 시합 결과 알아? / Soube como ficou o resultado de jogo de hoje? / ¿Sabes los resultados del partido de hoy?
B：うん、3対0で勝ったよ。
Yes, they won three to zero. / 응, 3대 0으로 이겼어. / Sim, ganhou de 3 a 0. / Sí, ganamos 3 a 0.
④ A：横山課長は今日来ていますか。
Is Mr. Yokoyama in today? / 요코야마 과장님은 오늘 오셨습니까? / O chefé, sr. Yokoyama está hoje? / ¿Ha venido hoy el jefe de sección, el Señor Yokoyama?
B：ああ、今週一週間休みを取っていますよ。
No, he is on vacation for a week. / 아, 이번주 일주일 동안 휴가를 내셨습니다. / Ah, ele está de folga esta semana inteira. / Ah, ha tomado vacaciones toda esta semana.

④ ①れ,× ②× ③べ ④し ⑤け

チャレンジ！・Challenge!・도전해보기!・Desafio!・Desafio!

1. ① b,d ② b ③ c,d ④ c,e ⑤ a,e ⑥ c,e
2. ① 最近, 良い, 結果 ② 横, 暑く, 寝られなかった
   ③ 料金, 設定, 変える ④ 効果的, 使う
   ⑤ 結婚式, 準備
3. ① 皆(みな)さまのご協力をお願いいたします。
   ② スポーツジムの電話番号を調べる。
   ③ 商品化するには、難しい課題が山のようにある。
   ④ 論文の書き方を習う。
   ⑤ きのう、郵便局(ゆうびん)の人から荷物を受け取った。

ストーリーで意味を覚えよう
日本語訳

第17回

301	的	的は白いです。「名詞＋的」で「〜的」という形容詞になります。
302	約	約束通り、小さい木のそばにいる男の子の頭の上の的に矢が当たりました。
303	宿	屋根の下に人が百人いるところは、宿です。
304	泊	水と白い砂浜のあるところに泊まりたい。
305	荷	フェンスの中に草が生えています。空港で荷物の中に何か草が入っていないか、チェックされます。
306	個	箱に古いリンゴは何個ありますか。この漢字には、個人という意味もあります。
307	訪	人を訪ねるときはその人が言った方向へ行きます。
308	比	「北88」の漢字を覚えていますか。形を比べてみてください。
309	階	比べてみて、白くてもっとよい（'β'etter）フロアー(階)に行きます。
310	化	立っている若者が、座っている老人に変化しました。この漢字は、「花148」に使われています。
311	老	土曜であることとは関係なく、老人は座っています。
312	宅	自宅で人はくつろいでいます。
313	若	フェンスの右には若い草があります。
314	変	スキップ（小走り）しないと、信号が赤に変わりますよ。「亦」は「赤」と少し形が違うことに注意してください。
315	晩	「勉162」の字を覚えていますか。一日中がんばって勉強していたら、晩になりました。「夜73」と同じ意味です。
316	雲	雨が降っていましたが、空に広がっていた雲が二時には晴れます。
317	育	帽子をかぶった赤ちゃんが、毎月、大きく育っています。
318	窓	窓のある家の中で足を広げると、心もリラックスします。
319	園	他の土地に行く人を囲んで、「行かないで！ここはいい公園ですから」と言います。「遠201」の漢字と似ています。
320	眠	この町の市民の目はいつも眠そうです。
321	遊	旗を持った子供が向かう方向には遊び場があります。

第18回

322	才	才能のある人は手に技を持っています。この漢字は「才」の意味もあります。「才」と「才」は形が違うことに注意してください。
323	身	指で自分の身体を指しています。この漢字の意味は「体12」と同じです。
324	単	これは、十字架にかけられたキリストを単純化した形です。
325	礼	神主さんにお礼をするのは礼儀です。この漢字は「社123」と形が似ています。
326	初	神主が初めて刀を持ちました。「礻」は「衤」と形が違うことに注意してください。この漢字は「社123」と似ています。
327	伝	二人の人が自分の気持ちを伝えるには広い心が必要です。
328	留	田んぼで刀を振りかざされたので、その場に留まりました。
329	番	これは田んぼで取れた一番いい米です。
330	号	0と5は何かの記号です。
331	信	人の言うことを信じましょう。
332	違	口の上と下の形は違います。気をつけてください。
333	他	どの世代の人も他の世代の人に対して、何か言います。「也」は「世」と形が違うことに注意してください。この漢字は、「地240」「池241」と形が似ています。
334	両	一つの山が雲で覆われています。雲があるときもないときも両方きれいです。
335	利	葉っぱの付いた木を自分の利益のためにナイフで切ります。
336	平	平らにしようとします。
337	成	万と×の組み合わせです。一万円だけでは、億万長者には成れません。
338	完	元気な大工さんが家を完成させました。
339	打	手を使ってくぎを打ちます。
340	当	3回目には当たります。
★62	争	7人の兵士が戦争に向っています。この漢字は単独でも使用されます。
341	静	争いがなく空が青くて静かです。

第19回

★63	亡	亡くなった人の姿です。この漢字は単独でも使用されます。
342	忘	心がここにない（亡くなる）と、何でもすぐ忘れてしまいます。

☆64	忄	心です。
343	忙	死にそうに忙しい人は「心ここにあらず」です。
344	性	生まれたときから持っている心は、その人の性質です。「形容詞＋性」で「〜性」という名詞になります。
345	感	片目が見えないと感覚と心が敏感になります。この漢字は「成337」と形が似ています。
346	減	どのぐらい水が減ったか片目で見ます。この漢字は「感345」と形が似ています。
347	泣	立って泣いています。
348	夫	一番大きい人は夫です。
349	実	実は家の中にもう一人、夫がいます。
350	失	夫は失いたくない人の1人です。
351	鉄	失ってはいけないミネラルは鉄分です。
352	表	主人が去ってしまいました。この気持ちをどう表せばいいかわかりません。「龶」は「主」と形が違うことに注意してください。
353	現	王は現実を見ています。
354	覚	学校の屋根の下でいろいろなものを見て覚えます。
355	石	町の目印の上が壊れているのは、石が当たったからです。
356	確	「隹☆61」を覚えていますか。集めた石がどんな石かを家の中で確かめます。「宀」と「冖」は形が違うことに注意してください。
357	認	刀を使わずに相手の話を聞いて、その人の気持ち（心）を認めましょう。
358	増	田んぼの土を日々耕すと収穫が増えます。
359	加	たくさんの物を食べると力が加わります。
360	婦	婦人は3時に家を出ます。この漢字は「帰294」と形が似ています。

第20回

☆65	冫	氷です。
361	冷	今、氷ができました。冷たいです。「令」は「今」と形が違うことに注意してください。
362	欠	頭が欠けている人の形です。
363	次	氷が足りなくて（欠けていて）次の飲み物を作ることができません。
364	資	価値のあるものは、次の世代への資産です。
★66	各	（各々の）物がある度にスキップします。この漢字は単独でも使用されます。

365	客	それぞれの家にお客さんがいます。
366	絡	各々の人が糸電話を使って連絡します。
367	格	木にはそれぞれ資格があります。
368	連	道がつながって（連なって）いたら、車が通れます。
369	席	コートを着た人が店の中で「私の席はどこですか？」と言っています。「堂297」と形が似ています。
370	指	座って指にはめるプレゼントを待っています。
371	座	昔、日本では、店の中で人は靴を脱いで床に座りました。
372	卒	私たちは卒業するのに十年かかりました。
★67	示	二歳の小さい子供はちゃんと話せないので身体で自分の意志を示します。この漢字は単独でも使用されます。
373	禁	昔、禁止事項は木に書いて示しました。
374	予	ママは予め何でも「あれをしなさい、これをしなさい」と言います。
375	決	水の中では、ボールがないとどこが中央か決められません。
376	定	正しく建てられた家はしっかり固定されています。「疋」は「正」と形が違うことに注意してください。
★68	辛	辛い物を食べると十回飛び上がります。この漢字は単独でも使用されます。
377	辞	辞めるときは辛いことばを千回言われるでしょう。
★69	幸	辛い物にひと味加えると、幸せな味になります。この漢字は単独でも使用されます。
378	報	「服196」を覚えていますか。服の情報を聞くと、幸せな気持ちになります。
379	告	旗を持った人が大事なことを告げます。「先77」と形が似ています。

第21回

380	応	お店の人はお客さんの反応が気になるものです。
381	必	日本では気持ち（心）を抑えることが必ず必要です。
382	付	「寸★28」を覚えていますか。人が手で飾りを付けます。
383	対	他の人とは反対の意見を手で書きます。
384	要	西日本の女性は必要とされています。「襾」は「西」とは形が違うことに注意してください。

385	価	西日本の人は物の**価値**にこだわります。「西」は「西」とは形が違うことに注意してください。
386	酒	西洋で一番良く飲まれる飲み物は**お酒**です。
387	配	蛇の入ったお酒を**配り**ます。
388	記	書類は蛇のような文字の形で**記され**ています。
389	反	2つのことについて、友達とけんかして**反発**し合っています。
390	返	物を**返す**ときは反対方向になります。
391	接	女性に**接する**ときは、立って手を取ってエスコートしましょう。
392	案	安い木をどう使ったらいいか、いい**案**があります。
393	直	十個目の角を見てください。そこまで**真っ直ぐ**行きます。
394	置	四つの物をまっすぐ**置き**ます。「皿」は「四」と形が違うことに注意してください。
395	位	人が立っているところでランク(**位**)がわかります。
396	面	**お面**の形です。この漢字には「**面する**」という意味もあります。
397	談	**会談**では、火花が散るほど熱い話し合いが行われます。
398	相	木をよく見ると、いくつかの**相**が見えます。
399	様	木の台に羊と水を載せて、某**様**にあげます。「氷」と「水」は形が違うことに注意してください。
400	求	みんな一番いい水を**求め**ています。「氷」と「水」は形が違うことに注意してください。

第22回

★70	皿	これは、**お皿**です。この漢字は単独でも使用されます。
401	血	お皿の上に何かがあります。**血**です。
402	温	太陽でお皿の中のスープを**温かく**します。
403	暖	**暖かい**日には、もう一人の友達とパラソルの下で一緒にいたくなります。
404	湯	日曜日に豚を**お湯**で煮て食べます。
405	熱	地面が89度になっていて**熱い**です。熱くて汗が出ます。「丸」は「九」と形が違うので注意してください。
406	割	家のなかで三つのものを、ナイフで**割り**ます。

★71	又	この椅子に**又**、座りたい。この漢字は、単独でも使用されます。
407	支	十人の人に、又、**支え**てもらいます。
★72	皮	身体を支えている膜は**皮膚**です。この漢字は単独でも使用されます。
408	疲	**疲れる**と皮膚の調子は悪くなります。
409	彼	**彼**が皮膚を焼き(日焼け)に行きます。
410	痛	**痛い**とき、ママという言葉を用います。
411	歯	**歯**が痛いので、口で米をかむのを止めます。
412	奥	米の入った大きい入れ物は、家の**奥**にあります。
413	険	**険しい**崖を前にして、山小屋で人々は一番いい(ベストな)道を調べています。
414	証	「自分は正しい」と言って、自分の正しさを**証明**します。
415	保	人に取られないように、大切な物を木の上に**保管**します。
416	過	運ぶには、カバーの中の物が大き**過ぎ**ます。
417	器	四つの物を乗せるために、大きい**器**が要ります。
418	具	お金は**道具**の一つです。
419	術	「ホー、すばらしいなあ」と感心するような**技術**を学びに行きます。

第23回

420	糸	部品として使われる場合の意味は小さな木です。漢字では、**糸**という意味になります。
421	係	**係**の人が小さい木の横で、ダメと言っています。
422	機	木でできた機織りの**機械**です。「幺」は「糸」と形が違うことに注意してください。
423	関	天国の門を通れるかどうかは、今の自分の行いに**関係**しています。
424	交	帽子をかぶったお父さんが他の人と**交流**します。
425	落	フェンスの中にあるそれぞれの草の葉から水滴が**落ち**ています。
426	路	それぞれの人の足跡が**路**に残っています。
427	練	小さい木の側で東から昇る朝日を見ながら、**練習**します。
428	線	水の流れを上空から見ると、白い**線**に見えます。
429	細	田んぼのそばに小さくて**細い**木が立っています。

430	向	向こうに何が見えますか？「何57」という漢字と形が似ています。
431	局	向こうに店があると思ったら、それは事務局でした。
432	営	学校で営業をする(物を売る)のは、ダメです。
433	点	わたしの鍵のいい点は、キラキラ光っていることです。
434	呼	「おーい！」と呼んでいる人の姿です。
435	降	階段をスキップしながら降りると、もっといいですよ。
436	速	木が坂道を転がり落ちています。速いです。
437	遅	店に羊が届くのが遅いです。
438	美	大きい羊は美しいです。
439	由	この田んぼにいい稲ができるのには理由があります。
440	油	油と水を混ぜることができない理由は何でしょう。

第24回

441	商	八人が立ってカバーの中の物を売って、商売しています。
442	部	「もっといい部署に行きたい」と立ち上がって言いたい。
443	経	小さい木を植えてから時間が経ちました。又、木を植えましょう。
444	済	毎月、汗水流して文書を書きます。それで、わたしの仕事は済みます。「⺝」は「月42」と形が違うことに注意してください。
445	払	払うときには手を広げてお金を見せます。この漢字は「伝327」と形が似ています。
446	治	水を口に入れて足を伸ばしていると病気が治ります。
447	消	月夜の火事を水で消します。
448	期	月に向うロケットです。そのロケットは長い期間、月に滞在します。
449	第	弟たちは誰が竹取りの第1位になれるか、争っています。「第」は、数字の前に来て順番を表します。
450	費	ドルとお金です。費用という意味です。
451	府	府が応援しているお店には、マークが付いています。
452	数	旗を持った女の人が、だめなお米を数えています。「教268」と形が似ています。

453	故	古い旗に×と書いてあります。事故がありました。
454	政	だめなことを正すのは政治です。「㐅」は「正」と形が違うことに注意してください。
455	驚	フェンスの向こうに行けなくて、馬が驚いています。「向」が「句」になっていることに注意してください。
456	良	贈り物をすることは、良い行いです。
☆73	厂	原っぱです。
457	歴	原っぱで足を止めて木々を眺めながら、自分の歴史を振り返ります。
458	農	この田んぼでは良いお米が収穫できます。ここは、農業が盛んです。「辰」と「良」の形が違うことに注意してください。
459	原	白くて小さい原っぱは、わたしの原点です。この漢字には原っぱという意味もあります。
460	願	原っぱで、ページ(頁)に願い事を書きます。
461	史	歴史は人が口伝えに伝えた話です。「乂」は「人」と形が違うことに注意してください。

第25回

462	深	深い水の中で人が木をつかもうとしています。
☆74	戋	定規で長さを測ります。
463	残	夕方、一人分の量をはかって、残り物を食べます。
464	念	念というのは、今の心の状態のことです。
465	泳	泳ぐとき、水しぶきがあがります。
466	非	三つの道が切れています。安全ではない(非常事態)です。「不206」と同じ意味です。
467	悲	悲しいという気持ちは、心の非常事態です。
468	常	ホールにはマントを着た人が常にいます。「堂297」、「席369」と形が似ています。
469	困	箱の中の木が大きくなれずに困っています。
470	笑	天まで伸びた竹を見て、人々は笑っています。「夭」は「天」と形が違っていることに注意してください。
471	喜	武士が台の上にある物をもらって、喜んでいます。
472	苦	フェンスの中にある古い草は苦いです。
473	活	千の言葉を活き活きと、汗をかきながら話します。

474	続	何があっても私は糸を売り続けます。この漢字は「読110」と形が似ています。
475	組	いくつかの部署が集まって、組織になります。
476	専	田んぼで十年働いたら、米作りの専門家になれます。
477	再	環境のために、もう一度使います(再利用します)。
478	共	二人の人が共に手を取り合っています。
479	講	あの講義を共に再び聞きましょう。「井」は「共」と形が違うことに注意してください。
480	法	洪水で水があふれたら家を去らないといけないという法律があります。
481	議	羊がどちらの方向に行くべきか、議論しています。

第26回

482	調	土曜日に買ったカバーの中のものを調べてくださいと言われました。この漢字は、「週143」と形が似ています。
483	協	協力すると三人の力は十人分の力になります。
★75	黄	信号が黄色ですから、二人の人が一緒に待っています。
484	横	私は黄色い木の横にいます。
485	焼	十人集まりました。一緒に食べ物を焼いて食べましょう。「尭」は「共」と形が違うことに注意してください。
486	備	災害が起こったときのために、人は共に使えるものを備えておきます。
487	準	汗をかいて、がんばって十の物を集めて、基準を決めます。
488	難	夫は目が悪いのでフェンスの中で草を集めるのが難しそうです。
489	離	私は帽子をかぶり、荷物を集めて、恋人から離れます。この漢字の意味は「別295」と同じです。
490	結	武士は「これが赤い糸だ。」と言って、女性と結ばれました。
491	婚	女性の苗字(氏)が変わる日は、結婚した日です。
492	果	田んぼのそばの木に果物がなっています。
493	課	「果物です。どうぞ。」と言って、それぞれの課に配ります。
494	論	牢屋の中で彼は「私の論は一番だ。」と叫んでいます。
495	効	力が交わると、大きな効果が得られます。
496	受	もう一つ、学校に行きます。又、資格を取る(受ける)ためです。
497	設	もう一度説明書を読んで、機械を設置します。
498	取	もう一度よく聞いてメモを取ってください。
499	最	休みが取れた日は最もいい日です。「取」は「取」と形が違うことに注意してください。
500	寝	3時にもう一度、家のベッドで寝ます。